Sprachkurs Deutsch 2

Exam GM107

    Part One :-
        Translation Gm – Eng.

    Part Two :-
        Fillings in gaps (endings) & Past participles.

    Part Three :-
        Answer 4 out of 6 questions (20 words each).

Exam 106
    Based on book 1. V. little dative.
    Sentences to translate into Gm & things
to fill in (eg Acc & Nom.) endings.
    Answer questions in about 20 words
        eg Lesetexte

Sprachkurs Deutsch

Das Lehrwerk besteht aus drei Teilen.
Jeder Teil umfaßt Lehrbuch, verschiedene Glossare, Hinweise für Kursleiter, Casetten- und Spulenversion mit Lehrbuchtexten und Übungen.

Grundstufe I. Teil 1
Lehrbuch (MD 6111)
Glossare:
Deutsch-Englisch (MD 6114)
Deutsch-Französisch (MD 6134)
In Vorbereitung:
Deutsch-Türkisch (MD 6131)
Deutsch-Japanisch (MD 6137)

Grundstufe I. Teil 2
Lehrbuch (MD6112)
Glossare:
Deutsch-Englisch (MD 6115)
Deutsch-Französisch (MD6135)
In Vorbereitung:
Deutsch-Türkisch (MD 6132)
Deutsch Japanisch (MD 6138)
Hinweise für den Kursleiter zu Teil 1 u. 2 (MD 6117)

In Vorbereitung: Grundstufe II
Lehrbuch (MD 6113)
Glossare:
Deutsch-Englisch (MD 6116)
Deutsch-Französisch (MD 6136)
Deutsch Türkisch (MD 6133)
Deutsch-Japanisch (MD 6139)
Hinweise für Kursleiter (6119)

Sprachkurs Deutsch 2

Unterrichtswerk für Erwachsene

Ulrich Häussermann
Ulrike Woods
Hugo Zenkner

unter Mitarbeit von Hans-Heinrich Wängler

Verlag Moritz Diesterweg

Österreichischer Bundesverlag
für Unterricht, Wissenschaft und Kunst

Verlag Sauerländer

Sprachkurs Deutsch 2

Verantwortlich für

Phonetik (einschl. Prosodik)	Universitätsprofessor Dr. Hans-Heinrich Wängler (Hannover)
Lexik (Kontrolle, Übungen, Tabellen, Register), Tests	Dr. Ulrike Woods (New York)
Grammatik (Darstellung, Analyse, Metasprache), Sprechübungen, Hörverstehensübungen, Lehrerheft	Hugo Zenkner (Helsinki)
Alles übrige (z. B. Dialoge, Texte, Studien, Bildgeschichten usw.) sowie Endredaktion	Dr. Ulrich Häussermann (Prien)
	(Diese Angaben bezeichnen nur die Arbeitsschwerpunkte.)
Wichtige Teile des Werkes gehen zurück auf Anregungen von	Universitätsprofessor Dr. Gerhard Austin (University of Connecticut), Heide Rösch (Paris), Benno Steffens (München).
Mit kritischer Mitarbeit standen uns zur Seite	Rudolph Barth (Colombo), Dr. Manfred Heid (New York), Dr. Karin Herrmann (Manchester), Jürgen Keil (Sydney), Abed Naumann (Ankara), Dr. Uwe Nitschke (Singapur), Jutta Pabst (Turin), Universitätsprofessor Dr. Albert Reh (University of Massachusetts), Timm Tralau (Helsinki).
Cartoons	Ulrike von Stokar (Mainz)
Sachzeichnungen sowie Schreibbeispiele	Viktor Weinerek (Weiskirchen)

Die *Hinweise für Kursleiter zu Teil 1 und 2* enthalten u. a. Diktate, Tests, Fragen zu den Dialogen, die Texte der Imitationen.

	Bestellnummer	ISBN
Diesterweg	6112	3-425-06112-7
Österr. Bundesverlag	02792	3-215-02792-5
Sauerländer	6112	3-7941-1892-8

Reproduktion: Stritt & Osterrieth, Frankfurt/Main
Gesamtherstellung: Universitätsdruckerei H. Stürtz AG, Würzburg

Inhaltsverzeichnis

Kapitel 15

1
Lesetext

Bücher
billiges Porzellan
teures Porzellan
Silber
wunderschöner alter Kitsch
miserable Kriminalromane
         (20 Pfennig)
Puppen
Spiegel, oval und rund
Tassen
Knöpfe
Eis
Bilder aus Großmutters Schlaf-
         zimmer
schlechte Literatur
gute Literatur
Bratwürste
billiger Schnaps
moderne Keramik
altes Glas
Gold
Kupfer
verrückte Kleider, Blusen,
         Tücher
und Musik

2
Spiel

Welche Bilder passen? Schreiben Sie die Bildnummern zum Text!

3
Beispiele

schöner alter Kitsch	der Kitsch	} *maskulin*
billiger Schnaps	der Schnaps	
schlechte Literatur	die Literatur	} *feminin*
moderne Keramik	die Keramik	
teures Porzellan	das Porzellan	} *neutrum*
altes Glas	das Glas	
miserable Romane	die Romane	} *Plural*
verrückte Kleider	die Kleider	

4
Diskussion

→ a   Bitte unterstreichen Sie die Endungen der Adjektive!
→ b   Bitte lesen Sie die Nomen und die bestimmten Artikel!
→ c   Vergleichen Sie nun die Endungen der bestimmten Artikel
und die Endungen der Adjektive!

5
Elemente

DIE NOMEN-GRUPPE

Wir zeigen Ihnen die grammatische Logik der Nomen-Gruppe in mehreren Schritten. Die fertige Tabelle finden Sie dann auf Seite 148/149.

		Singular		Plural
	maskulin	*feminin*	*neutrum*	
NOM	*der Schnaps* billiger Schnaps	*die Literatur* schlechte Literatur	*das Kupfer* altes Kupfer	*die Kleider* verrückte Kleider

6
Kombination

alt
verrückt
englisch
schön
modern
gut
japanisch
neu
interessant
echt
chinesisch

alte — Kleider – ganz billig!

_____ Porzellan – ganz billig!

_____ Bücher – ganz billig!

_____ Kupfer – ganz billig!

_____ Puppen – ganz billig!

_____ Glas – ganz billig!

_____ Keramik – ganz billig!

_____ Schnaps – ganz billig!

_____ Silber – ganz billig!

_____ Tee – ganz billig!

_____ Tücher – ganz billig!

_____ Bilder – ganz billig!

7

Studie

Bitte ergänzen Sie die Adjektive:

a Unsere Sensation: *japanisches* Porzellan!

b Sehr billig: _____ Kupfer!

c Bitte, meine Damen: _____ _____ Blusen und Kleider!

d Hier: _____ Schmuck!

e _____ Bücher aus aller Welt!

f Handarbeit: _____ Keramik!

g Probieren Sie selbst: _____ Tee!

h Meine Damen und Herren: _____ Cognac!

i _____ Silber, hier besonders preiswert!

k _____ Porzellan? Nein, das gefällt mir nicht.

8 ⊙⊙
Kleiner Dialog

Carmen: Haben Sie indischen Curry?
Verkäufer: Selbstverständlich.
Carmen: Und schwarzen Pfeffer, bitte.
Verkäufer: Und?
Carmen: Dann möchte ich spanische Oliven.
Verkäufer: Wieviel?
Carmen: 100 g vielleicht.
Verkäufer: Was darfs noch sein?
Carmen: Haben Sie reines Sonnenblumenöl?
Verkäufer: Selbstverständlich.
Carmen: Und dann nehme ich noch 200 g ungarische Salami.
Das ist alles.
Verkäufer: Wir haben heute im Sonderangebot griechischen Honig, das Glas nur 3,— DM.
Carmen: Gut, ein Glas.
Verkäufer: Danke.

9
Variation

Bitte ergänzen Sie die Adjektive:

A Haben Sie *französischen* Cognac?
B Natürlich. Hier bitte.
A Kostet?
B 21,— DM.
A Hm. Vielleicht nehme ich eine Flasche Kirschwasser.

B _____ Kirschwasser, die Flasche 14,10 DM.
A Und Marmelade.

B Hier hab ich _____ Marmelade, oder wollen Sie

_____?

A _____. – Und vielleicht noch Tee.

B Möchten Sie _____ Tee? Oder _____?

Oder _____?

A Ich nehme _____. Das ist alles.

10
Lesetext

die Suppe- soup
Frühling -Spring

Home-made

Pommes Frites - chips

Fresh veg.

Tomatensuppe   1,70
Frühlingssuppe aus frischem Gemüse   1,70
Weißer Käse mit Bauernbrot
          und frischer Butter   3,50
Hausgemachte Leberwurst mit
Bauernbrot und saurer Gurke   3,50
Bratwurst mit fränkischem Sauerkraut   4,—
½ Hähnchen mit pommes und grünem Salat 5,50
Pfannkuchen mit hausgemachter Marmelade 3,50

11
Elemente

DIE NOMEN-GRUPPE

	Singular			Plural
	maskulin	*feminin*	*neutrum*	
NOM	*der Tee* schwarzer Tee	*die Sahne* süße Sahne	*das Wasser* klares Wasser	*die Rosen* rote Rosen
AKK	*den Tee* schwarzen Tee			
DAT	*dem Tee* schwarzem Tee	*der Sahne* süßer Sahne	*dem Wasser* klarem Wasser	*den Rosen* roten Rosen

12
Diskussion

→ a Vergleichen Sie die Endungen der bestimmten Artikel
und die Endungen der Adjektive!

Compare   endings   Definite article

→ b Vergleichen Sie den Dativ maskulin Singular
und den Dativ neutrum Singular!

→ c Schreiben Sie selbst die Regeln:

Rules

Genau gleich sind ___die Endungen der___

Exactly the same

___Adjektive und Artikel___

→ d Füllen Sie nun das Schema aus:

Welche Konsonanten sind charakteristisch?
(Schreiben Sie nur die **Konsonanten** auf!!)

Consonants

Signale :

	Singular			Plural
	maskulin	*feminin*	*neutrum*	
NOM	r		s	e
AKK	n			
DAT	m	r	m	n

15

Nom m f n pl
Akk n s
dat m r m n

13
Studie

Bitte ergänzen Sie die Adjektive:

Das ist _japanischer_ Tee. _Japanischer_ Tee muß man auch aus _japanischem_ Porzellan trinken. Ich habe _japanischen_ Tee lieber als _chinesischen_. Sie auch? Nehmen Sie Sahne? Die Engländer trinken _schwarzen_ Tee immer mit Milch und Sahne, und ich finde, _englischer_ Tee schmeckt mit _süßer_ Sahne wirklich besser. Man muß Tee sehr heiß trinken! Nur _heißer_ Tee schmeckt. _Russischer_ Tee ist meistens Rauchtee. Aus dem Samowar schmeckt er am besten. Und zum Samowar gehören natürlich auch _russische_ Teegläser.

14
Suchen und finden

Wie schmeckt der Tee? → Gut. Ist das indischer Tee?
Wie schmeckt der Cognac? → Gut. Ist das französischer Cognac?
Wie schmeckt die Marmelade?
Wie schmeckt der Kaffee?
Wie schmecken die Zigaretten? Gut. Sind sie
Wie schmeckt der Wein?
Wie schmeckt der Tabak?
Wie schmeckt das Bier?
Wie schmeckt die Salami?
Wie schmeckt der Honig?

15
Suchen und finden

Mögen Sie Bier? → Ja, aber nur frisches.
Mögen Sie Käse? → Ja, aber nur holländischen.
Mögen Sie Wodka?
Mögen Sie Tee?
Mögen Sie Marmelade?
Mögen Sie Kirschwasser?
Mögen Sie Butter?
Mögen Sie Cognac?
Mögen Sie Wurst?
Mögen Sie Whisky?

16
Elemente
DIE NOMEN-GRUPPE

| | Singular | | | Plural |
	maskulin	feminin	neutrum	
NOM	der Tee schwarzer Tee der schwarze Tee	die Sahne süße Sahne die süße Sahne	das Wasser klares Wasser das klare Wasser	die Rosen rote Rosen die roten Rosen
AKK	den Tee schwarzen Tee den schwarzen Tee			
DAT	dem Tee schwarzem Tee dem schwarzen Tee	der Sahne süßer Sahne der süßen Sahne	dem Wasser klarem Wasser dem klaren Wasser	den Rosen roten Rosen den roten Rosen

17
Elemente

Die grammatische Logik der Nomen-Gruppe

Beachten Sie: Nur die Konsonanten sind **Signale.**

Regel I:
Ein Signal genügt.

Beispiel: der Tee }
schwarzer Tee } ein **R** genügt!
der schwarze Tee }

(Das Zwischen-e ist nur ein phonetischer Kontakt.)

Regel II:
Wenn ein Adjektiv kein Signal braucht (weil der Artikel das Signal schon gezeigt hat), nimmt das Adjektiv manchmal ein *n* (wir nennen es *Kontakt-n*).

Signale :

| | Singular | | | Plural |
	maskulin	feminin	neutrum	
NOM	R			
AKK	N		S	
DAT	M	R	M	N

Kontakt-*n*

| | Singular | | | Plural |
	maskulin	feminin	neutrum	
NOM				n
AKK	n			
DAT	n	n	n	n

11

18 ᎶᎶ
Kleiner Dialog

Asta: Was kostet das weiße Tuch? *drait*

Verkäuferin: Das indische? 14,— DM. *vierzehn*

Asta: Und das violette? *violet*

Verkäuferin: Auch 14,— DM. Dazu paßt der *costs* Mantel hier, der violette.

Asta: Darf ich den mal anprobieren, *to try on* den violetten Mantel?

Verkäuferin: Bitte, kommen Sie!

19
Variation

R ___Was kostet___ die schwarze Maske?

U ___17 DM___. Probieren Sie mal!

R Nun, wie seh ich aus? *ansehen - to looklike*

U ___Sehr gut___!

R Also, ich nehme ___die schwarze Maske___.

20
Variation

A Wie paßt mir der ___blauer___ Arbeits- mantel?

B Klasse!

A Was kostet der wohl?

B Sechzehn.

A Und der ___weißer___ Mantel?

B ___15 DM___.

A Ich nehme ___den blauen Arbeitsmantel___.

21
Spiel

Führen Sie ähnliche Verkaufsgespräche zu unseren Bildern!

Hier können Sie Wörter wählen:

hell	dunkel *dark*	der Hut *hat*	die Bluse *blouse*	das Hemd *shirt*
lang	kurz *short*	der Mantel	die Hose *trousers*	das Kleid *dress*
weit	eng *narrow/tight*	der Pullover	die Maske *mask*	das Tuch *scarf/cloth*
groß	klein	(der Pulli)	die Mütze *woolly cap*	
weiß	schwarz *black*	der Rock *skirt*	die Perücke *wig*	
grau	braun *brown*	der Schal *scarf*		
rot	grün *green*	der Schirm *umbrella*		
gelb	blau	die Schuhe *shoes*		
violett		die Strümpfe *stocking/tights/socks*		

22
Studie

a Mit dem ___alten___ Hut kannst du
nicht mehr auf die Straße gehen!

b Wie gefällt Ihnen die grüne Bluse?

c Sind deine Schuhe neu?

d Paßt Ihnen der rote Pulli?

e Wie seh ich aus in dem ___schwarzen___
Abendkleid?

f Eiskalte Füße habe ich!

g Haben Sie einen violetten Maxirock?

h In dem ___schwarzen___ Ledermantel *leather* siehst
du aus wie ein Marsmensch! *Martian*

i Was meinst du, Otto, hat die Dame

_____ rote Haare?

k Ich bin 2,10 m groß.

Doch, mir gefällt gerade der alte Hut!

Mit der ___grünen___ Bluse sehen Sie gut
aus!

Nein, das sind ___alten___ Schuhe.

Ja, den ___roten___ Pulli nehme ich.

Das schwarze Abendkleid steht dir ausgezeichnet.

Warum gehst du auch im Winter mit so

___alten___ Schuhen spazieren! *dünn - thin ... dünnen*

Leider nicht. Wie gefällt Ihnen der

___rote___ hier? oder der ___gelbe___?

Warum gefällt dir der schwarze Ledermantel
nicht? Der ist sehr modern!

Nein, das muß eine Perücke sein. Warum

trägt sie eine ___rote___ Perücke?

Tut mir leid, so einen ___großen___ Mantel
haben wir nicht.

23 👓
Bitte sprechen Sie

Den weißen Schirm nehme ich. → Der ist teuer, der weiße Schirm!
Die blaue Hose nehme ich.
Den schwarzen Hut nehme ich.
Das lange Kleid nehme ich.
Die braunen Schuhe nehme ich.
Das weiße Nachthemd nehme ich.
Die weißen Strümpfe nehme ich.
Die rote Perücke nehme ich.

24 👓
Bitte sprechen Sie

Der rote Pulli sieht gut aus. → Möchtest du den roten Pulli?
Das violette Kleid sieht gut aus.   „   „ das violette Kleid
Die blaue Krawatte sieht gut aus.   „   „ die blaue Krawatte
Die weißen Schuhe sehen gut aus.
Der rote Rock sieht gut aus.
Die schwarze Mütze sieht gut aus.
Der blaue Pyjama sieht gut aus.
Der rote Bikini sieht gut aus.

25 👓
Bitte sprechen Sie

Gefällt Ihnen der Schirm? → Ja, aber ich nehme den billigeren.
Gefällt Ihnen der Mantel?   cheaper
Gefällt Ihnen das Kleid?   teureren
Gefällt Ihnen die Jacke? teurere   größeren
Gefallen Ihnen die Schuhe?
Gefällt Ihnen die Mütze? billigere
Gefällt Ihnen das Hemd?
Gefällt Ihnen der Ring?

26 👓
Suchen und finden

Wie steht mir der Pulli? → Der rote? Gut.
Wie steht mir das Abendkleid? → Das blaue? Gut.
Wie steht mir die Mütze?
Wie stehen mir die Schuhe?
Wie steht mir der Mantel?
Wie steht mir die Jacke?
Wie steht mir das Tuch?
Wie steht mir die Brille?

27 fakultativ 👓
Gesprächsübung

A: *How do I look* Wie steht mir das Kleid?
B: Das blaue? Gut.
A: Dann zieh ich das blaue Kleid an.

Wie steht mir der Rock?
Wie stehn mir die Schuhe?
Wie steht mir die Bluse?
Wie steht mir der Hut?
Wie stehn mir die Stiefel?
Wie steht mir der Pulli?
Wie steht mir die Mütze?
Wie steht mir der Mantel?

28 fakultativ 👓
Suchen und finden

Zieh doch den roten an! *Put the red one on* → Der rote Pulli paßt mir nicht.
Zieh doch das blaue an!
Zieh doch die weiße an!
Zieh doch die schwarze an!
Zieh doch das hellgelbe an!
Zieh doch den schwarzen an!
Zieh doch das violette an!
Zieh doch den braunen an!
Zieh doch die hellblaue an!
Zieh doch das graue an!

29
Studie

a Wem gehört der _____ Hut?

b Mit dem _____ Rock kannst du nicht ins Theater gehen!

c Himmel! Ich habe die _____ Perücke verloren!

d In dem _____ Sommerkleid siehst du phantastisch aus!

e Die _____ Schuhe werf ich jetzt weg, die sind kaputt.

f Kannst du mir die _____ Skistiefel leihen?

g Kennen Sie den Clown mit der _____ Violine?

h So, die _____ Tanzschuhe kaufe ich mir jetzt.

i Mit dem _____ Bart sehen Sie aber gefährlich aus!

k Paßt mir der _____ Bikini?

Niemand kann einen Gedanken für mich denken, wie mir niemand als ich den Hut aufsetzen kann.
LUDWIG WITTGENSTEIN

30 👓
Kleiner Dialog

Gast: Der Salat schmeckt wirklich phantastisch. Woher haben Sie den?

Julia: Den griechischen Salat? Selber gemacht.

Gast: Ausgezeichnet! Und die verschiedenen Pasteten! Wo kriegt man denn die?

Julia: Die kalten Pasteten? Selber gemacht.

Gast: Und die Käsetorte? Auch selber gemacht? Unmöglich.

Julia: Natürlich. Die machen wir immer selber, die spanische Käsetorte.

Gast: Also Sie sind wirklich eine Super-Hausfrau! Mein Kompliment!

Julia: Hugo, hörst du, was du bist?

Hugo: Danke.

Julia: Wir sind nämlich eine moderne Familie, hier kocht der Mann.

31
Fragen zum Dialog

32 fakultativ 👓
Gesprächsübung

A Der Kuchen ist aber gut!

B Der englische Kuchen?

A Woher haben Sie den?

B Den englischen Kuchen backe ich selber.

    Das Brot ist aber gut!
    Das dunkle Brot?

    Der Salat ist aber gut!
    Der italienische Salat?

    Das Kompott ist aber gut!
    Das gemischte Kompott?

    Die Törtchen sind aber gut!
    Die kleinen Törtchen?

    Die Pastete ist aber gut!
    Die französische Pastete?

    Der Orangensaft ist aber gut!
    Der frische Orangensaft?

> *Freude hat keinen Grund. Und das Fehlen eines Grundes, das ist ihr Grund.*
>
> EUGÈNE IONESCO
>
> *Selig sind die Stunden des Nichtstuns, denn in ihnen arbeitet unsere Seele.*
>
> EGON FRIEDELL

33
Elemente

DIE NOMEN-GRUPPE
Übersicht :

Hier noch einmal unser Schema:

Signale :

	Singular			Plural
	maskulin	*feminin*	*neutrum*	
NOM	R			
			S	
AKK	N			
DAT	M	R	M	N

Kontakt-n :

	Singular			Plural
	maskulin	*feminin*	*neutrum*	
NOM				
				n
AKK	n			
DAT	n	n	n	n

Dieses Schema gilt immer:

wenn die Nomen-Gruppe mit dem bestimmten Artikel beginnt,

wenn die Nomen-Gruppe mit dem Adjektiv beginnt,

wenn die Nomen-Gruppe mit dem unbestimmten Artikel beginnt.

Immer gilt die Regel I: **ein Signal genügt.**

	Singular			Plural
	maskulin	*feminin*	*neutrum*	
NOM	*der Cognac* alter Cognac der alte Cognac ein alter Cognac	*die Pastete* kalte Pastete die kalte Pastete eine kalte Pastete	*das Brot* frisches Brot das frische Brot ein frisches Brot	*die Kirschen* schwarze Kirschen die schwarzen Kirschen schwarze Kirschen
AKK	*den Cognac* alten Cognac den alten Cognac einen alten Cognac			
DAT	*dem Cognac* altem Cognac dem alten Cognac einem alten Cognac	*der Pastete* kalter Pastete der kalten Pastete einer kalten Pastete	*dem Brot* frischem Brot dem frischen Brot einem frischen Brot	*den Kirschen* schwarzen Kirschen den schwarzen Kirschen schwarzen Kirschen

34 ⊙⊙
Kleiner Dialog

Martin: Ein gutes Buch. Das nehme ich.
Gitta: Aber Martin, du hast schon so viele Bücher! Was kostet es denn? Elf Mark! Ein teures Buch!
Martin: Ein billiges Buch.
Gitta: Immer die alten staubigen Botanikbücher! Niemand in der Familie liest sie!
Martin: Ich lese sie. Bin ich niemand?

Das Lachen meiner Kindheit – ich werde es immer verteidigen, bis zu meinem Tode.

FEDERICO GARCÍA LORCA

Poesie ist das Geheimnis, das alle Dinge besitzen.

FEDERICO GARCÍA LORCA

Das, was wirklich zählt, ist die Poesie.

MARC CHAGALL

35
Variation

Ergänzen Sie die Adjektive

Verkäufer: _Billige_ _neue_ Bücher!

Kunde: Haben Sie ein _billiges_ Buch über Yoga?

Verkäufer: Aber natürlich, da haben wir eine _große_ Auswahl: deutsche, _englische_, _französische_ Bücher.

Kunde: Haben Sie auch ein _billiges_ Buch über Astrologie?

Verkäufer: Selbstverständlich! Hier: das _neue_ Horoskop für das Jahr _1983_. Nur drei Mark.

Kunde: Das ist ein _schlechtes_ Buch. Miserabel. Das ist ein Buch für _dumme_ Leute. Auf Wiedersehen.

36 fakultativ
Variation

Alte Dame: Ich suche einen ___guten___ Kriminalroman.

Verkäufer: Da haben Sie ___viel___ Glück! Hier habe ich eine ganze Serie: sehr seltene, ___alter___ Kriminalromane! Jeder Band 4,40 DM.

Alte Dame: Und das hier? Das ist ja ein tolles, _____ Buch! Aber das ist doch kein Krimi?

Verkäufer: Doch, aber nicht sehr bekannt. Ein ganz ___alter___ Krimi: „Die Geisterseher", von Schiller.

Alte Dame: Ist das politisch? Hoffentlich keine ___politischer___ Literatur??

Verkäufer: Aber nein, Schiller war ein ___guter___ Demokrat.

Alte Dame: Gut, dann kaufe ich es.

Verkäufer: 12,— DM, bitte.

37 fakultativ
Variation

Kunde: Haben Sie _____ Werke aus dem letzten Jahrhundert?

Verkäufer: Denken Sie an einen _____ Philosophen?

Kunde: Hegel, Marx, Nietzsche. So was ist natürlich selten, ich weiß.

Verkäufer: Von Nietzsche habe ich ein _____ Buch hier: Morgenröte.

Kunde: Sehr schön.

Verkäufer: Aber _____ ist so etwas natürlich nicht. Das Buch kostet 90,— DM.

38 fakultativ
Variation

Professor Muff: Ah, das suche ich ja schon lange, Emilie! Hier, diese _____ Landkarte von England, 1787. Die muß ich haben.

Frau Muff: Aber Gustav, wohin willst du die _____ Karte hängen? Alles ist voll mit den _____ Sachen! Ich will endlich mal andere, _____ Dinge im Haus!

Professor Muff: Ach Emilie, du hast keine Ahnung von _____ Kultur.

39 fakultativ
Bitte sprechen Sie

Gefällt Ihnen das Bild? →Ja. Ein wertvolles Bild.
Gefällt Ihnen die Lampe?
Gefällt Ihnen der Schrank?   Gefällt Ihnen das Buch?
Gefällt Ihnen die Uhr?   Gefällt Ihnen der Spiegel?
Gefallen Ihnen die Gläser?   Gefällt Ihnen die Skulptur?

40 fakultativ ⊙⊙
Bitte sprechen Sie

Der Spiegel interessiert Sie? →Ja, ich suche einen schönen Spiegel.
Der Schrank interessiert Sie?
Das Bett interessiert Sie?
Die Vase interessiert Sie?
Das Bild interessiert Sie?
Der Teppich interessiert Sie?
Die Landkarte interessiert Sie?
Der Globus interessiert Sie?

41 fakultativ ⊙⊙
Bitte sprechen Sie

Was kostet die antike Flasche? →So eine antike Flasche ist teuer.
Was kostet das römische Glas?
Was kostet die alte Vase?
Was kostet der spanische Spiegel?
Was kostet die alte Landkarte?
Was kostet das chinesische Bild?
Was kostet die alte Uhr?
Was kostet der alte Schrank?

42
Diktat

Hier in der Altstadt, in den _____ Straßen und Sträßchen, gibt es _____

Läden, kaum größer als ein Schrank, da findet man _____ Bücher und Kalender,

_____ Bilder und Landkarten.

Straßen und Läden sind voll mit _____ Leuten aus allen Kreisen, mit _____

5 Hippies, mit Rockertypen und _____ Millionärstöchtern. Unter den Kastanien sitzen,

auf _____ Bänken, die _____ Leute und lesen Zeitung.

Gegenüber sind hinter grüner oder _____ Fassade _____ Läden mit

_____ Puppen und Marionetten, _____ Vasen, _____ Porzellan

und Silber und _____ Teppichen. Ein _____ Laden zeigt exotische

10 Sachen. Studieren Sie die _____ Masken, die _____ Skulpturen und die

_____ Stoffe!

15

43 fakultativ ⊙⊙
Szene

Herr Fink:	Wir suchen ein antikes Schlafzimmer.
Verkäufer:	Denken Sie an etwas Bestimmtes?
Herr Fink:	Nein.
Verkäufer:	Bitte, kommen Sie mit!
Frau Fink:	Wissen Sie, wir haben vor allem an ein gemütliches antikes Bett gedacht.
Verkäufer:	Hier habe ich eine große Auswahl: ganz rechts Frührenaissance —
Frau Fink:	So hat ja wohl die Kleopatra gelebt! Da hab ich einen tollen Film gesehen.
Verkäufer:	Dort links viktorianische Betten, und hier Barock.
Herr Fink:	Sind die Betten auch bequem?
Verkäufer:	Gewiß.
Herr Fink:	Darf ich mal probieren?
Verkäufer:	Ein österreichisches Bauernbett, 200 Jahre alt.
Herr Fink:	Mensch, ist das hart!!
Verkäufer:	Moderne weiche Betten bekommen Sie nebenan im Warenhaus.

44 fakultativ

Szene

carpet salesman

Teppichhändler:	Ist die Frau Mama zu Hause?
Veronika:	Nein. Was hast du da?
Teppichhändler:	_____ Teppiche, sehr billig!
Veronika:	Was kostet der _____ Teppich da?
Teppichhändler:	Das ist ein sehr _____ Teppich. Nur 2000 Mark.
Veronika:	O.K. Ich nehme den *neuen* _____ Teppich.
Teppichhändler:	Moment, der kostet 2000 Mark!
Veronika:	Geld haben wir. Kann der Teppich fliegen?
Teppichhändler:	Fliegen?? — Nein.
Veronika:	Dann ist das ein ganz *schlechter* Teppich. Den nehme ich nicht, Adieu.

> *In einem wankenden Schiff fällt um, wer stillsteht, nicht wer sich bewegt.*
>
> LUDWIG BÖRNE

45
Erinnern Sie sich

Wie heißt der Singular?

Singular: *Plural:*

das Bett	die Betten	*das Kleid*	die Kleider
die Bluse	die Blusen	*die Lampe*	die Lampen
die Brille	die Brillen	*der Mantel*	die Mäntel
das Buch	die Bücher	*die Mütze*	die Mützen
das Ding	die Dinge		*cap*
die Flasche things	die Flaschen	*der Ring*	die Ringe
das Glas	die Gläser	*der Schirm*	die Schirme *umbrella*
die Hose	die Hosen *trousers*	*der Schuh*	die Schuhe
der Hut	die Hüte	*der Stiefel*	die Stiefel *boots*
die Jacke	die Jacken *jacket*		die Teppiche *carpet*
		das Tuch	die Tücher *scarf*

46 *learn*
Benutzen Sie das Wörterbuch

Afrika	afrikanisch	der Afrikaner
Amerika	*amerikanisch*	*der Amerikaner*
Europa	europäisch	*Europäer(in)*
England	englisch	der Engländer
Italien	*italienisch*	der Italiener
Japan	*Japanisch*	der Japaner
China	chinesisch	der Chinese
Frankreich	*Französisch*	der Franzose
Griechenland		der Grieche
Rußland	*Russisch*	der Russe
Schweden	*Schwedisch*	*der Schwede*
die Türkei	*türkisch*	der Türke

47
Erinnern Sie sich

Wie heißt das Gegenteil von *opposite*
hell, lang, nie, offen, ruhig, weiß, *schwarz*
selten, spät, süß, tot, voll? *geschloss*
oft früh saür) leer

48
Hören und verstehen *lebendig (also lively)*

Phonetisches Zwischenspiel (5)

1 ⊙⊙
Bitte hören Sie

e	ö
lesen →	lösen
sehen	Söhne
Heer	hören
Meer	mögen

ö	e
mögen →	Meer
Töne	reden
hören	Heer
schön	Schnee

ä	ö
Räder →	röter
er fährt	er hört
wir wählen	wir mögen
Gräser	größer

3 ⊙⊙
Welches Wort hören Sie?

1 ☐ lesen ☐ lösen   6 ☐ Mär ☐ Meer

2 ☐ Ohr ☐ er   7 ☐ Däne ☐ Töne

3 ☐ Heer ☐ hör!   8 ☐ hören ☐ wählen

4 ☐ schön ☐ Schnee   9 ☐ Lehrer ☐ Löwe

5 ☐ Räder ☐ röter   10 ☐ Mehl ☐ Öl

5
Bitte sprechen Sie

u	i	ü
ich ruhe →	ich fliege →	ich grüße
ich suche	ich spiele	ich übe
Uhr	Tier	Tür
Gruß	Grieß	Grüße
Blume	Biene	blühen
Flug	fliegen	Flügel
Dunkel	Licht	grün
Buch	Lied	Glück

6
Diktat

Schreiben Sie nur die Vokale:
i oder ü oder u !

2
Bitte sprechen Sie

e	ö	e
Heer →	hören →	Heer
lesen	lösen	lesen
reden	Römer	reden
sehen	Söhne	sehen

ö	e	ö
schön →	Schnee →	schön
hören	sehen	hören
Öl	Mehl	Öl
Löwe	Leben	Löwe

ö	ä	ö
mögen →	Mädchen →	mögen
hören	zählen	hören
Öl	Käse	Öl
schön	spät	schön

4
Bitte sprechen Sie

a ich höre das Meer
der schöne Weg
er redet große Töne
ich sehe eine schöne Rose

b nehmen Sie Öl?
schöne Hände
wer ist der König?
ich höre nichts mehr

c ein schönes Mädchen
hörst du den Löwen?
wir lösen das Rätsel
mögen Sie Tee?

7
Bitte sprechen Sie

a ein süßer Kuchen
ein gutes Parfüm
viel Vergnügen
Lilienblüte

b Küchenlied
Kuchenstück
Frühlingsblume
Unglück

c das gute Frühstück
der grüne Hut
die kühle Luft
die Wiese blüht

d der schöne Süden
möchten Sie ein Stück Kuchen?
ich suche die Tür
eine kühle Schönheit

Kapitel 16

1 ◎◎

Bildgeschichte N

STRAND

1 Ein alter Fischer steht am Ufer. Der Sturm stört ihn nicht. Stehen und Warten sind sein Beruf.

2 Der Sturm ist vorbei. Goldbraune Kinder sitzen und spielen im Sand.

3 So weiß können nur Städter sein. Sie liegen in der Sonne und wollen auch braun werden. Haben sie keine Kleider, die Armen?

4 Bitte – hier in der Boutique hängen hübsche Sommerkleider, gar nicht teuer.

Hamburg

2
Studie

Ergänzen Sie *stehen*, *sitzen* oder *liegen*

a Drei Schulkinder _schoolchildren_ _____ am Ufer und schauen _look at_ auf den nächtlichen Hafen.

b Da _liegen_ _nightly_ _____ alte Fischerboote am Kai. _Kay_

c Dieses Haus _steht_ _____ hier seit hundert Jahren. Wie lange noch?

d Dort wohne ich, dort wo der Leuchtturm _steht_ _____. _How_ _much longer_

e Auf den Uferbänken _sitzen_ _____ am Nachmittag Frauen und alte Leute. _lighthouse_

f Aber in der Nacht _liegen_ _____ auf den Bänken die betrunkenen Seeleute.

28

g Hier gibt es sehr zweifelhafte Lokale. Über dem Eingang

~~_dubious_~~ ~~_bar_~~ ~~_entrance_~~

___stehen___ die Worte „Piraten" oder „Lido" oder „Rote Laterne".

h Hier _____ die Taxis und warten auf die Gäste, die den Weg nicht mehr allein finden.

3
Kombination

Kinder		am Kai
Die Städter	stehen	in der Mittagssonne
Fischerboote	sitzen _only people_	im Sand
Mantel und Hut	liegen	in der Garderobe _cloakroom_
Betrunkene	hängen	auf dem Boden
Schöne alte Laternen		_on the floor_

4
Kombination

Der Leuchtturm		am Ufer
Die Bardame	steht	im Bettchen
Das Baby	sitzt	hinter der Bar
Der alte Mann	liegt	im Hafen _Orchard_
Das Boot	hängt	am Nagel
Die Seemannsmütze		_nail_
sailors hat		

5
Elemente

sitzen   _stehen_   _liegen_

Lübeck

6

Studie

a Die Stadt Lübeck ___liegt___ an der Ostsee.

b Hier am Hafen ___stehen___ herrliche alte Häuser.

c Ein Fischerboot _____ am Kai.

d Die Petrikirche ___steht___ schon siebenhundert Jahre.

e Lübeck im Winter: auf den Wegen ___liegt___ Schnee.
  paths

f Ein halber Liter Rum, das ist zu viel! Du kannst ja kaum

   mehr ___steht___! *hardly*

g Warum ___sitzt___ du auch jede Nacht in der Diskothek?
       steht
    more

h Und vergiß deine Mütze nicht, sie ___hängt___ in der
   Garderobe.

> *Langeweile ist eine Erfindung der Städter.*
>
> HERMANN HESSE
>
> *Denk an die Armen, sagte der Fabrikant, das kostet nichts.*
>
> JULIAN TUWIM
>
> *Wer immer nur die Gesetze studiert, hat keine Zeit, sie zu übertreten.*
>
> GOETHE

7

Schreibschule

Beschreiben Sie die Bilder der Bildgeschichte N in kurzen Sätzen mit Ihren eigenen Worten!

8 fakultativ

Studie

a Von *By* wem ist denn das Bild, das über dem Sofa __hängt__ ?

b „Möchten Sie Platz nehmen?" – „Nein danke, ich __stehe__ lieber. Ich _____ den ganzen Tag am Schreibtisch."

c Das Hamburger Abendblatt? *evening paper* Hier auf deinem Schreibtisch __liegt__ es.

d Hier in der Sonne ist es mir zu heiß, ich __liege__ lieber im Schatten. *shade*

e „Hast du meinen Sommermantel gesehen?" –

„Natürlich, im Schrank _____ er." *wardrobe*

f Hier ist noch ein Fensterplatz frei, möchten Sie hier __sitzen__ ?

g In diesem Museum __hängen__ sieben Bilder von Rembrandt.

h Hamburg __liegt__ an der Elbe.

9 ⊙⊙

Suchen und finden

Wo ist denn meine Zeitung? →Die liegt auf dem Eßtisch. *on dining table*

Wo ist denn mein Bier? →Das steht in der Küche.

Wo ist denn die große Blumenvase? *Die steht auf dem tisch*

Wo sind denn meine Zigaretten? *Die liegen ¨ ¨*

Wo ist denn der Käse? *Der liegt im Kuhlschrank*

Wo sind denn alle meine Briefe? *Die liegen auf dem Schreibtisch* *desk*

Wo ist denn meine Jacke?

Wo ist denn die Katze? *Die sitzt im Garten*

10 fakultativ (schwer) ⊙⊙

Suchen und finden

der Kuhlschrank *∧ fridge*

Den grünen suche ich. →Hier liegt er, dein grüner Pullover.

Die rote suche ich. →Hier hängt sie, deine rote Krawatte.

Den grauen suche ich.

Das lange suche ich.

Die schwarzen suche ich.

Das weiße suche ich.

Den grünen suche ich.

Die blaue suche ich.

Kinder, die man nicht liebt, werden Erwachsene, die nicht lieben.

PEARL S. BUCK

Da muß ich zuerst mit mir selbst kämpfen, um zu sehen, wer der Stärkere ist: ich oder ich.

JOHANN NESTROY

11

Lesetext mit Bildern _malen – to paint_

1 Das ist der Clown. Er malt sich weiß und schwarz an.

2 Die ganze Nacht unterhält er sich mit der weißen Dame. _to talk_
white lady

3 Das ist die traurige Schöne. Sie schaut sich im Spiegel an und fragt sich: Bin ich die Schönste? _sad_ _looks_

4 Die lustige Treulose. Sie hat sich schwarz und weiß angemalt. Interessante Dame. _cheerful unfaithful_ _black_ _white to paint_

5 Der unglückliche Liebhaber. Er schminkt sich weiß und zieht ein silbernes Hemd an. _unhappy Lover_ _make up_ _shirt_ _to put off → on_

6 Ach, er hat heute nur eine Geliebte, das ist ein Totenkopf. _Mistress_ _skull_

1

2

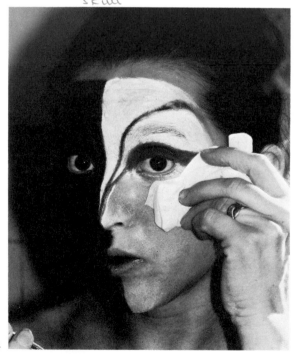

3

4

5 · 6

12
Kombination

Ich	schminkt		schön
Die Treulose	mache	sich	an
Die Schöne	malt	mich	schwarz und weiß
Der Clown			

.

13
Kombination

fod

Der Narr			blau
Ich	malen	sich	an
Die Lustige	schminke	uns	weiß
Die Traurige	schaut	mich	schön
Wir	macht		

.

14
Kombination

Schminkst	malen		an
Wir	schminkt	dich	violett und blau
Die Traurige _the sad one_	malt	mich	toll geschminkt _marvellously made up_
Ich	du	uns	mit der schwarzen Dame
Die beiden Mädchen	haben	sich	heute nicht?
Der Narr	unterhalte		nicht an

.

> _Der Mensch ist um so glücklicher, je zahlreicher die Spielarten seines Wahnsinns sind._
>
> ERASMUS VON ROTTERDAM

15
Elemente*

REFLEXIVE VERBEN *acc without mich, sich dir.*

Singular	Plural
ich schminke mich	wir schminken uns
Sie schminken sich	Sie schminken sich
du schminkst dich	ihr schminkt euch
er schminkt sich	
sie schminkt sich	} sie schminken sich
es schminkt sich	

* Die für den Anfänger schwer durchschaubaren grammatischen Differenzierungen (echt reflexiv – unecht reflexiv – reziprok) werden aus didaktischen Gründen auf dieser Stufe noch nicht ausgebreitet.

16
Lesetext

Der Narr: er hat _____ weiß und schwarz _____ und hat die ganze Nacht nur mit der weißen Dame getanzt.

Sicher hat er _____ gut mit ihr unterhalten. Es war ein rauschendes Fest. Der unglückliche Liebhaber hatte nur eine Geliebte: einen Totenkopf.

5 Die Traurige hat _____ schön gemacht und hat _____ lang im Spiegel angeschaut

und hat _____: „wer ist die Schönste?". Und sie hat natürlich geantwortet: „Ich."

Und die Treulose? Sie hat _____ schwarz und weiß _____. Denn sie hat eine dunkle Seite und eine _____ Seite.

Man lacht so lange über die Väter, bis man selber einer ist.

JEAN-PAUL VIALY

Drei Arten von Männern können die Frauen nie ganz verstehen: junge Männer, Männer mittleren Alters und alte Männer.

INDISCHES SPRICHWORT

Wer sich nicht mehr wundern kann, der ist geistig schon tot.

ALBERT EINSTEIN

17
Bitte sprechen Sie

Warum schminkst du dich so verrückt? → Ich schminke mich, wie ich will.

Warum rasierst du dich nie? → Ich rasiere mich, wann ich will.

Warum malen Sie sich so verrückt an?

Warum kämmst du dich nie?

Warum zieht ihr euch so komisch an?

Warum wäscht du dich nie?

Warum frisiert ihr euch nie?

Warum ziehen Sie sich so komisch an?

Warum malst du dich so verrückt an?

Warum rasieren Sie sich nie?

18
Kleiner Dialog

Tilman: Wo treffen wir uns?

Regina: Im Hafencafé? Um fünf?

Tilman: Gut! Ich freue mich schon so! Aber schmink dich bitte nicht wieder so verrückt.

Regina: Ich schminke mich, wie ich will. Tschüß!

19
Variation

A Wo sehen wir uns wieder?

B In der Diskothek „Kolumbus"? Um neun?

A Gut! Ich freue _____! Aber zieh _____ nicht wieder so komisch an.

B Ich _____

20
Variation

A Und wo sehen wir _____ wieder?

B Im Seerestaurant? Um sieben?

A Prima, ich freue _____!

Aber mal _____ bitte nicht wieder so verrückt an!

B _____

21
Studie

a Wir machen Urlaub am Meer und fühlen _____ wohl.

b Jeden Tag baden wir und sonnen _____ stundenlang am Strand.

c Hier erhole ich _____ wirklich!

d Wir interessieren _____ nur noch für Sommer und Sonne, die Politik haben wir vergessen.

e Heidi vergnügt _____ jeden Abend mit ihrem neuen rotbärtigen Freund.

f Er sagt, er hat _____ seit drei Monaten nicht mehr rasiert.

g Sie stellt _____ täglich eine Stunde vor den Spiegel und macht _____ schön.

h Sie treffen _____ jeden Abend in der Diskothek „Kolumbus".

i Heute hast du _____ wieder verrückt angemalt, man kennt dich nicht wieder!

k Ich frage _____ wirklich manchmal: bist du noch normal oder nicht?

22
Studie

a Habt _____ euch gut erholt?

b Natürlich, wir haben jeden Tag bis neun geschlafen, dann haben wir _____ auf der Terrasse getroffen.

c Wir haben gefrühstückt und _____ stundenlang unterhalten.

d Am Nachmittag haben wir gebadet und in der Sonne gelegen und _____ herrlich wohl gefühlt.

e Am Abend hat Heidi ihren neuen Freund getroffen. Sie haben _____ am Strand kennengelernt.

f _____ rasiert sich immer nur zu Weihnachten.

g Er interessiert _____ für Marx, sie für Mode.

h Jeden Abend will er _____ mit ihr über politische Probleme unterhalten.

i Sie kratzt _____ hinterm Ohr und schaut _____ mit großen blauen Augen an.

k Liebt er mich denn, fragt sie _____. Warum unterhält er sich mit _____ immer nur über Politik?

23
Elemente

Das Verb dirigiert den Satz :

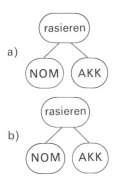

a) Der Friseur rasiert den Professor.

b) Der Professor rasiert sich.

24
Diskussion

Notieren Sie die Valenzen

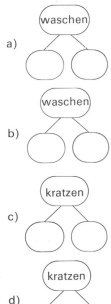

a) Die Mutti wäscht das Kind.

b) Das Kind wäscht sich.

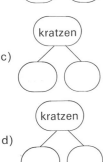

c) Die Katze kratzt mich.

d) Die Katze kratzt sich.

25
Studie

Bauen Sie Sätze

a rasieren
b rot schminken
c Professor unterhalten
d Winter anziehen
e Marx diskutieren
f kämmen
g verabschieden
h interessieren
i treffen
k kennenlernen

26 ∞
Bitte sprechen Sie

Und wer zieht mich an? →Kannst du dich nicht
selber anziehen?

Und wer kämmt mich?
Und wer wäscht mich?
Und wer frisiert mich?
Und wer schminkt mich?
Und wer zieht mich aus?

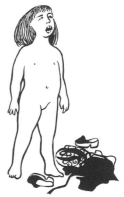

27 ∞
Gesprächsübung

A Ich bin beim Theater.
B Was tun Sie da?
A Ich bin Schauspieler.
B Unterhalten wir uns doch
über das Theater!

A Ich bin bei Siemens.
B
A Ich bin Ingenieur.

A Ich bin an der Universität.
B
A Ich bin Philosophieprofessor.

A Ich bin bei der Lufthansa.
B
A Ich bin Pilot.

A Ich arbeite in der Klinik.
B
A Ich bin Arzt.

A Ich lebe im Ausland.
B
A Ich bin Diplomat.

28
Schreibschule

Beispiel: Mein Freund Leo ist
Schauspieler. Mit dem kann
man sich nur über das Theater
unterhalten.
*Schreiben Sie ähnliche Sätze,
nennen Sie Freunde, Verwandte!*

29 ∞
Suchen und finden

Text nur auf Tonband

30
Lesetext

Der Saal am Morgen nach dem Fest

die weißen Handschuhe des Clowns
die Perücke des treulosen Mädchens
Cognacgläser
eine Tasse Mokka, kalt
5 die schwarze Mütze des Clowns
die Tanzschuhe der Prinzessin
die Masken der grauen Männer
eine Flasche Rotwein, halbleer
Aschenbecher
10 der Bart des dicken Professors
die Maske der Spanierin
das Silberhemd des unglücklichen Liebhabers
ein Totenkopf
eine zerbrochene Lampe

31
Elemente

DAS NOMEN

bestimmter Artikel:

Singular						
	maskulin		*feminin*		*neutrum*	
NOM	der Liebhaber	der Gast	die Dame	das Messer	das Fest
AKK	den Liebhaber	den Gast	die Dame	das Messer	das Fest
DAT	dem Liebhaber	dem Gast	der Dame	dem Messer	dem Fest
GEN	des Liebhabers	des Gastes	der Dame	des Messers	des Festes

Plural	
NOM	die Nächte
AKK	die Nächte
DAT	den Nächten
GEN	der Nächte

unbestimmter Artikel, Possessivum:

Singular						
	maskulin		*feminin*		*neutrum*	
NOM	ein Liebhaber	mein Gast	eine Dame	dein Messer	unser Fest
AKK	einen Liebhaber	meinen Gast	eine Dame	dein Messer	unser Fest
DAT	einem Liebhaber	meinem Gast	einer Dame	deinem Messer	unsrem Fest
GEN	eines Liebhabers	meines Gastes	einer Dame	deines Messers	unsres Festes

Plural	
NOM	meine Gäste
AKK	meine Gäste
DAT	meinen Gästen
GEN	meiner Gäste

32
Diskussion

Beispiele: die Handschuhe des Clowns
die blauen Augen meiner Geliebten
das Ende unseres Festes
die Masken der Männer

Frage: Welcher Konsonant ist typisch für den Genitiv?

Singular { maskulin: _____
feminin: _____
neutrum: _____

Plural: _____

33 ⊙⊙
Bitte lesen Sie

In welchem Lokal ist das passiert? → Der Name des Lokals ist uns
nicht bekannt.

In welcher Bar ist das passiert?
In welchem Hotel ist das passiert?
Bei welchen Leuten ist das passiert?
In welcher Straße ist das passiert?
In welchem Café ist das passiert?
Auf welchem Platz ist das passiert?
In welcher Stadt ist das passiert?

34 ⊙⊙
Bitte lesen Sie

Das ist die Post, nicht? → Ja, und gleich in der Nähe der Post
wohne ich.

Das ist der Bahnhof, nicht?
Das ist die Oper, nicht?
Das ist der Hafen, nicht?
Das ist die Uni, nicht?
Das ist das Stadion, nicht?
Das ist die Mensa, nicht?
Das ist der Dom, nicht?

35
Bitte lesen Sie

Worüber spricht der Mann?   → Das Thema des Vortrags weiß ich
nicht.

Wo wohnen die Leute?   → Die Adresse der Leute weiß ich nicht.
Wie heißt das Buch?   → Den Titel des Buchs weiß ich nicht.
Worüber spricht der Professor?
Wie heißt das Mädchen?
Wie heißt der Roman?
Wo wohnt die Familie?
Worüber spricht der Chef?
Wie heißt der Film?
Wie heißt die Dame?

36
Studie

a Kennen Sie den Autor _____ Buchs?

b Hast du dir den Namen _____ Schauspielerin gemerkt?

c Das sind die Gedichte _____ französischen Dichters Villon.

d Wie heißt überhaupt der Intendant _____ Theaters?

e Hier sehen Sie die Violine _____ bekannten Clowns Grock.

f Leider habe ich die Adresse _____ Dame verloren.

g Am Anfang _____ Semesters arbeiten sie alle wie verrückt.

h Aber am Ende sind die Säle _____ Universität fast leer.

i Die Zahl _____ Medizinstudenten ist wieder gestiegen.

k Mehr als 50% _____ Bevölkerung haben diese Partei gewählt.

37
Studie

a Das ist Herr Pfau, ein Abteilungsleiter _____ Firma.

b Wir wohnen gleich in der Nähe _____ Universität.

c Da am Ufer _____ Rheins ist unser Hotel.

d Das Dorf liegt am Fuße _____ Berge.

e Siehst du schon das Ende _____ Tunnels?

f Hier ist die Grenze _____ Bundesrepublik.

g Die Bilanz _____ Firma ist katastrophal.

h Die Gartenwirtschaft liegt am Rande _____ Stadt.

i Dort unten liegt Bern, die Hauptstadt _____ Schweiz.

k Die Hälfte _____ Freizeit sitzen sie vor dem Fernseher.

Das Schlimmste ist nicht, Fehler haben. Auch, sie nicht bekämpfen, ist noch nicht schlimm. Schlimm ist, sie zu verstecken.

BERTOLT BRECHT

Das Vollkommene kann man nur verehren, nicht lieben. Am liebenswertesten sind Menschen mit kleinen Fehlern.

TILLA DURIEUX

38 fakultativ (schwer)
Lesetext

Das Leben des modernen Städters

Ein Tag ist für jeden Menschen gleich lang. Was tut der moderne Städter in den 24 Stunden seines Tages?

Nur eine halbe Stunde hat er Zeit für Bildung (Lesen und Lernen). Das sind genau 2% des ganzen Lebens, in der Bundesrepublik Deutschland ist es nur 1%. Dafür haben die Bundesdeutschen besonders viel Zeit für die Mahlzeiten, für den Schlaf und für das Badezimmer, zusammen etwa 46%.

Den Hilferuf des modernen Menschen „Ich habe nie Zeit" kann man leicht erklären. Fast die Hälfte der Freizeit geht verloren durch Zeitunglesen, Radiohören und Fernsehen. Übrigens: keiner sitzt so viel zu Hause wie der Bundesdeutsche. Und eine sympathische Seite: keiner hat so viel Zeit für seine Kinder wie er.

Die Überraschung der Statistik: Der Deutsche arbeitet besonders wenig. Die ganze Welt redet vom fleißigen Deutschen. Der Bundesdeutsche arbeitet – im Durchschnitt – genau fünfeinhalb Stunden am Tag. Warum ist der Deutsche bekannt als einer, der pausenlos arbeitet? Redet er besonders laut über seine Arbeit?

Der Tag des modernen Städters (in Stunden pro Tag)

	USA	Bundes-republik	Sowjet-union	
Daheim zusammen mit dem Ehepartner	$3^1/_2$	6	4	
Daheim zusammen mit den Kindern	4	$5^1/_2$	4	ohne Schlafzeit
Daheim zusammen mit Freunden, Verwandten	$1^1/_2$	$1^1/_2$	$^1/_2$	
Beruf, Weg zur Arbeit	$6^1/_2$	$5^1/_2$	8	
Bildung	$^1/_2$	$^1/_4$	$^3/_4$	
Haushalt	4	$4^1/_2$	5	
Mahlzeiten	1	1	$^3/_4$	
Sport, Hobbys	2	2	1	
Radio, Fernsehen, Zeitung	2	2	1	
Schlaf, Bad	8	$8^3/_4$	$7^1/_2$	

39
Erinnern Sie sich

Bitte lernen Sie diese Verben im Kontext

paint   cupboard

(sich) anmalen — Ich male den Schrank blau an.
to paint — Der Clown malt sich weiß und schwarz an.

(sich) anschauen — Da, schauen Sie mal den Mond an! *– order*
to look at — *moon*
Ich schaue mir das Museum an. *I'm looking at the museum*
Ich schaue mich im Spiegel an.
Peter und Petra schauen sich an. *at*

Grandmother

(sich) anziehen — Die Oma zieht ihren kleinen Enkel an.
to dress — Ich ziehe mich sofort an!
relaxing tin recover — Ich ziehe (mir) den Wintermantel an.

sich erholen — Haben Sie sich gut erholt?

need sich
(sich) gewöhnen *an* — An das Essen hier kann ich mich nicht gewöhnen.
to get used to

(sich) interessieren für — Interessieren Sie sich für Politik?
to be interested in

(sich) kämmen — Die Mutter kämmt den kleinen Poldi
to comb — Ich muß mich noch schnell kämmen! *before I do anything else*
Ich kämme mir die Haare. *I comb my hair.*

sich merken — Am 21. März kam ich aus dem Gefängnis. Den Tag kann ich mir
(remember) to remember — merken! *prison   That day*
Ich leihe Ihnen keinen Pfennig mehr. Merken Sie sich das!
to lend

steigen — Morgen steigen wir auf den Feldberg, zu Fuß.
to climb — Die Brotpreise sind schon wieder um 4% gestiegen.
(rise again)

stören — Entschuldigung, darf ich Sie einen Moment stören?
to interrupt — Mußt du mich immer beim Mittagsschlaf stören?
Midday nap

need
(sich) unterhalten (über) — Wir unterhalten uns über Musik.
to talk about

(sich) verabschieden (von) — Leider muß ich mich jetzt von euch verabschieden.
to say goodbye to — *Unfortunately I must say 'bye to you.*

wählen — Wählen Sie die Nummer 118, das ist die Auskunft.
to dial — Er wählt seit 60 Jahren die Kommunisten. *(directory enquiries)*
or to elect (vote)

wissen — Bitte wissen Sie, wie spät es ist?
to know — Die Telefonnummer weiß ich leider nicht.

> *Jeder trägt seinen Wahnsinn, besser oder schlechter versteckt, in sich.*
>
> RAINALD M. GOETZ

40
Erinnern Sie sich

Bitte lernen Sie diese Sätze

Es tut mir leid, ich muß mich jetzt verabschieden.
Darf ich mich von Ihnen verabschieden.
Viel Vergnügen! *Have a good time*
Viel Spaß! *fun*
Auf Wiedersehen!
Tschüß! Servus! Ade! Bis morgen!
North South goodbye   Til tomorrow

41
Erinnern Sie sich

Von welchen Nomen kommen diese Adjektive?

akademisch, bärtig, festlich, freundlich, gefährlich, glücklich, herzlich, modisch, riesig, ruhig, technisch, zukünftig.

die Akademie
der Akademiker
der Bart (the beard)
das Fest
der Freund
die Gefahr (the danger)
das Glück
das Herz (the hearty)
die Mode
der Riese (the giant)
die Ruhe .. quiet
die Technik
die Zukunft

43
Hören und verstehen

Welches Bild paßt?

1 ☐
2 ☐
3 ☐
4 ☐

42
Rätsel

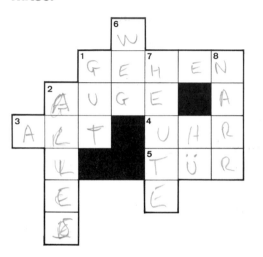

Waagrecht:

1 Gute Nacht, ich muß jetzt nach Haus _____ .

2 Ich sehe es mit meinem _____ .

3 Gegenteil von „jung"

4 Wie spät ist es? Haben Sie eine _____ da?

5 Ich habe keinen Schlüssel zu dieser _____ .

Senkrecht:

1 Gegenteil von „schlecht"
2 Gegenteil von „nichts"
6 schmale Straße
7 Ich schreibe den Brief morgen. _____ habe ich keine Zeit.
8 Clown

Phonetisches Zwischenspiel (6)

1 ⌒⌒
Bitte hören Sie

Ecke → Hecke
ihr   hier
und   Hund
in   hin
offen hoffen
Eis   heiß
er   Herr
Art   hart

2
Bitte sprechen Sie

Hund → und → Hund
heiß   Eis   heiß
hier   ihr   hier
hoffen offen hoffen
Haus   aus   Haus
halt   alt   halt
her   er   her
Hände   Ende   Hände

3 ⌒⌒
Welches Wort hören Sie?

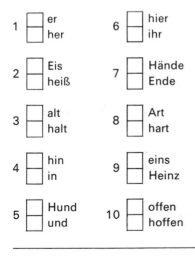

1 ☐ er
  ☐ her

2 ☐ Eis
  ☐ heiß

3 ☐ alt
  ☐ halt

4 ☐ hin
  ☐ in

5 ☐ Hund
  ☐ und

6 ☐ hier
  ☐ ihr

7 ☐ Hände
  ☐ Ende

8 ☐ Art
  ☐ hart

9 ☐ eins
  ☐ Heinz

10 ☐ offen
   ☐ hoffen

4
Bitte sprechen Sie

a mein Herr, wie heißen Sie?
  hören Sie auf!
  Hilfe! ich habe Angst!
  hallo, hören Sie?

b Hand in Hand
  Himmel und Hölle
  ein unhöflicher Herr
  ich heiße Hans

c Handtuch
  Halsarzt
  Haushaltshilfe
  Hofhund

5
Diskussion

Oft bezeichnet *h* im Wort nur den langen Vokal (sehen, froh, Verzeihung). Hier sprechen wir das **h** nicht!!

Vergleichen Sie:

1		2
Haus	→	Ruhe
Hund		Schuh
unterhalten		gehen
wiederholen		ihr
zuhören		Ohr
erhalten		nehmen

Frage:
Warum sprechen wir das **h** hier, warum sprechen wir das **h** hier nicht?

6
Bitte sprechen Sie

a Hände hoch, oder ich schieße!
  Hauptbahnhof
  wir haben geheiratet
  habt ihr euch gut erholt?

b sehen Sie das Hochhaus?
  hier in dem Haus wohnen wir
  halt, hören Sie sofort auf!
  haben Sie gute Schuhe?

c Heißhunger
  Hochzeitsessen
  Erholung
  Abendhimmel

Kapitel 17

1 👓

Szene

Herr Pfau: Fräulein Blau, haben Sie den Brief schon übersetzt?
Frl. Blau: Den Brief? Ach . . .
Herr Pfau: Haben Sie den Flug nach Amsterdam gebucht?
Frl. Blau: Noch nicht.
Herr Pfau: Haben Sie das Taxi auf elf Uhr bestellt?
Frl. Blau: Nein –
Herr Pfau: Haben Sie die Rechnungen bezahlt?
Frl. Blau: Wie bitte? Die Rechnungen? Nein.
Herr Pfau: Sind Sie schon auf der Post gewesen?
Frl. Blau: Tut mir leid.
Herr Pfau: Aber Fräulein Blau – haben Sie denn alles, alles
vergessen?
Frl. Blau: Ja ja. Aber Moment mal, Herr Pfau, sagen Sie mal,
haben Sie die heutige Zeitung nicht gelesen?
Herr Pfau: Nein.
Frl. Blau: Da steht es.
Herr Pfau: Was?
Frl. Blau: Unsere Firma hat Bankrott gemacht.

2

Fragen zur Szene

3 fakultativ
Variation

Herr: Haben Sie die Briefe ~~besetzt~~ *geschrieben* ?

Dame: *Nein* .

Herr: Haben Sie die Fahrkarten *gekauft* *bestellt* ?

Dame: *Nein* .

Herr: Sind Sie auf der Bank *gewesen* ?

Dame: *Nein* .

Herr: Mein Gott, haben Sie wirklich alles *vergessen* ?

4
Variation

Hermann: Hast du den Brief *geschrieben*?

Hans: _____ .

Hermann: Bist du beim Reisebüro *gewesen* ?

Hans: _____ .

Hermann: ~~Hast du~~ *Hast du die* Zeitung *gelesen* ?

Hans: _____ .

Hermann: *Bist du* ~~Bei die~~ Sparkasse *gewesen* ?

Hans: _____ .

Hermann: ~~Habe sie fahren~~ Auto ~~mit~~ ? *Bist du mit dem* *gefahren*

Hans: _____ .

Hermann: _____ ?

Am lautesten schreit der, den der Hund nur beinahe gebissen hat.

Am lautesten schreit der, den der Hund nur beinahe gebissen hat.

JOACHIM STOETZER

Ich kann meine eigenen Schmerzen nicht erzählen, ohne daß die Sache komisch wird.

HEINRICH HEINE

5
Spiel

Spielen Sie weitere Variationen!

> *Beginnt ein gescheiter Mensch einen Satz, so wissen wir nicht wie er ihn beendet. Bei einem Dummkopf wissen wir sofort, was kommt.*
>
> ALEKSANDER SWIETOCHOWSKI
>
> *Gegen eine Dummheit, die gerade in Mode ist, kommt keine Klugheit auf.*
>
> THEODOR FONTANE

6 ◎◎
Bitte sprechen Sie

Hoffentlich geht der Chef bald. *[soon]* → Er ist eben gegangen. *[just (ggrad)]*

Hoffentlich kommt das Geld bald. " " " "

Hoffentlich ruft Hans bald an. *Er hat eben angerufen*

Hoffentlich kommt die Post bald.

Hoffentlich zahlt der Kunde bald. *[customer/client]* *Er hat eben bezahlt*

Hoffentlich kommt die Zeitung bald. *Sie ist eben gekommen*

Hoffentlich unterschreibt der Chef bald. *Er hat eben unterschrieben*

Hoffentlich kommt der Scheck bald.

Hoffentlich zahlt die Firma bald. *Sie hat eben gezahlt*

Hoffentlich kommt das Frühstück bald. *Es ist eben gekommen*

7 ◎◎
Bitte sprechen Sie

Können Sie unterschreiben, bitte? *[Can you sign please]* → Ich habe schon unterschrieben. *[I have already signed]*

Wollen Sie noch antworten?

Rufen Sie Herrn Jung an?

Sie müssen die Rechnung bezahlen! *Ich habe schon bezahlt*

Wann schreiben Sie den Brief? " " " *geschrieben*

Möchten Sie jetzt frühstücken? " " " *gefrühstückt*

Fragen Sie doch selber im Büro!

Können Sie bitte die Fahrkarten kaufen? " " " *gekauft*

Bitte buchen Sie den Flug nach Stockholm! " " " *gebucht*

Sie müssen noch zum Reisebüro! *Ich bin " gewesen.*

8 fakultativ (schwer) ◎◎
Bitte sprechen Sie

Übersetzen Sie den Brief an Miller, bitte, heute noch.
[I have already done it]
→ Ich habe ihn schon übersetzt.

Prima. Aber vergessen Sie nicht: den Flug nach Toronto heute noch buchen!

Fein. Dann bestellen Sie bitte ein Taxi für morgen elf Uhr!

Wunderbar. Rufen Sie vielleicht noch in Toronto an!

Ich bin eine Woche weg. Bezahlen Sie bitte die Rechnungen! *[bills]*

Dann ist ja alles klar! Ach! Mein Visum — das müssen Sie noch holen!

Ausgezeichnet! Dann können Sie jetzt die Post lesen! *gelesen tafetch*

Aber lesen Sie bitte nicht wieder meine Privatpost!!

9 ⊚⊚
Suchen und finden

Eine interessante Nachricht! → Ich habe sie auch gelesen.
Ein guter Film! *Ich habe ihn auch gesehen*
Eine ganz neue Platte! *" " sie " gehört*
Ein dummer Brief! *" "*
Eine schöne Stadt! *" " sie " besucht*
Eine schlechte Firma! *firm*
Ein interessanter Roman! *Sie gefällt auch nicht.*
Eine gute Universität!
Ein ausgezeichnetes Bild!
Ein schlechter Chef!

10 fakultativ (schwer) ⊚⊚
Suchen und finden

Darf ich Sie zum Frühstück einladen? → Nein danke, ich habe
schon gefrühstückt.
Was machen wir heute? Ah, ganz interessant: Der Mörder von Soho!
Darf ich Sie vielleicht zu diesem Film einladen? *killer*
Aber hier gibt es ein ganz interessantes Heimatmuseum, was meinen
Sie dazu? Kommen Sie mit in das Museum? *think*
Hm ... Und wie wäre das: Gidon Kremer gibt ein Violinkonzert.
Interessiert Sie das? Darf ich Sie ins Konzert einladen? *Ich habe es*
schon gehört
Tja — womit kann ich Sie noch verführen? Vielleicht in unser bekanntes
Cabaret? *How*
Schade. Na, dann gehn wir zuerst essen! Sind Sie einverstanden? *to agree*
Traurig, traurig. *first of all*
Sad

11 fakultativ (schwer)
Suchen und finden

not yet
Wo sind die Herren? → Ich weiß nicht. Sie sind noch nicht gekommen.

Wo sind die Papiere für die Herren?
Ist der Kaffee fertig? *clean*
Ist wenigstens das Konferenzzimmer sauber? *at least*
Ja, wo bleiben die nur! Wissen denn die Herren von der Konferenz?
Haben Sie denn gestern die Herren nicht angerufen? *gesprochen*
— Ich werde verrückt.

> *Nur im Traum sind wir bewußt.*
>
> EUGÈNE IONESCO

12
Beispiele

SO BAUEN WIR DAS PERFEKT (WIEDERHOLUNG):

Hilfsverb + Partizip

Ich bin ___ gekommen.
Ich habe ___ gefragt.

Perfekt mit „ich bin":

Über Ostern sind wir in Paris gewesen.   Wir sind ___ gewesen.
Wir sind mit der Lufthansa geflogen.   Wir sind ___ geflogen.
Um elf sind wir in Paris gelandet.   Wir sind ___ gelandet.

Perfekt mit „ich habe":

Wir haben eine Reise nach Paris gemacht.   Wir haben ___ gemacht.
Wir haben den Louvre besucht.   Wir haben ___ besucht.
Wir haben eine Motorbootfahrt auf der Seine gemacht.   Wir haben ___ gemacht.

1 Palais du Louvre
2 Place de la Concorde
3 Eiffelturm
4 „Notre Dame" mit dem Seineufer
5 Oper

13
Elemente

SO BAUEN WIR DAS PERFEKT:

Hilfsverb + Partizip

ich bin _ _ _ gekommen
ich bin _ _ _ gereist
ich bin _ _ _ aufgewacht   *aufwachen - to wake up*
                                   (change of state)
ich habe _ _ _ gefragt
ich habe _ _ _ besucht
ich habe _ _ _ geschrieben

als - when (with something that happened in the past.
Wenn - when (always/habitual).

Perfekt mit „ich bin":

Verben der Veränderung

•———————→•
Ort A   Ort B

ich bin gefahren
ich bin geflogen
ich bin gesprungen   *p.p. springen to jump*

•———————→•
Zustand A   Zustand B

ich bin aufgewacht
ich bin eingeschlafen
ich bin gewachsen   *wachsen - to grow*
es ist passiert
it has happened.
und
zwei spezielle Verben:

ich bin gewesen
ich bin geblieben   *to stay*

aber nur Verben, die keinen Akkusativ haben können

Perfekt mit „ich habe":

Alle anderen Verben

ich habe gefragt
ich habe eine Reise gemacht
ich habe Eva besucht
ich habe Blumen gekauft
ich habe geschlafen

14
Studie

a Wie lange _____ Sie in Leningrad gewesen?

b Wo _____ Sie übernachtet?

c Wie _____ Ihnen das Essen geschmeckt?

e _____ Sie auch in der Philharmonie gewesen?

f _____ Sie sich mit den Studenten unterhalten?

g _Haben_ Sie schöne Fotos mitgebracht?

h _Sind_ Sie auch mal mit dem Boot auf der Neva
gefahren?

i Hoffentlich _~~sind~~ haben_ Sie die Eremitage besucht?

k _Haben_ Sie ein bißchen Russisch gelernt?

15
Studie

Ich bin = movement or change   *rennen - to run*
„ habe = others

Bitte ergänzen Sie *sein* oder *haben*

Herr Hammer: Ich höre, Sie ____sind____ in Ägypten gewesen! Wie wars?

Herr Nagel: Wahrscheinlich sehr schön. Aber leider ____habe____ ich kaum was gesehen. *(Possibly)*

Herr Hammer: Wieso? *How war that? (Why)*

Herr Nagel: Ach, wissen Sie, diese Gesellschaftsreisen! Täglich ____sind____ wir um fünf *(group trip/package tours)*

aufgestanden! Den ganzen Tag ____sind____ wir durch Tempel gerannt,

____sind____ Museen besichtigt und ____sind____ auf Pyramiden gestiegen! *(to visit sights)* *(to climb)*

Vor elf ____sind____ wir überhaupt nie ins Bett gekommen.

Ich bin am Ende.

Herr Hammer: Traurig.

Herr Nagel: Gestern abend ____sind____ wir heimgekommen, ich ____habe____ mich ins

Bett gelegt und ____habe____ vierzehn Stunden geschlafen.

Herr Hammer: Bravo!

Herr Nagel: Jetzt ____habe____ ich mir ein Buch über Ägypten gekauft, das lese ich jetzt

in aller Ruhe. Ich freue mich schon so darauf, die Pyramiden zu sehen. *(I am looking forward to it)*

16
Suchen und finden

Gefällt Ihnen Ägypten? → Ich bin noch nicht dagewesen.
Schmeckt Ihnen der Schnaps?
Gefällt dir das Theaterstück?
Wie findet ihr die Familie Baumann?
Gefällt Ihnen Oslo?
Magst du den Salat?
Verstehen Sie Schopenhauer? *the philosopher*
Prag ist schön — findest du auch?
Gefällt euch der Film?
Kennen Sie Südfrankreich?

17
Redeübung

Bitte erzählen Sie von einer Reise. Machen Sie sich einige Notizen und sprechen Sie dann frei!

18 ⊙⊙
Szene

Frau Meier: Bißchen bleich schauen Sie aus, Herr Beck! Wie war die Hochzeitsreise?

Herr Beck: Schlimm.

Frau Meier: Wie bitte? Wo sind Sie denn gewesen?

Herr Beck: Durch ganz Skandinavien sind wir gefahren mit dem Bus, in fünf Tagen.

Frau Meier: Oh, sehr interessant!

Herr Beck: Interessant? Vielleicht. Leider haben wir nichts gesehen. Täglich 500–600 km! Von früh sieben bis abends um neun! Das hält kein Mensch aus. Alle Leute sind krank geworden.

Frau Meier: Schade, schade.

Herr Beck: Nie wieder mache ich eine Hochzeitsreise! Jetzt sind wir kaputt, und das Geld ist auch aus. Und Sie, Frau Meier? Was haben Sie über Ostern gemacht?

Frau Meier: Wir? Wir sind dageblieben und haben eine Garage gebaut. Eine riesige Arbeit! Jetzt sind wir beide zusammengebrochen.

Herr Beck: Schade, schade.

Frau Meier: Die dumme Garage! Aber was sagen Sie dazu, *what do you say to this*
Herr Beck: wir machen im Sommer auch eine Reise nach Skandinavien, in vier Tagen! Wir haben den Bus schon gebucht!

Herr Beck: Hübsch ist Ihre Garage. So eine bauen wir uns auch. Also — gute Besserung, Frau Meier!

Frau Meier: Gute Besserung, Herr Beck. *Get well soon*

19
Fragen zur Szene

20 ⌾⌾
Suchen und finden

Er ist noch nicht da.   → Hoffentlich kommt er bald! *soon*
Sie hat noch nicht geschrieben.
Der Laden ist noch zu.
Sie haben noch nicht angerufen.
Er ist noch nicht weg.
Die Post ist noch nicht da.
Maria hat noch nicht geantwortet.
Die Bank ist noch zu.
Der Zug hat Verspätung.
Der Chef ist immer noch da.

21
Studie

a Unser Reifen ___ist___ geplatzt! *(tyre)* *(to burst)*

b Wir ___sind___ furchtbar erschrocken. *(erschrecken to be frightend)*

c Aber uns ___ist___ nichts passiert.

d Wir ___sind haben___ den Reifen gewechselt. *(to change)*

e Dann ___sind___ wir weitergefahren. *(to drive on)*

f Wir ___sind___ um halb fünf aufgestanden und ___haben___ Kaffee getrunken.

g Um fünf ___ist___ die Sonne aufgegangen. *(to rise)*

h Wir ___sind___ auf den Berg gegangen und ___sind___ um elf oben gewesen.

i Oben auf dem Gipfel ___haben___ wir Rast gemacht. *(summit)* *(break)*

k Dann ___sind___ wir wieder abgestiegen. *(to climb down)*

> Die größte Kraft auf der Welt ist das Pianissimo.
>
> MAURICE RAVEL
>
> Freundschaft ist Liebe mit Verstand.
>
> DEUTSCHES SPRICHWORT

22
Studie

Bauen Sie Sätze, immer im Perfekt

a Konzert/anfangen

Das Konzert hat um 8 Uhr angefangen.

b Schlüssel/verlieren   e Apfel/Baum   h Krimi

c Tür/zumachen   f Schiffsreise/Rio   i London

d Reise/buchen   g Paket/Post   k Rechnung

---

23   fakultativ als Hausarbeit
(sehr schwer)
Lesetext

Kann ein Forscher, mit wissenschaftlichen Methoden, in *(scientist)* *(research)*
wirkliches Neuland vorstoßen? Ich denke, es ist eine
Frage des Mutes: er muß den Boden verlassen können, *(ground)* *(lease)*
auf dem er selbst steht. Er muß ins Leere springen *(empty space)*
5 können.
Neue Ideen aufnehmen und mit den alten Denkmethoden
verarbeiten, dazu sind viele Forscher bereit. Aber
wirkliches Neuland betreten, das bedeutet: die *(means)*
Struktur des Denkens muß sich ändern. *(to change)*
10 Was war die große Tat des Christoph Kolumbus? Gewiß, *(certainly)*
er hat verstanden, die Erde ist eine Kugel, es gibt *(ball)*

Werner Heisenberg (Mitte) im
Gespräch mit Niels Bohr (links)
und Paul Dirac

eine Westroute nach Indien — aber diesen Gedanken haben
auch andere gehabt. Er hat seine Expedition sehr gut
vorbereitet, sein technisches Können war außer-
15 ordentlich — aber viele hatten dasselbe technische
Können.
Nein, die große Tat des Christoph Kolumbus war:
er hat alles bekannte Land verlassen und ist nach
Westen gefahren, ins absolut Unbekannte. Und hat
20 genau gewußt: eine Umkehr ist nicht mehr möglich.

Text nach WERNER HEISENBERG aus seinem Buch „Der Teil und das Ganze"

24 fakultativ
Textarbeit

Steht das im Text?

Steht das im Text?

1 Nicht viele Forscher sind bereit, ihr Denken zu ändern. | ja | nein

2 Niemand kann sein Denken ändern. | ja | nein

3 Keiner kann den Boden verlassen, auf dem er steht. | ja | nein

4 Es ist leicht, das Denken zu ändern. | ja | nein

5 Kolumbus hatte nur ein geringes technisches Können. | ja | nein

6 Kolumbus wußte, daß die Erde eine Kugel ist. | ja | nein

57

25 fakultativ *H.W.*

Textarbeit

a Worin kann man die Arbeit eines Forschers mit der Tat des Christoph Kolumbus vergleichen?

b Heisenberg unterscheidet zwei Typen von Forschern. Welche?

c Welche Tat hält Heisenberg für primär wichtig, welche Arbeit für sekundär?

d Fassen Sie den Gedanken des Textes in einem Satz zusammen!

e Finden Sie eine Überschrift zu unserem Text!

f Nennen Sie ähnliche Taten in der Geschichte der Wissenschaft!

26 fakultativ

Textarbeit

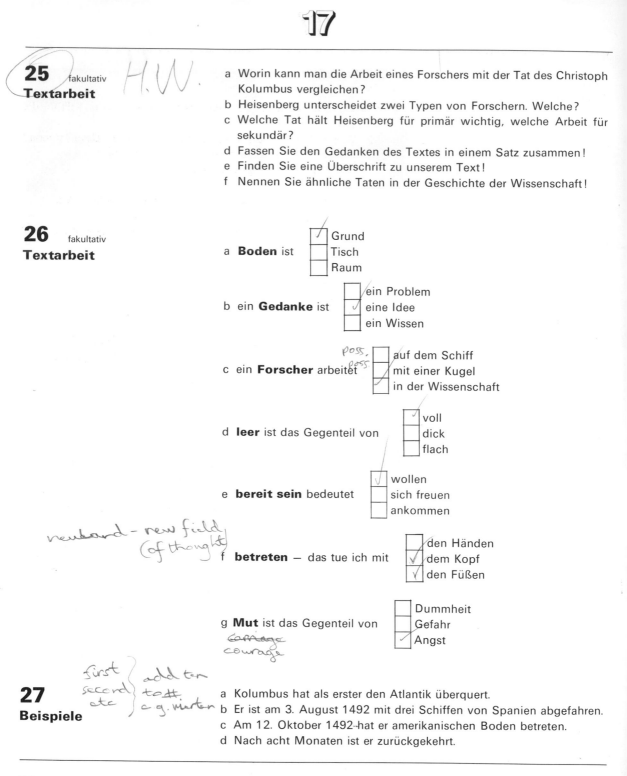

a **Boden** ist
- [✓] Grund
- [ ] Tisch
- [ ] Raum

b ein **Gedanke** ist
- [ ] ein Problem
- [✓] eine Idee
- [ ] ein Wissen

c ein **Forscher** arbeitet *poss.* *poss*
- [ ] auf dem Schiff
- [✓] mit einer Kugel
- [ ] in der Wissenschaft

d **leer** ist das Gegenteil von
- [✓] voll
- [ ] dick
- [ ] flach

e **bereit sein** bedeutet
- [✓] wollen
- [ ] sich freuen
- [ ] ankommen

neuland — new field (of thought)

f **betreten** — das tue ich mit
- [ ] den Händen
- [✓] dem Kopf
- [✓] den Füßen

g **Mut** ist das Gegenteil von
- [ ] Dummheit
- [ ] Gefahr
- [✓] Angst

~~carrage~~ courage

27

Beispiele

first / second / etc.   add ten to # e.g. Winter

a Kolumbus hat als erster den Atlantik überquert.

b Er ist am 3. August 1492 mit drei Schiffen von Spanien abgefahren.

c Am 12. Oktober 1492 hat er amerikanischen Boden betreten.

d Nach acht Monaten ist er zurückgekehrt.

28
Diskussion

DAS PARTIZIP

→ 1. Lesen Sie die vier Beispiele noch einmal. Wie heißen die
       Partizipien?

  → 2. Vergleichen Sie die vier Partizipien! Gibt es Unterschiede?

     → 3. Bilden Sie nun diese vier Sätze im Präsens!

        → 4. Sie können nun eine Regel bilden:

springende Verben	nicht springende Verben
↓	↓
wie sieht das Partizip aus?	*wie sieht das Partizip aus?*

29
Elemente

DAS PARTIZIP

Diese Verben springen nicht:	Infinitiv	Partizip ohne **-ge-**
be-	beginnen	begonnen
emp-	betreten	betreten
ent-	empfangen	empfangen
er-	entdecken	entdeckt
ge-	erkennen	erkannt
miß-	gewinnen	gewonnen
über-*	überqueren	überquert
unter-*	unterschreiben	unterschrieben
ver-	verstehen	verstanden
zer-		
Diese Verben springen:	Infinitiv:	Partizip mit **-ge-**
ab-	abfahren	abgefahren
an-	ankommen	angekommen
auf-	aufnehmen	aufgenommen
bei-	einladen	eingeladen
ein-	mitnehmen	mitgenommen
zurück-	zurückkehren	zurückgekehrt
und so weiter		

*   Einige Verben mit über- und mit unter- können auch springen.

30
Kombination

Kolumbus hat achtmal den Atlantik
Die spanische Königin hat Kolumbus bei seiner Rückkehr festlich
Der italienische Astronom Galilei hat die Jupiter-Monde
Im Jahr 1911 hat Amundsen den Südpol
Kopernikus hat Mathematik, Astronomie, Jura und Medizin

studiert
empfangen
überquert
entdeckt

31
Kombination

Kopernikus hat die Universitäten Krakau, Bologna, Ferrara und Padua
Er hat dreißig Jahre lang an seinem System
Kopernikus hat die richtige Erklärung des Planetensystems
1543 ist Kopernikus im Alter von siebzig Jahren
Hundert Jahre später hat man seine Theorie

gefunden
gestorben
verboten
besucht
gearbeitet

32 fakultativ
Studie

a Shakespeare hat 37 Theaterstücke _____.

b Die Normannen haben um 900 Grönland _____.

c Galilei hat die Universität Pisa _____ und Mathematik und Physik _____.

d Galilei hat die Jupiter-Monde _____; er hat mit seinem Teleskop mehr _____ als alle Menschen vor ihm.

e Einige Jahre vor seinem Tod ist Galilei blind _____.

f Den Planeten Pluto hat man erst im Jahr 1930 _____.

g Dante hat die Göttliche Komödie _____.

h Als erste haben die Holländer im Jahr 1605 australischen Boden _____.

i Abel Tasman hat dann 1642 Neuseeland _____.

k Die wichtigste Entdeckung waren die Mädchen von Tahiti: sie haben den Seefahrern am allerbesten

_____.

45)

die Mutter   der Seemann /   die Kaufmann /   der Arzt
die Geschichte   das Schiff   das Grenze   die Klinik
der Witz   das Meer   der Schmerz (Pain)   das Bett

der Garten
das Raum
die Busch
die Blume

33

Bildgeschichte O

NEUES LAND

1 Der Italiener Christoph Kolumbus hat nie eine Schule besucht.

2 Aber er hat Amerika entdeckt.

3 Kolumbus ist achtmal über den Atlantik gefahren. Das ist die erste Landkarte von Südamerika.

4 Gegen die Indianer waren die europäischen Gäste nicht gerade freundlich.

5 Der Portugiese Magellan hat als erster den Pazifik überquert.

6 Zur gleichen Zeit hat Nikolaus Kopernikus die richtige Erklärung unseres Planetensystems gefunden.

7 Hier in Krakau hat Kopernikus gearbeitet.

8 Hundert Jahre lang war seine Theorie erlaubt, dann hat man sie verboten.

34 fakultativ als Hausarbeit (schwer)

Schreibschule

Thema: Das Leben einer bekannten Persönlichkeit aus Ihrem Land. *Schreiben Sie das, was Sie interessant finden, in acht bis zehn Sätzen nieder!*

Flugversuch von Otto Lilienthal 1891

35
Diktat

Otto Lilienthal (geboren _____) hat viele Jahre lang den _____ _____

und seine Forschungen in dem Buch „Der Vogelflug als Grundlage der Fliegekunst" (_____)

zusammengefaßt. Er hat, zusammen mit seinem _____ Gustav, eine ganze Serie von

Flugzeugen _____ und sie in seinem _____ in Berlin und später an einem

Hügel _____ _____ _____ ausprobiert. Lilienthal hat über _____

Flüge gemacht und ist bis zu _____ Meter weit geflogen. Im August _____ hat

ihn sein Glück verlassen: er ist aus einer Höhe von _____ Metern abgestürzt und am _____

_____ in einer Berliner Klinik gestorben.

36 ⊙⊙
Bitte sprechen Sie

Wann beginnt die Vorlesung? → Sie hat gerade begonnen.
Wann macht die Buchhandlung auf?
Wann fängt der Film an?
Wann beginnt das Konzert?
Wann hört die Vorlesung auf?
Wann macht die Mensa zu?
Wann macht die Bibliothek auf?
Wann beginnt das Seminar?

37 ⊙⊙
Bitte sprechen Sie

Haben Sie das Buch verstanden?   →Unmöglich, das kann ich nicht verstehen.

Haben Sie die Konzertkarten bezahlt?
Haben Sie die Geschichte erzählt?
Haben Sie die Wörter gelernt?
Haben Sie den Professor verstanden?
Haben Sie den Globus gekauft?
Haben Sie den Brief übersetzt?
Haben Sie das Buch gelesen?

38 ⊙⊙
Suchen und finden

Moment, das Zimmer!   →Das habe ich bestellt.
Ach, der Fahrplan!
Du — der Rucksack!
Und der Koffer?
Und die Fahrkarten?
Moment, die Rechnung da!
Und der Brief?
Ach, das Taxi!
Das Formular!
Ach, die Tür!

39 ⊙⊙
Suchen und finden

Wo ist der Schlüssel?   →Den habe ich verloren.
Wie ist die Telefonnummer?
Wo ist die Uhr?
Hast du das Buch?
Wie heißt die Dame?
Haben Sie den Brief geschrieben?
Wo ist der Schirm?
Und die Adresse?

> Es gibt immer noch Leute, die es nicht bemerkt haben, daß sich die Welt bewegt.
> EGON BAHR
>
> Die Jungen glauben, daß mit ihnen die Welt anfängt. Die Alten glauben, daß mit ihnen die Welt aufhört.
> FRIEDRICH HEBBEL

40
Studie

a „Wie heißt der Professor?"

— „Tut mir leid, das habe ich _vergessen_ ."

b „Bitte machen Sie das Fenster zu!"

— „Ich habe es doch schon _zugemacht_ springs !"

c „Kann ich das Fahrgeld bekommen?"

— „Nein, die Fahrkarte müssen Sie selber _____ ." ticket

d „Wie schmeckt der Cognac?"

— „Ich habe ihn noch gar nicht _____ ."

e „Wir fahren!"

— „Augenblick, ich muß noch meine andere Jacke _anziehen_ ."

f „Kennen Sie Cambridge?"

— „Natürlich, da habe ich vier Semester _gestudiert_ ."

g „Wissen Sie was von Ottilie?"

— „Nein, sie hat mir seit 2 Jahren keinen Brief mehr _geschrieben_ ."

h „Habe ich viele Fehler in dem Test?"

— „Nein, Sie haben keinen einzigen Fehler _gemacht_ ."

i „Hahahaha!"

— „Verzeihung, ich kann nicht mehr lachen, den Witz hast du schon fünfmal _erzählt_ ." joke

k „Hier — ein Tee für die Dame."

— „Und ich? Ich habe einen Kaffee _bestellt_ !"

41 H.W.
Erinnern Sie sich

Bitte lernen Sie diese Sätze

Wir sind am Ende der Reise.

Ich bin am Ende, ich kann nicht mehr.

Napoleon war als erster hier.

Michael ist mein allerbester Freund.

Was haben Sie? Kopfschmerzen? Ich wünsche Ihnen gute Besserung!

Ich möchte jetzt in aller Ruhe ein Glas Wein trinken.

42 HW.
Erinnern Sie sich

Bitte lernen Sie diese Verben im Kontext

aushalten	Diese Zahnschmerzen halte ich nicht mehr aus!
besichtigen	Wir haben das alte Lübeck besichtigt.
betreten	Niemand darf die Moschee betreten.
brechen	Er hat sich das Bein gebrochen.
	Brichst du dein Versprechen?
buchen	Wir buchen eine Reise mit der Transsibirischen Eisenbahn.
empfangen	Er empfängt seine Gäste immer unten an der Haustür.
	Ich habe Ihr tolles Geschenk empfangen, tausend Dank!
entdecken	Wer hat Amerika entdeckt?
erkennen	Oh, du hast ja jetzt einen Vollbart! Man erkennt dich nicht wieder!
erlauben	Hier ist Parken nicht erlaubt.
	Erlauben Sie, daß ich Sie nach Hause begleite?
erschrecken	Die Lampe ist mir auf den Kopf gefallen, ich bin furchtbar erschrocken.
	Er kommt ins Zimmer ohne zu klopfen; es macht ihm Spaß, mich zu erschrecken.
gewinnen	Der arme Rentner hat im Lotto 20 000 Franken gewonnen.
überqueren	Eine Schulklasse überquert die Straße.
zurückkehren	Nein, in Europa gefällt es mir nicht, ich möchte nach Thailand zurückkehren.

43
Spiel

Wie heißt das Gegenteil?

erlauben *allow* v.
gewinnen
weggehen *ankommen*
sich anziehen *to dress yourself* *sich ausziehen*
sich erinnern *to remember* *vergessen*
begrüßen *verabschieden*
kaufen *verkaufen*
aussteigen *einsteigen*
aufwachen *to get off* *einschlafen*
to wake up
vermieten
to let a house

44
Spiel

Wie heißt das Adjektiv, und was bedeutet es?

der Monat _*monatlich = jeden Monat*_
der Tag _*täglich = jeden Tag*_
die Stunde _*stündlich = jede Stunde*_
das Jahr _*jährlich jedes Jahr*_
der Morgen _*morgendlich = am Morgen*_
die Nacht _*nächtlich = jede Nacht*_
der Abend _*Abendlich =*_

45

Erinnern Sie sich

Wie heißt der Singular? Wie heißt der Artikel?

Masken, Geschichten, Witze, Seeleute, Schiffe, Meere,
Kaufleute, Grenzen, Schmerzen, Ärzte, Kliniken, Betten,
Gärten, Bäume, Büsche, Blumen.

46 ⊙⊙ ✎

Hören und verstehen

Bitte antworten Sie mit ganzen Sätzen

Frage 1: Arbeitet Fräulein Gruber noch?
Frage 2: Macht sie in der neuen Firma etwas anderes als früher?
Frage 3: Warum möchte sie gerade in dieser Firma arbeiten?
Frage 4: Was ist Fräulein Gruber wohl von Beruf?

1 ⊙⊙

Bitte hören Sie

fein → Wein
vier   wir
Pfennig wenig
fahren Waren

Wort → fort
Wert   Pferd
West   Fest
winden finden

2

Bitte sprechen Sie

fahren →	Waren →	fahren
Feld	Wald	Feld
vier	wir	vier
Fach	wach	Fach
Fest	West	Fest
voll	Wolle	voll
Faß	Wasser	Faß
Vetter	Wetter	Vetter

3 ⊙⊙

Welches Wort hören Sie?

1 ☐ West   6 ☐ fehlen
  ☐ Fest   ☐ wählen

2 ☐ fahr   7 ☐ Fach
  ☐ wahr   ☐ wach

3 ☐ Wein   8 ☐ vier
  ☐ fein   ☐ wir

4 ☐ winden   9 ☐ fahren
  ☐ finden   ☐ Waren

5 ☐ fort   10 ☐ Wert
  ☐ Wort   ☐ Pferd

Zwischenspiel (7)

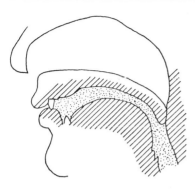

4
Elemente

f

Das **f** schreibe ich so: **f**   (fahren, elf)
        oder **ff**   (offen, Kartoffel)
        oder **ph**   (Philosophie)
        oder **v**   (Vater, vier)*

Das **f** spreche ich so: ● Die Unterlippe berührt die Oberzähne.
                    ● Durch diese Enge fließt die Luft
                       stimmlos ab (*ohne* Stimme).

* Wenn ich v schreibe, spreche ich in deutschen Wörtern f (Vater, Vogel, voll, vier), in fremden Wörtern w (Valuta, Violine, Visite).

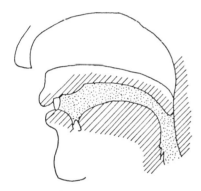

5
Elemente

w

Das **w** schreibe ich so: **w**   (Wein, wohl, zwanzig)
oder (in fremden Wörtern) **v**   (Violine, Vermont, Vampir)

Das **w** spreche ich so: ● Die Unterlippe berührt die Oberzähne.
                     ● Durch diese Enge fließt die Luft
                      stimmhaft ab (*mit* Stimme).

6
Bitte sprechen Sie

a ein feines Wetter
   aufwachen
   ein volles Faß
   vierundvierzig

b Waldvogel
   Weinflasche
   wundervoll
   Fußweg

c ein wertvoller Volkswagen
   Führerschein, Paß und Visum
   eine wundervolle Violine
   ein wichtiger Film

d viel Vergnügen, mein Freund!
   Lavendel für schöne Frauen
   Schlafwagen
   Auf Wiedersehen

e nicht so viel Pfeffer
   wir fahren weit fort
   Pferd und Wagen
   vierundfünfzig Pfennig

f Baum und Zweig
   verwenden verwunden
   warum zweifelst du?
   Feuer und Flamme

Kapitel 18

1 ⊙⊙

Bildgeschichte P / HOCHSCHWARZWALD

Bitte ergänzen Sie die Präpositionen

1 Wir treten __auf__ dem Wald und haben einen weiten Blick auf die Berge: die Schwarzwaldberge.

2 Das ist ein altes Schwarzwaldhaus __bei__ Freiburg. Es ist ganz __mit__ Holz gebaut.

3 Links __vom__ Bauernhaus sehen Sie zwei Türme. Sie gehören zum Kloster Sankt Peter.

4 Wir besuchen, __mit__ einer Gruppe von Studenten, die Klosterbibliothek. Sie ist vier-
   hundert Jahre alt.

5 Die Dokumente __aus__ unserer Zeit sehen ganz anders aus. Diese Autobahn führt __durch__

   Freiburg. __Von__ hier bis ins Zentrum sind es noch sieben Kilometer.

6 Hier ist täglich Markt, __von__ acht __bis__ zwölf Uhr, __bei__ Sonne und __bei__
   Regen.

7 Blumen, Obst, Eier – alles direkt __vom__ Land.

8 Freiburg bei Nacht. __Durch__ dieses Tor fahren wir zurück in die Schwarzwaldberge.

2
Studie

Bitte ergänzen Sie die Präpositionen

a   Wir haben, _mit_ einer Gruppe von jungen Leuten, das Kloster Sankt Peter besichtigt.

b   Das Kloster liegt _bei_ Freiburg. _Von_ St. Peter _bis_ Freiburg sind es nur 15 km.

c   _Von_ hier sind Sie _bei mit_ dem Wagen in einer Viertelstunde in Freiburg.

d   Zum Kloster gehört eine alte Bibliothek _mit_ kostbaren Büchern _bei aus_ dem Mittelalter.

e   Diese herrlichen alten Bauernhäuser sind ganz _aus_ Holz gebaut.

f   _Von_ Freiburg _nach bis_ Basel sind es 70 km. _Auf Mit_ dem Zug fährt man diese Strecke in 40 Minuten.

g   Jeden Tag _von_ 8 _bis_ 12 ist hier Markt.

h   45 km westlich _von_ Freiburg liegt Colmar, eine außerordentlich schöne Stadt _mit_ berühmten Kirchen und Museen.

i   Fahren Sie _nach_ Colmar? Darf ich _mit_ Ihnen kommen?

k   Haben Sie einen Paß _durch mit_ sich? Colmar ist französisch, über die Grenze kommen Sie nicht _ohne_ Paß!

3
Elemente

Diese Präpositionen
nehmen nur den **Akkusativ**:

bis	ORT	Der Zug fährt nur bis Freiburg.
	ZEIT	Von acht bis zwölf Uhr ist Markt.
durch		Wir gehen durch die Altstadt spazieren.
		Bitte schauen Sie durch das Teleskop!
für	ORT	Die Rosen sind für dich.
	ZEIT	Wir wollen für immer zusammenbleiben.
gegen	ORT	Der Betrunkene fährt gegen den Baum.
	ZEIT	Ich komme gegen elf Uhr heim.
ohne		Ich bin seit einer Woche ohne einen Pfennig.
		Liebster! Ich kann nicht mehr ohne dich sein.
um	ORT	Um die Altstadt führt die Stadtmauer.
	ZEIT	Der Zug kommt genau um 7.22 an.

4
Elemente

Diese Präpositionen
nehmen nur den **Dativ**:

aus	ORT	Er trinkt den Schnaps immer aus der Flasche.
	ZEIT	Der Dom ist aus dem 12. Jahrhundert.
bei	ORT	Sankt Peter liegt bei Freiburg.
	ZEIT	Freiburg bei Nacht – richtig romantisch.
mit		Mit dem Auto sind es zehn Minuten.
		Ich komme mit meinen sechs Kindern.
nach	ORT	Fahren Sie nach Colmar?
	ZEIT	Es ist fünf Minuten nach zwölf.
seit		Ich warte schon seit vier Uhr auf dich!
von	ORT	Das Schiff kommt von Stockholm.
	ZEIT	Ein Stummfilm von 1924.
zu	ORT	Heute abend gehe ich zu Charlie.
	ZEIT	Bitte kommen Sie zum verabredeten Termin!

18

5
Spiel

a Am Samstag sind wir ___*durch*___ die Straßen der
Freiburger Altstadt gegangen.

✓	durch
	bei
	mit
	von

b Bitte, wo geht es hier ___*zum*___ Markt?

	gegen
✗	zum
	bei
	am

c Die Eier sind direkt ___*vom*___ Bauern.

✓	vom
	für
	zum
	mit

d ___*Mit*___ den alten Schuhen kannst du wirklich nicht
mehr gehen!

	Aus
	Von
✓	Mit
	Bei

e Der Bus kommt fünf ___*nach*___ sechs hier an.

	für
	mit
	bei
✓	nach

f Du trittst ___*aus*___ dem Bahnhof und siehst nichts als
scheußliche Warenhäuser.
dreadful

	von
	bei
✓	aus
	für

g Durch die Freiburger Innenstadt können Sie nicht ___*mit*___
dem Auto fahren.

	von
	bei
	aus
✓	mit

h Wir sind 40 km ___*durch*___ den Schwarzwald gewandert.

✓	durch
	von
	bei
	nach

i ___*Durch*___ der Wanderung hat mir alles wehgetan.
all sore

	Um
	Nach
	Aus
✓	Durch

k ___*Um*___ 14.31 fährt der Zug nach Colmar.

	Gegen
	Nach
✓	Um
	Vor

6
Kleine Unterhaltung

Schüler-Schüler

Wie sind Sie hierher
gekommen?

mit dem Bus
zu Fuß
...

7
Kleine Unterhaltung

Schüler-Schüler

Wo wohnen Sie?

bei meinen Eltern

bei Familie _____

...

8 fakultativ
Kombination

Morgen früh fahren wir

nach
zu
in

Holland
Bremen
Professor Pauli
Genf
Emil
die Stadt
Polen
London
den Großeltern
die Berge
Tante Minna
Prag
.

9 fakultativ
Kombination

Bis Basel
Bis zum Markt
Bis zur Apotheke
Bis Rom
Bis zum Hafen
Bis London
Bis zum Zentrum
Bis zur Post

fahren wir
sind es
ist es
gehen Sie

mindestens
nur
noch

20 Stunden
5 Minuten
800 km
1 ½ Stunden
ein Katzensprung
eine Stunde
.

10
Elemente

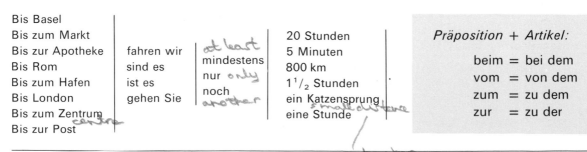

Präposition + Artikel:

beim = bei dem
vom = von dem
zum = zu dem
zur = zu der

11 ⊙⊙
Bitte sprechen Sie

Sie wollen zum Markt? → Ja, wo ist der Markt?
Sie wollen zum Hafen?
Sie wollen zur Post?
Sie wollen zum Theater?
Sie wollen zum Rathaus?
Sie wollen zur Oper?
Sie wollen zum Dom?
Sie wollen zur Universität?

12 ⊙⊙
Suchen und finden

A Entschuldigung, wie komme ich zum Dom?
B Da nehmen Sie am besten die Straßenbahn!
C Und wo ist da eine Haltestelle?

Entschuldigung, wie komme ich zum Markt?
Entschuldigung, wie komme ich zur Universität?
Entschuldigung, wie komme ich zum Flughafen?
Entschuldigung, wie komme ich zur Synagoge?
Entschuldigung, wie komme ich zum Stadion?
Entschuldigung, wie komme ich zur Poliklinik?
Entschuldigung, wie komme ich zur Oper?

13 ⊙⊙
Bitte sprechen Sie

Bitte, wo ist die Universität? →Kommen Sie mit, ich gehe gerade
                                                    zur Universität.
Bitte, wo ist der Bahnhof?
Bitte, wo ist das Postamt?
Bitte, wo ist hier eine Apotheke?
Bitte, wo ist die Akademie?
Bitte, wo ist das Stadttheater?
Bitte, wo ist hier ein Friseur?
Bitte, wo ist hier die U-Bahn?
Bitte, wo ist hier der Hafen?
Bitte, wo ist hier die Universitätsbuchhandlung?

14 ⊙⊙
Suchen und finden

Meine Uhr ist kaputt. →Gehen Sie zum Uhrmacher!
Ich muß Geld wechseln. →Gehen Sie zur Bank!
Wo gibt es hier Briefmarken?
Mein Bart muß weg.
Mein Radio ist kaputt.
Mein Reifen ist platt.
Kann man hier telefonieren?
Ich hab solche Kopfschmerzen!

15 fakultativ ⊙⊙
Suchen und finden

Ich hätte gern einen schönen Ring für meine Verlobte, wo krieg ich so was?   → Bei meinem Juwelier.
Ich hätte gern eine Platte mit spanischer Gitarrenmusik, wo krieg ich so was?   → In meinem Plattenladen.

Ich möchte meiner Mutter eine Uhr schenken, wo krieg ich so was?
Ich brauche einen Kassettenrecorder, wo krieg ich so was?
Ich möchte Peter zum Geburtstag einen schönen Atlas schenken, wo krieg ich so was?
Ich hätte gern eine echte ungarische Salami, wo krieg ich so was?
Wir wollen unserer Putzfrau zum 60. Geburtstag einen Schaukelstuhl schenken, wo kriegen wir so was?
Ich hätte gern eine türkische Zeitung, wo krieg ich so was?

16 ⊙⊙
Bitte sprechen Sie

17 ⊙⊙
Bitte sprechen Sie

Was ist ein Weinglas?   → Ein Glas für Wein.
Was ist ein Brotteller?
Was ist ein Holzteller?
Was ist eine Blumenvase?
Was ist ein Kindertisch?
Was ist ein Holztisch?
Was ist ein Damenfriseur?
Was ist ein Damenhut?

18 ⊙⊙
Bitte sprechen Sie

Was ist ein Holzhaus?   → Ein Haus aus Holz.
Was ist eine Holzbrücke?
Was ist ein Glasteller?
Was ist eine Holztreppe?
Was ist eine Steintreppe?
Was sind Stahlmöbel?
Was ist eine Glastür?
Was ist eine Stahlbrücke?

Was ist eine Parkbank?   → Eine Bank im Park.
Was ist eine Holzbank?
Was ist ein Kinderbett?
Was ist eine Milchflasche?
Was ist eine Klosterbibliothek?
Was ist ein Bücherschrank?
Was ist ein Holzlöffel?
Was ist ein Suppenlöffel?

19 fakultativ (sehr schwer)
Variation der Bildgeschichte P

Noch einmal: Hochschwarzwald

1 Wir sind hier 1000 m hoch und blicken durch ___die___ Bäume und Zweige auf die Berge ___des___ Hochschwarzwalds.

2 Die alten hölzernen Schwarzwaldhäuser sind Dokumente aus ___der___ Frühzeit. Dieses Haus ist etwa 600 Jahre alt, aber genau so hat man vor 1000 Jahren gebaut.

3 Die Kirche Sankt Peter ist eine ___der___ schönsten Barockkirchen. Typisch für ___die?___ süddeutschen Barock sind die Zwiebeltürme.

4 Die Bibliothek des Klosters. Hier gibt es Tausende von wertvollen Werken aus ___der___ Zeit ___des___ Mittelalters.

5 Das Freiburger Industriegebiet und die Autobahn, die ins Zentrum führt.

6 Das Münster ist das Symbol ___der___ Stadt Freiburg. Den Münsterplatz kann man sich ohne ___den___ täglichen Markt gar nicht denken.

7 Was Sie hier kaufen, kommt täglich frisch ___vom___ Land.

8 Das Martinstor, gebaut 1200. Durch _____ Tor führt die Straße zum Schwarzwald.

20 fakultativ (sehr schwer)
Textarbeit

Bitte lesen Sie die Variation der Bildgeschichte noch einmal.
→ Notieren Sie die zusammengesetzten Wörter.
  → Aus welchen Wörtern sind sie gebaut?

21 👓
Gesprächsübung

A Das Buch gefällt dir wohl? nom
B Sehr gut!
A Es gehört dir. personal pronoun
B Oh! Danke für das schöne Buch! acc

Die Platte gefällt dir wohl?
Der Ring gefällt Ihnen wohl?
Die Uhr gefällt dir wohl?
Das Bild gefällt dir wohl?
Der Schmuck gefällt dir wohl?
Die Briefmarken gefallen Ihnen wohl?

22
Kleiner Dialog

Bitte ergänzen Sie den bestimmten Artikel

Dame: Wie gefällt dir der Hut?

Herr: Der Hut? Ach, mit _dem_ Hut siehst du ein bißchen dumm aus.

Dame: Was? Aber was hast du denn gegen _den_ Hut?

Herr: Ohne _den_ Hut bist du mir lieber.

23
Variation

Bitte ergänzen Sie den bestimmten Artikel

A Gefällt Ihnen mein Pelz?

B Verzeihung, also mit _dem_ Pelz sehen Sie ein bißchen komisch aus.

A Aber was haben Sie denn gegen _den_ Pelz?

B Ohne _den_ Pelz gefallen Sie mir viel, viel besser!

> Wer hat den größten Nutzen vom Fernsehen? Ich behaupte, die Augenärzte.
>
> WILLEM DECONNINCK
>
> Die Ärzte haben es am besten. Ihre Erfolge laufen herum, ihre Mißerfolge werden begraben.
>
> JACQUES TATI

24
Spiel

Führen Sie ähnliche Gespräche

Wie steht mir meine neue Sonnenbrille?
Gefällt dir meine neue Krawatte? HW
Was sagst du zu meinem make-up?
Steht mir die Mütze?

25 fakultativ 👓
Gesprächsübung

A Evi? Die ist leider nicht da.
B Wo ist sie denn?
A In der Tanzstunde.
B Kommt sie nach der Tanzstunde heim?

A Otto? Der ist leider nicht da.
B *Wo ist er denn*
A In der Vorlesung.
B *Kommt er nach der Vorlesung*

A Maria? Die ist leider nicht da.
B *Wo ist sie denn*
A Im Unterricht.
Kommt sie nach dem unter... heim

A Der Professor? Der ist leider nicht da.
B *Wo ist er denn*
A Im Seminar.
B *Kommt er nach dem Seminar heim*

A Der Pfarrer? Der ist leider nicht da.
B *Wo ist er denn*
A In der Kirche.
Kommt er nach dem Kirche heim

A Max? Der ist leider nicht da.
B *Wo ist er denn*
A Im Kino.
Kommt er nach dem Kino heim

A Nora? Die ist leider nicht da.
B *Wo ist sie denn*
A Auf einer Party.
Kommt sie nach

26
Studie

Bitte ergänzen Sie die Präpositionen

a ___Mit___ dem Bart siehst du viel männlicher aus!

b Ach, ich habe die Seife vergessen! Dumm! ___Ohne___ Seife kriege ich die Hände nicht sauber.

c Das ist das Handtuch ___der___ Gäste.

d ___Mit___ dem elektrischen Rasierapparat geht es natürlich leichter!

e Die ideale Creme ___für___ Ihre Haut!

f Nächste Woche gehe ich ___zum___ Friseur.

g Hallo! Aufmachen! _____ neun Uhr sitzt du jetzt in der Badewanne!

h _____ wann hast du so tolle blonde Haare?

27
Studie

a _____(In)_____ Durch das frische Bergwasser laufen ist herrlich!

b Kennen Sie den Herrn __mit__ __dem__ fantastic grünen Hut?

c Der Pulli? Der ist ganz alt, den habe ich __von__ meiner großen Schwester.

d Wer ist das Mädchen __mit__ __dem__ weißen Strümpfen?

e Ist die Uhr _____ reinem Gold?

f Halt! Was wollen Sie __mit__ __der__ Pistole?

g Es ist kalt, ihr könnt nicht __ohne__ Mantel gehen.

h Die roten Sandalen sind das richtige Geschenk __für__ __die__ kleine Evi.

28
Studie

Bitte ergänzen Sie die Präpositionen und Pronomen

a   Wir haben noch einen ganz guten Wein daheim! Wollt ihr nicht heute abend _mit_

   uns kommen?

b   Fahren Sie zur Uni? Kann ich _mit_ _Ihnen_ fahren?   sie ihre ihnen sie

c   Hallo, Fräulein Blau! Ein Anruf _für_ _sie_ !

d   Haben Sie fünf Minuten Zeit? Ich muß _mit_ _ihnen_ sprechen.

e   Mama, hier ist es so kalt. Ich komm noch schnell _zu_ _dir_ ins Bett.

f   Brigitta, ein Brief _für_ _dich_ !

g   Dürfen wir Sie einladen, morgen abend ist _bei_ _uns_ eine kleine Party.

h   Ach Philipp, warum tanzt du nie _mit_ _mir_ ?

29 ◷◷
Bitte sprechen Sie

Endlich kommst du! Ich warte schon so lange!   →Seit wann wartest du?
Wir wohnen jetzt in Frankreich.   →Seit wann wohnt ihr in Frankreich?
Hans arbeitet bei AEG.
Fred studiert jetzt in Budapest.
Amalie ist jetzt Großmutter.
Ich lerne jetzt Japanisch.
Meine Schwester lebt in der Schweiz.
Fritz ist jetzt verheiratet.

30 ◷◷
Bitte sprechen Sie

Treffen wir uns morgen wieder? Ungefähr um fünf, paßt das?   →Gut, ich komme gegen fünf.
Ich bin um halb drei wieder im Büro, können Sie um diese Zeit kommen?
Hast du Lust, gehen wir morgen abend essen? Nicht zu spät vielleicht?
Wann darf ich zu Ihnen kommen? Um vier, ist das recht?
Wann ist der Brief fertig? Ich muß ihn mittags zur Post bringen!
Wann sind Sie denn heute nacht nach Haus gekommen? Um zwei, hm? Sie Schlimmer!

31
Lesetext

Bitte ergänzen Sie
, *Kommas*
. *Punkte*
? *Fragezeichen*

Es regnet nicht mehr Das ganze Zimmer ist hell Die Fensterscheiben glänzen Alles leuchtet weiß
,,Schnee Schnee! Es hat geschneit!''
Wir können uns gar nicht vom Fenster trennen Der Hof ist
5 nicht mehr unser alter Hof Er ist ganz in Weiß gehüllt Schnee
fällt herab wie ein schimmernder Schleier Sicher hat es die
ganze Nacht geschneit Auf den Dächern und den Balkonen
liegen hohe Federbetten aus Schnee vor den Türen sammeln
sich Schneehügel ein dicker weißer Teppich liegt auf den
10 Stufen der Terrasse
Der erste Schnee! Unsere Augen werden hell und klar Oder
habe ich zwei ganz neue blank gewaschene Augen bekommen
Mein Bruder haucht die Fensterscheiben an und zeichnet
mit dem Finger einen großen Kopf auf das Glas Wir lachen
15 so laut daß die Blumen zittern

BELLA CHAGALL

32

Diskussion

NOMEN, DIE VOM VERB KOMMEN
Beispiele:

der Besuch, die Bewegung, das Essen, der Finder, der Fund,
die Hoffnung, der Kuß, die Lage, der Lehrer, die Liebe, die
Öffnung, die Ordnung, die Rede, die Reise, das Schwimmen,
der Schwimmer, die Sprache, der Sprecher, die Suche, das
Vergnügen, der Verkehr, der Verstand, das Verstehen, der Ver-
such, der Zug, der Zweifel, der Zweifler.

→a Bitte finden Sie die Verben!
→b Bitte ordnen Sie die Nomen in fünf Klassen:
    1. mit der Endung **-en**,
    2. mit der Endung **-er**,
    3. mit der Endung **-e**,
    4. mit der Endung **-ung**,
    5. ohne Endung.
→c Welche Nomen sind maskulin?
    Welche sind feminin?
    Welche sind neutrum?
→d Formulieren Sie nun selbst die Regel, aber beachten Sie:
    die Regel (mask/fem/neutr) stimmt *nur bei Nomen, die vom Verb*
    kommen.

33 ⊙⊙
Hören und verstehen
Wie heißt die beste Antwort?

1
A Gegen welche Wand?
B Ja, warum denn?
C Er ist schon gegangen.
D Kommst du auch auf die Party?

2
A Aus dem Wirtshaus.
B Seit gestern.
C Mit Susanne.
D Ja, leicht!

3
A Was willst du?
B Kommen Sie, nehmen Sie Platz!
C Da liegt auch ein Buch.
D Ja. Das ist für dich.

4
A Mir gehts gut.
B Mit der Straßenbahn?
C Gehts dir nicht gut?
D Ach, ist er allein?

5
A Zu Fuß.
B Von Hamburg.
C In der Nacht.
D Bei meiner Mutter.

6
A Ich mag kein Eis.
B Mach das Fenster zu!
C Ich trinke aus der Flasche.
D Ich brauche keine Brille.

Nur wenn man noch viel verrückter denkt als die Philosophen, kann man ihre Probleme lösen.

LUDWIG WITTGENSTEIN

Phonetisches Zwischenspiel (8)

1
Elemente
j

Wir schreiben **j**
wir sprechen das wie **y** in yes, New York, Yen, Goya.

2
Bitte sprechen Sie

a in jungen Jahren
   jetzt im Januar
   die jungen Leute lernen Joga
   ja, ich nehme Joghurt

b jawohl, Majestät
   jedes Jahr
   die junge Japanerin
   Juni und Juli

3
Elemente
ch

Wir schreiben **ch**, aber wir sprechen zwei ganz verschiedene Laute.

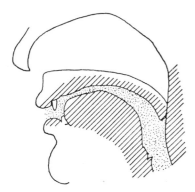

Das vordere ch

1) nach i e ä ö ü ei eu l n r:

   ich, Michael, natürlich
   recht, der nächste, lächeln
   möchte, der höchste
   Bücher, Früchte
   leicht, gleich, reich, weich
   euch, leuchten
   Milch
   München, manchmal
   durch, Kirche, furchtbar

2) in **-chen**:
   Mädchen, Kindchen, Kätzchen, ein bißchen

3) in der Endung **-ig**:
   billig, fertig, ledig, richtig, wenig, wichtig.

Das vordere ch ist leicht zu sprechen. Sagen Sie „ja", sprechen Sie das **j** sehr lang und flüstern Sie es nun (keine Stimme). Nehmen Sie viel Luft. Das Resultat ist das vordere ch.

4
Bitte sprechen Sie

a ich spreche
   Mädchen Licht Gesicht
   ich höre dich, ich frage dich
   spreche ich richtig?

b höflich freundlich
   ich bin nicht sicher
   ich nehme es leicht
   ich nehme es nicht wichtig

c möchten Sie Milch?
   warum sprechen Sie nicht?
   das Mädchen lächelt
   glücklicherweise bin ich ledig

d freust du dich nicht?
   ein Becher Milch
   die Brücke bricht
   ein höfliches Lächeln

Phonetisches Zwischenspiel (8)

5
Bitte hören Sie

sch		ch
misch	→	mich
schielen		Chile
Menschen		Männchen
Schema		Chemie
wischen		wichen
Kirsche		Kirche
welsch		welch
löschen		Licht

6
Bitte sprechen Sie

welch	→	welsch	→	welch
Kirche		Kirsche		Kirche
mich		misch		mich
Herrchen		herrschen		Herrchen
Licht		löschen		Licht
dich		Tisch		dich
München		wünschen		München
Früchte		frisch		Früchte

7
Bitte sprechen Sie

a ich schieße
   ich schlafe
   ich schreibe
   ich schwimme

b Nichtschwimmer
   durchschauen
   Milchschokolade
   durchschneiden

8
Welches Wort hören Sie?

1 ☐ welch
   ☐ welsch

2 ☐ Tisch
   ☐ dich

3 ☐ Kirsche
   ☐ Kirche

4 ☐ reich
   ☐ Rausch

5 ☐ mischen
   ☐ München

6 ☐ wachen
   ☐ waschen

7 ☐ misch
   ☐ mich

8 ☐ frisch
   ☐ Früchte

9 ☐ dich
   ☐ Tisch

10 ☐ Buch
   ☐ Busch

9
Bitte sprechen Sie

a Milchfläschchen
   Kindergeschichte
   Bücherschrank
   Mädchengesicht

b ich wasche mich, ich dusche mich
   ich schlafe, ich schleiche
   das Licht leuchtet über die Dächer
   ich schwimme durchs frische Wasser

10
Elemente

Das hintere ch

nach a o u au:

machen, wachen, lachen
doch, noch, Woche
Buch, suchen, Kuchen
auch, rauchen, brauchen

Sprechen Sie ein hartes **k** und
lösen Sie den Verschluß der Zunge
langsam: **kch**... Die langsame
Lösung des **k**-Lautes — das ist
das hintere **ch**.

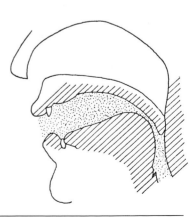

11
Bitte sprechen Sie

a wachen machen lachen
doch noch Loch Woche
Buch Tuch Besuch
buchen suchen besuchen
kochen lachen brauchen
Schach Dach Krach

b wir kochen
ach, rauchen Sie?
warten Sie auch?
wir buchen den Flug
wir warten und wachen
eine harte Sache

c Takt Akt Nacht
Sekt nackt acht Nacht
er lacht und lacht
er trinkt Tee und raucht
er wartet und wacht
nur eine Nacht

12
Bitte hören Sie

nackt	→	Nacht
Dock		doch
Akt		acht
Bug		Buch
er mag		er macht
Pocken		pochen
nackt		Nacht
Akt		acht

13
Bitte sprechen Sie

a nackt → Nacht → Nacht
Akt acht acht
Bug Buch Buch
Doktor doch doch

b hocken hoch hoch
Locken lachen lachen
Sack Sache Sache

was magst du? was machst du? was machst du?

14
Diktat

*Schreiben Sie nur
die Konsonanten: ch oder k!*

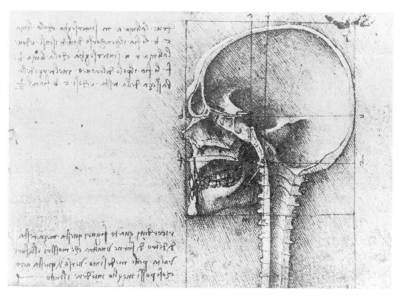

15
Bitte sprechen Sie

a der dunkle Rauch
der Doktor mit dem dicken Bauch
die schwarze Nacht
rauchen und schachspielen
ach, bist du so schwach?

b das rote Dach
das dunkle Tuch
Nachtlicht
Hochzeit im Garten
eine kleine Nachtmusik

← Leonardo da Vinci:
Phonetische Studie

Kapitel 19

1

Kleiner Dialog

Herr: Ihr Mann spielt wunderbar!
Dame: Wirklich? — Wissen Sie, ich bin froh, wenn das Konzert
       vorbei ist.
Herr: Warum?
Dame: Weil ich das jeden Tag hören muß!

2

Variation

Peter: Du, dein Mann spielt wunderbar!
Inge: Findest du? Ach, ich bin froh, wenn das Fußballspiel
      vorbei ist.
Peter: Warum?
Inge: Weil ich das _jede Woche sehen muß_!

3

Variation

Herr Hammer: Ihre Frau singt wunderbar!
Herr Nagel: Vielleicht. Ich bin froh, wenn die Oper endlich
      vorbei ist.
Herr Hammer: Warum?
Herr Nagel: _Weil ich sie jeden Abend hören muß!_

4

Variation

Uwe: Dein Mann boxt wunderbar!
Uta: So? Ach, ich bin froh, _wenn es vorbei ist_
      !
Uwe: _Warum_?
Uta: _Weil ich ihn jeden Abend sehen muß_!

5
Studie

a Ich bin froh, wenn das Geld _kommt_ .

b Ich muß leider gehen, weil meine Frau auf mich _wartet_ .

c Ich bin froh, wenn der Arzt _kommt_ .

d Wir sind froh, wenn der Unterricht vorbei _ist_ .

e Ich muß jetzt gehen, weil es schon zwölf Uhr _ist_ .

f Ich bin froh, wenn der Scheck endlich _kommt_ .

g Hoffentlich kommt Maria bald heim! Ich bin froh, wenn sie da _ist_ .

h Ich bin froh, wenn der Winter vorbei _ist_ .

i Ich muß sofort fahren, weil ein Patient auf mich _wartet_ .

k So ein dummer Film! Ich bin froh, wenn er aus _ist_ .

6
Elemente

KONJUNKTIONEN

Frage:	Antwort:
warum? (kausal)	weil …
wann? (konditional)	wenn …

7
Studie

a Den Ring schenke ich dir, weil du mir so sympathisch _bist_ .

b Du kriegst einen Kuß, weil du mir einen so schönen Ring geschenkt _hast_ .

c Aber wenn du mich wirklich _liebst_ , kaufst du mir auch noch das blaue Abendkleid.

d Das Abendkleid bekommst du, wenn ich wieder Geld _habe_ .

e Wenn du gesund bleiben _willst_ , mußt du täglich eine Stunde spazierengehen.

an die frische Luft gehen –
to go in the open air.

f Er ist so schlank, weil er jeden Tag 8 km zu Fuß ___geht___. *dim*

g Wenn ich nicht täglich an die frische Luft ___gehe___, werde ich melancholisch. *air*

h Jeden Abend, wenn er von der Arbeit ___kommt___, geht er in den Biergarten und säuft.*

i Wahrscheinlich säuft er, weil er kein Geld ___hat___. *probably* *to drink in excess*

k Nein, er hat kein Geld, weil er ___säuft___.

8
Elemente

DER NEBENSATZ

subclause

Der Nebensatz beginnt mit der Konjunktion:		Der Nebensatz endet mit dem Verb:
weil	- - - - - - - - - - - - - - - - - - -	bist
wenn	- - - - - - - - - - - - - - - - - - -	liebst
↓		↓
weil	du mir den Ring geschenkt	**hast** *
wenn	du mich wirklich	**liebst**
wenn	du gesund bleiben	**willst** *
weil	du mir so sympathisch	**bist**

* Diese Sätze haben zwei Verben! Hier steht das Hilfsverb oder das Modalverb am Ende: hast, willst, bin, ist, muß, darf...

9
Schreibschule

Vollenden Sie die Sätze

a Ich heirate ihn, weil ___er___ einen schwarzen Bart hat.

b Ich liebe _____ schöne Augen hat.

c _____ Mercedes hat.

d _____ gernhabe.

e _____ schöne Beine hat.

f _____ blond ist.

g _____ Millionär ist.

h _____ gut tanzen kann.

i _____ sparsam ist.

k _____ großzügig ist.

10
Bitte sprechen Sie

Nehmen Sie die Schuhe?   → Ja, wenn sie passen.
Nehmen Sie den Mantel?
Nimmst du das Kleid?
Nehmen Sie die Handschuhe?
Nehmen Sie die Bluse?
Nimmst du den Pyjama?
Nehmen Sie die Strümpfe?
Nimmst du den Pelz?

11
Bitte sprechen Sie

Der Mantel steht Ihnen sehr gut! → Ja, wenn er nicht zu teuer ist, nehme ich ihn.

Das Kleid steht Ihnen sehr gut!
Die Schuhe stehen Ihnen sehr gut!
Der Hut steht dir sehr gut!
Die Jacke steht Ihnen sehr gut!
Die Stiefel stehen Ihnen sehr gut!
Der Pelz steht dir sehr gut!
Das Sporthemd steht dir sehr gut!

12
Kleiner Dialog

Dame: Sehr schöne Schuhe hier!
Herr: Bitte, wenn du sie willst!
Dame: Moment. Eins, zwei. — Nun, wie sehe ich aus?
Herr: Phantastisch, aber —
Dame: Aber?
Herr: Die Schuhe sind phantastisch, aber auch phantastisch teuer.
Dame: Wenn ein Mann eine Frau liebt, ist nichts zu teuer.

13
Spiel

Führen Sie ähnliche Gespräche!

Sie kaufen einen Hut   einen Bikini
        eine Sonnenbrille   eine Pelzmütze
        ein Kostüm   einen Ring

14
Suchen und finden

Den Pelz brauchst du doch nicht! → Doch, wenn es kalt ist, brauche ich ihn.

Den Regenschirm brauchst du doch nicht!
Den Sonnenhut brauchst du doch nicht!
Die Badehose brauchst du doch nicht!
Die Sonnencreme brauchst du doch nicht!
Den Regenmantel brauchst du doch nicht!
Die Brille brauchst du doch nicht!
Die Pelzmütze brauchst du doch nicht!

15 fakultativ 👓

Kleine Komödie*

Teil 1

Eva:	Kalt ist es! Huuuu!
Adam:	Bald ist die Nacht vorbei, Eva.
Eva:	Eiskalt!
Adam:	Wenn die Nacht vorbei ist, wird es ganz warm.
Eva:	Adam, dort – der Tiger! Siehst du ihn? Der hat einen schönen Pelz!
Adam:	Ach bitte –
Eva:	Der Tiger sieht gut aus, hm? So ein Pelz sieht gut aus!
Adam:	Hm …
Eva:	Wie sehe ich aus, Adam, wenn ich so einen Pelz anhabe?
Adam:	Eva, so ein Pelz ist furchtbar teuer!
Eva:	Adam! Liebst du mich oder liebst du mich nicht? Bekomme ich einen Pelz oder bekomme ich keinen?
Adam:	Bald kommt der Morgen. Bald scheint die Sonne.
Eva:	Wenn ein Mann eine Frau gern hat, redet er nicht von der Sonne, sondern –
Adam:	Dich habe ich gern, Eva, aber doch nicht den Pelz!
Eva:	Armer Adam. Du mußt noch viel lernen, wenn du mein Mann sein willst.

* ad libitum: nur für Gruppen bzw. Lehrer, die sich nicht am Inhalt dieses (eher poetischen) Spiels stoßen.
Teil 2 Seite 162, Teil 3 Seite 252.

16
Fragen zur Komödie

17 fakultativ ⊙⊙
Bitte sprechen Sie

Hoffentlich ist die Nacht bald vorbei.
→ Ich bin auch froh, wenn die Nacht vorbei ist.
Hoffentlich ist der Winter bald vorbei.
Hoffentlich wird es bald warm.
Dann sind die Straßen nicht mehr so naß.
Dann kann ich den Pelzmantel in den Schrank hängen!
Dann kann man wieder in der Sonne sitzen.
Und wieder im Park spazierengehen.
Dann sind die langen Nächte vorbei.

18
Schreibschule

Ergänzen Sie ganz frei:

a Wenn der Regen vorbei ist, _kommt die Sonne._

b Wenn der Herbst vorbei ist, _____

c Wenn der Film aus ist, _____

d Wenn ich Urlaub habe, _____

e Wenn das Konzert aus ist, _____

f Wenn der Unterricht aus ist, _____

g Wenn die Nacht vorbei ist, _____

h Wenn ich einmal viel Geld habe, _____

i Wenn das Semester aus ist, _____

k Wenn ich nach Hause komme, _____

19 ⊙⊙
Suchen und finden

Tanzen Sie gern?   → Nein, nur wenn ich Lust habe.
Trinken Sie viel?
Gehen Sie oft zum Arzt?
Lesen Sie viel?
Essen Sie viel?
Nehmen Sie oft Tabletten?
Gehen Sie oft ins Kino?
Arbeiten Sie viel?
Sehen Sie viel fern?
Schlafen Sie viel?

20
Suchen und finden

Mögen Sie Kaffee?   →Ja, wenn er heiß ist.
Mögen Sie Bier?
Schwimmen Sie gern?
Mögen Sie Fisch?
Lesen Sie gern Krimis?
Mögen Sie Salat?
Tanzen Sie gern?
Trinken Sie Tee?
Hören Sie gern Musik?
Lesen Sie viel Zeitung?

21
Bitte sprechen Sie

Warum säuft er?
Er hat keine Arbeit.   →Weil er keine Arbeit hat, säuft er.
Es geht ihm nicht gut.
Er hat kein Geld.
Sie hat ihn nicht genommen.
Der Wein schmeckt ihm so gut.
Er muß Deutsch lernen.
Er hat Heimweh.
Er ist bankrott.

22
Suchen und finden

Warum machst du das Fenster auf?   →Weil hier schlechte Luft ist.
Warum gehst du schon so früh ins Bett?
Warum tragen Sie eine Brille?
Warum haben Sie so ein billiges Auto?
Warum machst du den Fernseher aus?
Warum trinkst du den Kaffee nicht?
Warum wollen Sie Krankenschwester werden?
Warum ißt du die Torte nicht?
Warum wollen Sie studieren?
Warum sind Sie nicht verheiratet?

Ein gewisses Maß an Unkenntnis vom andern ist nötig, damit zwei Menschen Freunde bleiben.

HERMANN BAHR

Erkenne dich bitte selbst! Damit du dir die Heiterkeit erwirbst, die dir deinen Lebens- und Todeskampf erleichtert.

ÖDÖN VON HORVÁTH

23
Kombination

Beispiel: Damals habe ich in Göttingen studiert.
Viele Möglichkeiten:

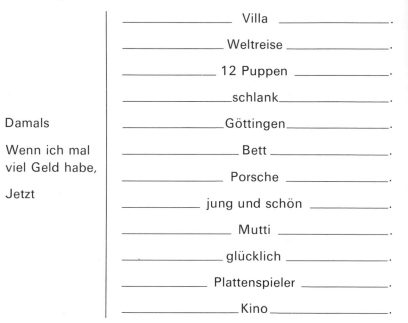

Damals

Wenn ich mal
viel Geld habe,

Jetzt

24
Kleine Unterhaltung

Schüler-Schüler

Sind Sie manchmal nervös? → Ja, wenn ich ins Flugzeug einstei

Ja, wenn

Ja, wenn

25
Kleine Unterhaltung

Lesen Sie Illustrierte?   →Ja, wenn ich beim Friseur warte.

Lesen Sie Krimis?   Ja, wenn

Lesen Sie   Ja, wenn

26
Kleine Unterhaltung

Haben Sie manchmal Angst? →Ja, wenn

Ja, wenn

27
Elemente

HAUPTSATZ UND NEBENSATZ

I	II	III	IV
Vielleicht	gehen	wir	ins Hafenrestaurant.
Morgen abend	gehen	wir	ins Hafenrestaurant.
Wenn du willst,	gehen	wir	ins Hafenrestaurant.
Wenn der Film aus ist,	gehen	wir	ins Hafenrestaurant.
Wir	gehen	ins Hafenrestaurant.	
In Lindau	gehen	wir	ins Hafenrestaurant.

I	II	III	IV
Ich	heirate	sie,	weil ihr Vater Millionär ist.
Ich	heirate	sie,	wenn ich mit dem Studium fertig bin.
Ich	heirate	sie	nie.
Ich	heirate	sie,	weil sie schöne Beine hat.
Ich	heirate	sie	an Weihnachten.

> Jede Position (I oder III oder IV) ist die Antwort auf eine Frage: **wer?** oder **wo?** oder **wann?** ....
> *Position II ist immer das Verb.*
> Wenn der Satz zwei Verben hat, steht auf Position II das Hilfsverb oder das Modalverb.

28 fakultativ
Studie

a Sie haben Durst? Trinken Sie Apfelsaft!

Wenn Sie Durst haben, trinken Sie Apfelsaft!

b Sie wollen dick werden? Essen Sie Spaghetti!

c Sie sind müde? Trinken Sie einen Kaffee!

d Sie hassen den Chef? Suchen Sie sich eine andere Arbeit!

e Sie wollen krank werden? Rauchen Sie Zigaretten!

f Sie wollen schlank bleiben? Essen Sie die Hälfte!

g Sie wollen Deutsch lernen? Lesen Sie deutsche Zeitungen!

h Sie wollen einen schlechten Film sehen? Gehen Sie ins Kino in ....

29
Kleine Unterhaltung

Wann haben Sie Herzklopfen?   Wann werden Sie rot?

Wann sind Sie unglücklich?   Wann sind Sie traurig?

Wann zittern Sie?   Wann sind Sie müde?

Wann sind Sie stolz?   Wann sind Sie glücklich?

30 ◉◉
Suchen und finden

Sie sehen aber gut aus! → Natürlich, weil ich grade aus dem Urlaub komme!

Du hast aber einen Durst!
Sie sind schlank geworden!
Du bist richtig braun!
Er hat ganz graue Haare bekommen.
Sie sind aber lustig heute!
Ich bin sooo müde.
Der Kollege ist sehr nervös.
Das Mädchen weint immer.
Ihr seid aber dick geworden!

31 ◉◉
Suchen und finden

Der Kuchen ist gut! → Klar, weil ich ihn selber gemacht habe.
Der Kaffee ist gut!
Das Kleid ist schön!
Die Torte ist gut!
Der Blumenstrauß ist schön!
Die Fotos sind gut!
Die Marmelade ist ausgezeichnet!
Das Bild ist schön!
Die Fenster sind sauber!
Der Pudding ist gut!

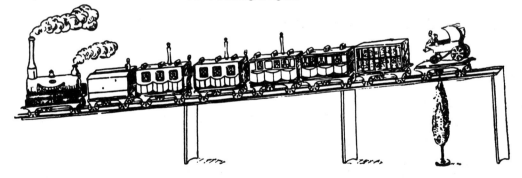

32 ◉◉
Suchen und finden

Warum fahren Sie mit dem Zug? → Weil mein Auto kaputt ist.
Warum gehen Sie nicht zum Zahnarzt?
Warum haben Sie das teure Buch gekauft?
Warum stehen Sie immer so spät auf?
Warum sind Sie gestern abend nicht gekommen?
Warum lernen Sie Deutsch?
Warum rauchen Sie nicht?
Warum interessieren Sie sich so für Irene?

33
Kleine Unterhaltung

Lesen Sie viel Zeitung? →Ja, weil ich mich für Politik interessiere.
→Nein, weil ich keine Zeit habe.

Lieben Sie Hunde?
Treiben Sie Sport?
Haben Sie eine Pistole?
Rauchen Sie Haschisch?
Wollen Sie heiraten?
Hören Sie gern Jazz?
Fahren Sie gern Auto?

34
Diktat

Wie schwach ist das schwache Geschlecht? Wie mutig ist

ein Mann? Die _____ Statistik widerlegt ein

_____ Vorurteil. _____ Prozent aller

Zahnarzt-Patienten sind _____ , _____

5 Prozent sind Frauen. Nicht weil die Männer die _____

_____ haben. Auch nicht, weil die Frauen mehr

_____ haben. Sondern — das _____

die Statistik — weil die Männer mehr _____

haben vor dem Zahnarzt.

35
Textarbeit

Steht das im Text?

		ja	nein
1	Die Männer haben die besseren Zähne.	ja	nein
2	Die Frauen sind mutiger.	ja	nein
3	Die Männer gehen seltener zum Zahnarzt.	ja	nein
4	Die Männer haben mehr Zeit.	ja	nein
5	„Die Frauen sind schwach'' — das ist nur ein Vorurteil.	ja	nein
6	Die Frauen gehen öfter zum Zahnarzt.	ja	nein
7	Die Männer sind mutiger.	ja	nein
8	Die Frauen haben mehr Zeit.	ja	nein

36 fakultativ ⊙⊙
Kleiner Dialog

Ingenieur: Ich gehe.
Direktor: Auf Wiedersehen.
Ingenieur: Sie haben mich nicht richtig verstanden, Herr Direktor. Ich gehe und komme nicht wieder.
Direktor: Sie kündigen?
Ingenieur: Genau.
Direktor: Und darf ich vielleicht wissen, warum?
Ingenieur: Weil ich zu wenig Gehalt bekomme und zu wenig Urlaub, weil ich so viel unnötiges bürokratisches Zeug machen muß, weil mir die ganze Arbeit nicht gefällt und überhaupt, weil Sie hier im Haus ein miserables Klima haben, Herr Direktor. Auf Wiedersehen.

37 fakultativ
Variation

Ergänzen Sie die Verben:

Verkäuferin: Wiedersehn.
Chef: Moment! Wohin _____ Sie?

Verkäuferin: Fort.

Chef: Verstehe ich Sie recht? Sie _____ ?

Verkäuferin: Ganz recht.

Chef: Darf ich _____ , warum?

Verkäuferin: Weil ich hier zu wenig Gehalt _____ ,

weil die Kollegen Egoisten _____ und

weil Sie hier wirklich kein gutes Klima _____ .
Auf Wiedersehn!

38 fakultativ
Studie

a Die Arbeit gefällt mir nicht.

Ich kündige, weil mir die Arbeit nicht gefällt.

b Der Chef ist unsympathisch.
c Der Weg zur Arbeit ist mir zu weit.
d Die Arbeit interessiert mich nicht.
e Die Kollegen sind nicht nett.
f Die Arbeitszeit ist mir zu lang.
g Ich bekomme zu wenig Geld.
h Der Job gefällt mir nicht.
i Ich bekomme zu wenig Urlaub.
k Die ganze Firma paßt mir nicht.

Rosa Luxemburg im
Alter von etwa 18 Jahren

39 fakultativ (schwer)
Lesetext

Nichts ändert sich so schnell wie die menschliche Psyche.
Vor allem die Psyche der Massen — sie ist dem Meer gleich.
In der Masse ruhen alle Möglichkeiten: die Stille und der
Orkan, die Schwäche und der Heroismus. Die Masse ist immer
5 auf dem Sprung, etwas total anderes zu werden.
Der schlechte Kapitän steuert sein Schiff nach dem momen-
tanen Aussehen der Wasseroberfläche. Der gute Kapitän ver-
steht die Zeichen am Himmel und in der Tiefe und kennt die
zukünftigen Stürme.
10 „Die Masse ist schlecht" — so urteilt immer nur der kleine
Politiker. Der große Politiker folgt nicht der momentanen
Stimmung der Massen. Er kennt die Geschichte und läßt ihr
Zeit. Ihm gehört die Zukunft.   ROSA LUXEMBURG

40 fakultativ
Textarbeit

Wo steht das?

a Der schlechte Politiker orientiert sich
 an der momentanen Meinung der Masse.   Zeile _____

b Der gute Politiker orientiert sich an
 den Gesetzen der Geschichte.   Zeile _____

c Die Masse kann ihr Gesicht von einem
 Moment zum andern Moment wechseln.   Zeile _____

d Die Masse kann plötzlich kapitulieren,
 die Masse kann heroisch kämpfen.   Zeile _____

e Die Masse ist wie das Meer: heute still,
 morgen gefährlich.   Zeile _____

f Der schlechte Politiker hält die Masse
 für schlecht.   Zeile _____

g Der gute Politiker mobilisiert die
 zukünftigen Energien in der Masse.   Zeile _____

41 fakultativ
Textarbeit

a Um welches Problem geht es hier?
b Welche Methoden schlägt die Autorin vor?
c Welche Methoden lehnt die Autorin ab?
d Welche Überschrift paßt?

42
Erinnern Sie sich

Bitte lernen Sie diese Verben im Kontext

abholen	Ich hole dich vom Bahnhof ab.
nach	Die Straße führt nach Stuttgart.
führen	
zu	Der Weg führt zur Post.
wandern	Margarete wandert jeden Sonntag 15 km durch die Wälder.
wehtun	Au, das tut weh!
	Ach, mein Bein tut mir immer noch weh.

43
Erinnern Sie sich

Wie heißen die Verben?

der Anfang	der Fischer
der Vorschlag	der Lehrer
das Geschenk	der Kampf
der Verstand	die Sprache
die Liebe	die Kapitulation
das Urteil	die Freude
die Kündigung	die Erklärung
die Rückkehr	der Rauch

Geld macht das Herz schneller hart als kochendes Wasser ein Ei.

LUDWIG BÖRNE

Freiheit ist ein Gut, das man so teuer wie möglich verkaufen soll – nur um einen Preis: den noch größerer Freiheit.

HERBERT FRITSCHE

Erziehung war eine Kunst. Die Gefahr ist, daß sie eine Wissenschaft wird.

A. LICHTWARK

44
Benutzen Sie das Wörterbuch

Finden Sie ein oder zwei Synonyme

lieben   gernhaben   mögen

bekommen _____

sehen _____

anfangen _____

sich unterhalten _____

Angst haben _____

saufen _____

anhaben _____

45
Benutzen Sie das Wörterbuch:

Wie heißen die Adjektive?

die Höhe	der Mann
die Tiefe	die Frau
die Größe	der Mut
die Schönheit	die Angst
das Leben	die Zukunft
das Interesse	der Moment

46
Studie

Bauen Sie Sätze mit diesen Verben.

sich freuen *Das Kind freut sich über das Puppentheater.* _____

brauchen _____

gern haben _____

kriegen _____

schenken _____

schmecken _____

skilaufen _____

sprechen _____

47 ⊙⊙
Hören und verstehen
Wie geht es weiter?

1 Ich fahre immer selbst. Nur wenn _____

2 Ich geb dir hundert, nein tausend Mark, wenn _____

3 Na schön, dann bleibt er eben an, wenn _____

4 Skilaufen kann man nur, wenn _____

1
Elemente

p

Das **p** schreibe ich: **p** (Porsche)
                      oder **pp** (Puppe)
oder am Ende des Wortes **b** (halb)

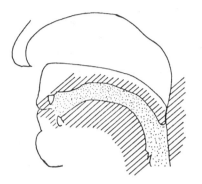

Das **p** ist hart, explosiv, stark aspiriert (starker Luftdruck). Keine Stimme.

b

Das **b** schreibe ich: **b** (baden, aber)
                      oder **bb** (Ebbe)

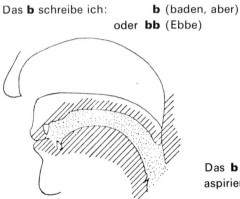

Das **b** ist weich, klingend, nicht aspiriert (wenig Druck).

2 ⚆⚆
Bitte hören Sie

Bar → Paar
Baß Paß
Ober Oper
Liebe Lippe
backen packen
Biene Pinie

3
Bitte sprechen Sie

Bar →	Paar →	Bar →	Paar
backen	packen	backen	packen
Ober	Oper	Ober	Oper
Baß	Paß	Baß	Paß
Biene	Pinie	Biene	Pinie
Bach	Pech	Bach	Pech
breit	Preis	breit	Preis
Liebe	Lippe	Liebe	Lippe

4
Bitte sprechen Sie

a bestellen Sie die Platzkarten!
die Oper beginnt pünktlich
wer repariert die Puppe?
das Moped ist kaputt

b billige Bücher
buntes Papier
die Bäume blühen
eine bittere Pille

c Liebespaar
Parkbank
Postpaket
Petersplatz

d Puppenstube
Brotpreis
Bauplan
Postbote

5
Elemente

t

Das **t** schreibe ich: **t** (Tee)
oder **tt** (hatte)
oder **th** (Theater)
oder **dt** (Stadt)
oder am Ende des Wortes
d (Geld)

d

Das **d** schreibe ich: **d** (du)
oder **dd** (Pudding)

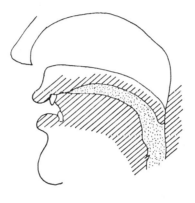

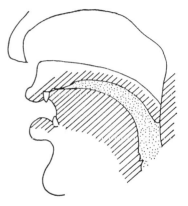

Das **t** ist hart, explosiv, stark aspiriert (starker Luftdruck). Keine Stimme.

Das **d** ist weich, klingend, nicht aspiriert (wenig Druck).

6 ⚆⚆
Bitte hören Sie

du	→ tu
dir	Tier
leider	Leiter
doch	Tochter
danken	tanken
Boden	Boten
Lieder	Liter
Seide	Seite

7
Bitte sprechen Sie

du	→ tu	→ du	→ tu
Dur	Tour	Dur	Tour
Seide	Seite	Seide	Seite
Lieder	Liter	Lieder	Liter
Dach	Tag	Dach	Tag
dir	Tier	dir	Tier
danken	tanken	danken	tanken
Boden	Boten	Boden	Boten

8
Bitte sprechen Sie

a wir tanzen Tango
ein toller Typ
trinken Sie eine Tasse Tee?
wir treffen uns täglich am Tennisplatz

b der deutsche Text
die kalte Dusche
der doppelte Boden
das dumme Tier

Phonetisches Zwischenspiel (9)

9
Elemente

k

Das **k** schreibe ich: **k** (danke)
oder **ck** (packen)
oder manchmal   **c** (Claudia)
oder manchmal **ch** (Chlor)
oder am Ende des Wortes   **g** (Weg)

Den Buchstaben **x** sprechen wir **ks**.
Die Buchstaben **qu** sprechen wir **kw**.

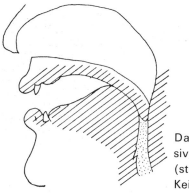

Das **k** ist hart, explosiv, stark aspiriert (starker Luftdruck). Keine Stimme.

g

Das **g** schreibe ich: **g** (gut)
oder **gg** (Flagge)

Das **g** ist weich, klingend, nicht aspiriert (wenig Druck).

10 ⊙⊙
Bitte hören Sie

Garten	→ Karten
Gasse	Kasse
gern	Kern
wegen	wecken
Gold	Colt
Bagger	Bäcker
Guru	Kur
Dogge	Dock

11
Bitte sprechen Sie

gern	→ Kern	→ gern	→ Kern
Gold	Colt	Gold	Colt
Organ	Orkan	Organ	Orkan
Dogge	Dock	Dogge	Dock
Lüge	Lücke	Lüge	Lücke
Guru	Kur	Guru	Kur
Garten	Karten	Garten	Karten
galt	kalt	galt	kalt

12
Bitte sprechen Sie

a   ein kleines Kind
ein gescheiter Kopf
ein gutes Kino
das kalte Geld

b   kurz und gut
ganz große Klasse
dunkle Gedanken
schmeckt dir der Kuchen?

c   Gartencafé
Gießkanne
glasklar
Kundenkreis

d   Kalkwerk
Liegewagen
Kernpunkt
Kaffeegebäck

Kapitel 20

1 ⊙⊙

Bildgeschichte R / UNSERE WOHNUNG

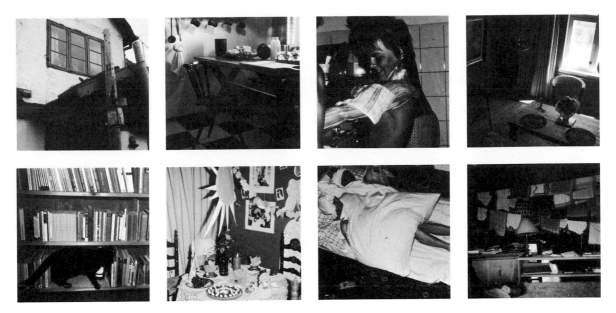

1 In diesem Haus, im ersten Stock wohnen wir. Rechts oben, hinter dem Fenster ist unsere Küche.

2 Jetzt sind wir in der Küche. An der Wand hängt ein Brett mit Tellern, Tassen, Gläsern. Möchten Sie sich die Hände waschen? Bitte —

3 Hier ist unser Bad. Entschuldigung, hier im Bad sind gerade alle unsere Kinder.

4 Kommen Sie in das rote Zimmer!

5 Das sind unsere Bücher, und das ist unsere Katze Mimi. Sie gehört auch zur Familie. Sie interessiert sich sehr für Literatur.

6 Unsere Tochter hat heute Geburtstag. Der Geburtstagskuchen steht schon auf dem Tisch. Über dem Tisch hängt eine Sonne aus Papier. Darf ich Sie noch ins Nebenzimmer führen?

7 O Verzeihung! Unsere Gäste liegen noch im Bett und schlafen.

8 Bitte besuchen Sie uns nicht am Samstag. Da hängt die frische Wäsche im Zimmer. Aber wenn Sie mich fragen: ich finde das besonders gemütlich.

2
Studie

Ergänzen Sie *wo* oder *wohin*

a Bitte, _____ wohnen Sie?   In der Corneliusstraße.

b Verzeihung, _____ ist das Bad?   Hier rechts.

c _____ ist denn die Katze?   Im Bücherregal liegt sie.

d _____ gehst du?   Nur schnell in den Keller, Wein holen.

e _____ sind die Kinder?   Die sind alle im Bad.

f Du, _____ ist denn die Torte?   Dort auf dem Tisch!

g _____ läuft die Katze?   In die Küche natürlich, weil es da was zu
                                                 fressen gibt.

h Entschuldigung, _____ ist hier   Gleich da links.
  die Toilette?

i _____ gehen wir heute abend?   Ins Eiscafé Capri.

k _____ fahren Sie?   Nach Amsterdam.

3
Studie

Bitte stellen Sie die Fragen mit *wo* oder *wohin*

a *Wohin fahrt ihr* _____ ?   Wir fahren nach Wien.

b _____ ?   Mimi? Die sitzt unter dem Tisch.

c _____ ?   Ich bin in Zürich geboren.

d _____ ?   Ich studiere in Heidelberg.

e _____ ?   Ich gehe in den Garten.

f _____ ?   Wir wollen in die Schweiz fahren.

g _____ ?   Die Zeitung? Die liegt wahrscheinlich auf
                                                 meinem Schreibtisch.

h _____ ?   Ich gehe zum Schwimmen.

i _____ ?   Sie sitzt in dem roten Zimmer.

k _____ ?   Wir gehen in die Bibliothek.

4
Diskussion
wohin? – wo?

wohin?	wo?
Ich gehe in das rote Zimmer.	Ich sitze in dem roten Zimmer.

Bitte notieren Sie: Akkusativ oder Dativ?

wohin?	**wo?**
Präposition + _____	*Präposition* + _____

5
Studie

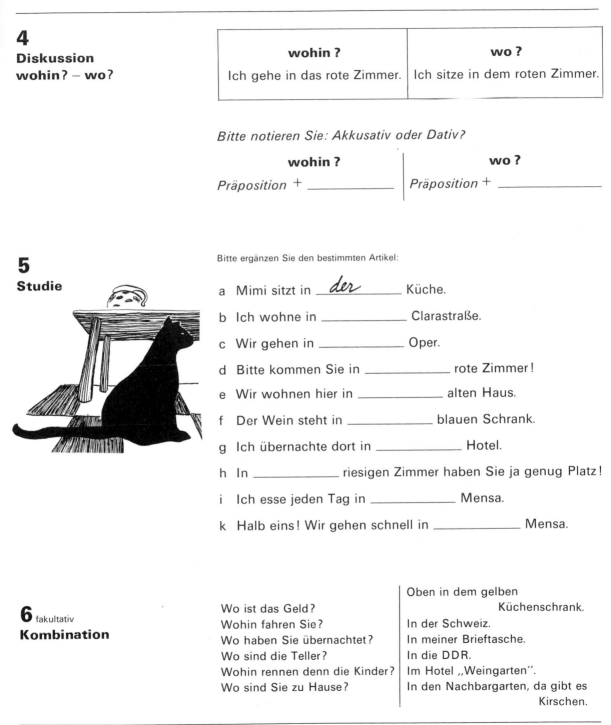

Bitte ergänzen Sie den bestimmten Artikel:

a Mimi sitzt in ___*der*___ Küche.

b Ich wohne in _____ Clarastraße.

c Wir gehen in _____ Oper.

d Bitte kommen Sie in _____ rote Zimmer!

e Wir wohnen hier in _____ alten Haus.

f Der Wein steht in _____ blauen Schrank.

g Ich übernachte dort in _____ Hotel.

h In _____ riesigen Zimmer haben Sie ja genug Platz!

i Ich esse jeden Tag in _____ Mensa.

k Halb eins! Wir gehen schnell in _____ Mensa.

6 fakultativ
Kombination

Wo ist das Geld?	Oben in dem gelben Küchenschrank.
Wohin fahren Sie?	In der Schweiz.
Wo haben Sie übernachtet?	In meiner Brieftasche.
Wo sind die Teller?	In die DDR.
Wohin rennen denn die Kinder?	Im Hotel „Weingarten".
Wo sind Sie zu Hause?	In den Nachbargarten, da gibt es Kirschen.

7
Beispiele

Takes Acc

ACC. 1 Ich stelle den Tisch in den Garten.

DAT. 2 Der Tisch steht im Garten.

ACC 3 Ich lege das Tischtuch auf den Tisch.

DAT 4 Das Tischtuch liegt auf dem Tisch.

ACC 5 Ich setze mich auf den Garten-stuhl.

DAT 6 Ich sitze auf dem Gartenstuhl.

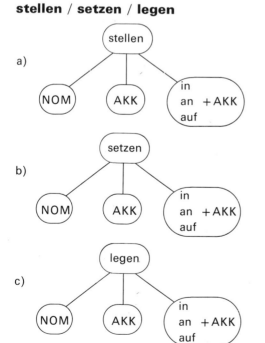

1   2

8
Elemente

stellen / setzen / legen

a)

```
        stellen
       /   |    \
   NOM   AKK    in
                an  +AKK
                auf
```

Ich stelle den Tisch in den Garten.
Ich stelle die Rosen auf den Tisch.

b)

```
        setzen
       /   |    \
   NOM   AKK    in
                an  +AKK
                auf
```

Ich setze mich auf den Stuhl.
Ich setze das Kind an den kleinen Tisch.

c)

```
        legen
       /   |    \
   NOM   AKK    in
                an  +AKK
                auf
```

Ich lege das Tuch auf den Tisch.
Ich lege mich in das blaue Bett.

9

Elemente

stehen / sitzen / liegen

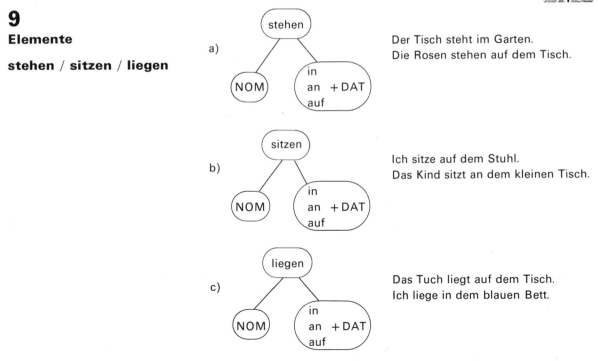

a) stehen — NOM / in, an +DAT, auf

Der Tisch steht im Garten.
Die Rosen stehen auf dem Tisch.

b) sitzen — NOM / in, an +DAT, auf

Ich sitze auf dem Stuhl.
Das Kind sitzt an dem kleinen Tisch.

c) liegen — NOM / in, an +DAT, auf

Das Tuch liegt auf dem Tisch.
Ich liege in dem blauen Bett.

10
Studie

Bitte ergänzen Sie den bestimmten Artikel:

a Ich stelle den Stuhl in _____ den _____ Garten.

b Ich stelle die Tassen in _____ den _____ Schrank.

c Wir setzen uns ins _____ (das) _____ rote Zimmer.

d Der Ball? Der liegt hinten in _____ der _____ Ecke!

e Ich setze mich an _____ den _____ Schreibtisch.

f Die Blumen können wir in _____ die _____ chinesische Vase stellen.

g Susi sitzt noch in _____ der _____ Badewanne.

h Kommen Sie! Das Frühstück steht schon auf _____ den _____ Tisch!

i Bitte stellen Sie den Koffer nicht an _____ die _____ Tür!

k Die Katze? Die sitzt oben auf _____ dem _____ Baum.

11 ⊙⊙
Bitte sprechen Sie

Stellst du den Tisch in den Garten, bitte? →Er steht schon im Garten.

Bringst du den Sonnenschirm in den Garten, bitte?
Legst du das Tuch auf den Tisch, bitte?
Stellst du die Blumen auf den Tisch, bitte?
Zündest du den Grill an, bitte?
Bringst du das Bier in den Garten, bitte?
Stellst du die Suppe gleich auf den Tisch, bitte?
Hallo! Kommt ihr jetzt alle in den Garten!

12 ⊙⊙
Bitte sprechen Sie

Stellen Sie mir bitte den Stuhl ans Fenster? →Sitzen Sie gern am Fenster?

Stellen Sie mir bitte den Stuhl auf den Balkon?
Stellen Sie mir bitte den Sessel an den Kamin?
Stellen Sie mir bitte den Stuhl in den Garten?
Stellen Sie mir bitte den Sessel vors Haus?
Stellen Sie mir bitte den Stuhl auf die Terrasse?
Stellen Sie mir bitte den Liegestuhl unter den Baum?
Stellen Sie mir bitte den Stuhl in die Sonne?

13
Suchen und finden

Wo ist denn die Wurst? →In der Küche natürlich.
Wo ist denn die Zahnpasta?
Wo ist denn der Wein?

Wo ist denn mein Pyjama?
Wo ist denn mein Abendkleid?
Wo ist denn die Gartenbank?
Wo sind denn die Tomaten?
Wo ist denn das Wörterbuch?
Wo ist denn die Schreibmaschine?
Wo ist denn die Milch?

14
Elemente
Diese Präpositionen nehmen Akkusativ oder Dativ:

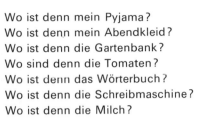

	wohin?	wo? wann?
an	Wir fahren an die Nordsee.	Cuxhaven liegt an der Nordsee. Ich komme am Montag.
auf	Legen Sie die Pistole auf den Boden!	Die Pistole liegt auf dem Boden.
in	Kommen Sie in das rote Zimmer!	Wir frühstücken in dem roten Zimmer. Ich bin im Jahr 1960 geboren. Ich komme in drei Wochen.
über	Ich hänge die Lampe über den Tisch.	Die Lampe hängt über dem Tisch.
unter	Nero, der Hund setzt sich unter den Tisch.	Nero sitzt unter dem Tisch.
vor	Stellen Sie den Wagen nicht vor die Tür!	Der Wagen steht vor der Tür. Das Konzert hat vor einer halben Stunde angefangen. Es ist zehn vor sieben.
hinter	Keiner darf mich sehen, ich stelle mich hinter den Baum.	Er steht hinter dem Baum.
neben	Darf ich mich neben Sie setzen?	Neben Ihnen sitze ich am liebsten!
zwischen	Ich stelle das Tischchen zwischen die beiden Fenster.	Hier, zwischen den beiden Fenstern ist noch Platz! Zwischen Weihnachten und Neujahr haben wir frei.

15
Diskussion

Finden Sie die Kurzformen
selbst:

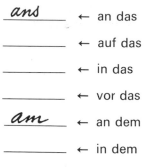

ans ——— ← an das

——— ← auf das

——— ← in das

——— ← vor das

am ——— ← an dem

——— ← in dem

18 <small>fakultativ</small>
Kleine Unterhaltung

Wie möchten Sie wohnen?

16
Kleine Unterhaltung

Bildgeschichte R: Unsere Wohnung.
Beschreiben Sie die Bilder!

17 <small>fakultativ</small>
Schreibschule

Bildgeschichte R: Unsere Wohnung.
Beschreiben Sie die Bilder!

19 👓
Suchen und finden

Du, in dem Café sitzt mein Chef. → Dann setzen wir uns nicht in das Café.

Ach, der Bus ist aber voll! → Dann fahren wir nicht mit dem Bus.
Ein eiskaltes Zimmer!
Da stören wir, auf der Bank sitzt ein Liebespaar.
Das ist ein richtiges Revolverkino.
Vorsicht, an dem Tisch sitzt mein Professor!
Die Straßenbahn ist aber voll!

20 👓
Suchen und finden

Gehen wir in das Café? → Ach, in dem Café ist es immer so laut!
Kommst du mit in das Restaurant? → Ach, in dem Restaurant ißt man schlecht!

Gehn wir in die Diskothek?
Wir essen in der Kantine, ja?
Da kenne ich ein gutes Gasthaus.
Kommen Sie mit in die Mensa?
Wir setzen uns in den Garten.
Möchtest du mit in die Kirche?
Wer geht mit ins Hallenbad?
Ich geh heute abend ins Kino, kommt ihr mit?

21 ☺☺
Suchen und finden

Wo ist Carola?   → Sicher bei ihren Eltern.
Wo ist Herr Hirsch?   → Sicher in der Kantine.
Wo ist Fräulein Salz?
Wo ist Hans?
Wo ist die Bibliothekarin?
Wo ist der Chef?
Wo ist Herr Hering?
Wo sind die Eltern?
Wo ist Herr Pfau?
Wo ist Maria?

22 ☺☺
Kleiner Dialog

Karl: Wohin gehst du?
Kurt: Ich gehe in die Mensa.
Karl: Was gibt es heute in der Mensa?
Kurt: In der Mensa gibt es heute Bratwurst!
Karl: Dann komme ich mit.

23
Spiel

Bitte führen Sie ähnliche Gespräche

Wohin gehen Sie?	Gasthaus „Harmonie"	Pizza
Wohin geht ihr?	Restaurant „Roma"	Fisch
Wohin gehst du?	Hotel „Stern"	Hühnchen
	Restaurant „Rose"	Spaghetti
	Gasthaus „Halbmond"	Schnitzel
	Kantine	

Viele Möglichkeiten!

24 ☺☺
Szene

Herr Hering: Verzeihung, ist der Platz neben Ihnen noch frei?
Fräulein Salz: Ja.
Herr Hering: Darf ich mich neben Sie setzen?
Fräulein Salz: Bitte, ich tu die Handtasche weg.
Herr Hering: Neben Ihnen schmeckt es mir natürlich besonders gut!
Fräulein Salz: Heute ist es wieder furchtbar voll in der Kantine!
Herr Hering: Immer, wenn ich in die Kantine komme, ist es furchtbar voll.
Fräulein Salz: „Hühnersuppe" steht auf der Speisekarte.
Herr Hering: Hühnersuppe? Da bin ich ja gespannt! Guten Appetit, Fräulein Salz!
Fräulein Salz: Guten Appetit, Herr Hering!
Herr Hering: Finden Sie vielleicht ein Stückchen Huhn in der Suppe? Ich nicht.
Fräulein Salz: Moment! In meiner Tasse — da schwimmt wirklich ein Stückchen Huhn.
Herr Hering: So eine Überraschung!

25
Variation

Hans: Ist der Platz zwischen *euch* noch frei?
Gitti: Bitte.
Gustav: Komm, setz dich zwischen _____!

Hans: Zwischen _____, da schmeckt es mir doppelt!
Gitti: Danke!
Gustav: Heute ist es wieder so voll _____ _____ Mensa!

Hans: Immer wenn ich _____ _____ Mensa komme, _____.
Gitti: Gulaschsuppe gibt es heute.
Hans: Gulaschsuppe? Da bin ich aber gespannt!

Gustav: Findet ihr _____?

Gitti: _____.

26
Variation

Herr Hirsch: Entschuldigung, ist bei _____ noch ein Platz frei?

Fräulein Horn: Hier neben _____ ist frei. Bitte!

Herr Hirsch: Oh danke! Neben _____ zu sitzen ist natürlich ein besonderes Vergnügen!

Fräulein Horn: Danke! Warum ist es heute so voll hier _____ Café?

Herr Hirsch: Immer wenn ich _____.

20

27 fakultativ
Kombination

Küchenarbeit: Der Löffel kommt in die Schublade,
der Teller kommt . . .

das Glas	
die Gabel	der Tisch
der Kaffeelöffel	die Schublade
die Kanne	das Regal
das Messer	der Schrank
die Tasse	das Tischchen
das Löffelchen	der Korb
der Teller	
die Untertasse	

28
Studie

a Ich warte _am_ Eingang auf Sie.

b Um sieben kommt er! Jetzt ist es zehn _____ sieben.

c Hier, _____ Fenster ist ein Tisch frei!

d Bitte setzen Sie sich _____ mich!

e Hier _____ Österreich gibt es _____ jeder Kirche ein Gasthaus.

f Sie können wählen _____ Portwein und Sherry.

g Darf ich mir Zigaretten holen? Ich bin _____ einer Minute wieder da.

h Gefällt es Ihnen hier _____ See?

i Wann sehen wir uns wieder? _____ einer Woche?

k Gut, _____ nächsten Freitag sehen wir uns wieder!

29
Studie

a Wir haben _____ 2 und 4 Uhr geschlossen.

b Das Dachcafé ist oben _____ neunten Stock.

c Setzen wir uns _____ Fenster?

d Ein herrlicher Blick _____ den See!

e Möchten Sie einen Aperitif _____ dem Essen?

f _____ zwei Wochen haben wir Ferien.

g Fahren Sie weg? _____ Meer?

h Nein nein, ich bleibe diesen Sommer hier _____ der Stadt.

i Ich muß mir ein bißchen Geld verdienen, ich geh zum Theater als Bühnenarbeiter, da bin ich nur _____ Abend beschäftigt.

k Aber _____ nächsten Jahr, da fahre ich _____ die Türkei, fahren Sie mit?

30 fakultativ
Szene

31 fakultativ
Fragen zur Szene

Herr 1:	Entschuldigung, können Sie sich eventuell ein bißchen weiter nach rechts setzen?
Dame:	Wieso?
Herr 1:	Sie sitzen direkt vor uns. Verstehen Sie, Ihr Hut ...
Dame:	Ich kann mich doch wohl setzen, wohin ich will, oder?
Herr 1:	Aber selbstverständlich.
Herr 2:	Aber vielleicht können Sie dann Ihren phantastischen Hut abnehmen?
Herr 1:	Der Hut ist wirklich schön, ich möchte sagen: wunderschön, vor allem auf Ihrem charmanten ...
Bedienung:	Was trinken die Herren?
Herr 2:	Kaffee.
Herr 1:	Cognac.
Dame:	Müssen Sie denn hinter mir sitzen? An dem Tisch dort ist noch genügend Platz für Sie.
Herr 1:	Ja, aber von da sieht man überhaupt nichts.
Herr 2:	Wissen Sie, wir wollen auch was sehen!
Dame:	Wie Sie meinen. Ich nehme den Hut ab. Oder muß ich den Kopf auch noch abnehmen?

32
Studie

Bauen Sie Sätze

	der Park		das Wasser
	die Hand		die Küche
	das Café		das Glas
der Sonnen- +	der Laden	die Vase +	die Rosen
schirm	das Mädchen		der Schrank
	der Garten		der Boden
	der Tisch		das Kind
	die Dame		die Blumen
	der Kiosk		der Garten
	das Foto		der Lift
	der Reporter		die Studenten
die Zeitung +	die Nachricht	das Museum +	der Parkplatz
	das Ausland		Picasso
	der Tisch		die Stadt
	die Anzeige		das Bild
	der Buchhändler		Rembrandt

33
Kleine Unterhaltung

Wo kann man hier gut
übernachten?
Wo ist das Gymnasium, bitte?
Kann man sich hier ein Buch
leihen?
Gibt es hier einen Tierarzt?
Verzeihung, wo kann man hier
gut essen?
Wissen Sie vielleicht, wo das
Rathaus ist?
Ich suche ein Taxi.
Ist hier eine Apotheke?
Kann ich meinen Wagen hier
irgendwo parken?
Kann man hier billig übernachten?

34
Lesetext

Bitte ergänzen Sie die Präpositionen

Ein kleines Mädchen _mit_ seiner Mutter _____ einer Straße. Das Kind sieht

auf der anderen Seite der Straße ein Schaufenster _____ herrlichen Puppen. Es schaut

nicht _____ links und rechts, sondern es will sofort _____ die Straße rennen.
Was macht die Mutter? Sie schlägt das Kind. Was hat das Mädchen gelernt? Es hat gelernt:

5 ich darf nicht _____ die Straße rennen, wenn die Mutter dabei ist! Es hat nicht

gelernt: ich muß _____ links und rechts schauen. Hier liegt der Unterschied _____

tierischem und menschlichem Lernen. Der Mensch kann bewußt lernen. Die andere Möglich-

keit: die Mutter hält das Kind _____ der Hand fest und erklärt ihm: du darfst nur _____

die Straße laufen, wenn du _____ links und rechts geschaut hast. Wahrscheinlich ist

10 das Kind beim nächstenmal vorsichtiger.

HORST SPEICHERT

35
Textarbeit

a Welches ist der wichtigste Satz?

☐ Zeile 4
☐ Zeile 6/7
☐ Zeile 2/3

b Wie heißt die beste Überschrift?

☐ Puppen
☐ Erziehung
☐ Verkehr

c Warum nützt das Schlagen nichts?

☐ es ist keine Erklärung
☐ es ist zu spät
☐ es ist zu laut

d Warum will das Kind sofort über die Straße rennen? Was ist der Grund?

☐ Angst
☐ Neugier
☐ Bosheit

e Was bewirkt die Mutter, wenn sie schlägt?

☐ Denken
☐ Vergessen
☐ Angst

36
Textarbeit
Bitte antworten Sie in ganzen Sätzen

a Warum muß das Kind nach links und rechts schauen?
b Warum ist es besser, die Mutter erklärt dem Kind die Sache?
c Was ist der Unterschied zwischen menschlichem und tierischem Lernen?
d Was möchte der Autor mit seinem Text bewirken (vier bis fünf Antworten)?
e Ist das Beispiel, das der Autor gewählt hat, gut? Warum? Warum nicht?

38
Benutzen Sie das Wörterbuch

Finden Sie zusammengesetzte (kombinierte) Nomen

-haus   -tuch
-lehrer   -zeit
-macher   -zimmer
-stadt
-tasche

37
Erinnern Sie sich
Woher kommen diese Nomen?

Abendkleid   Nebenzimmer
Badehose   Schaufenster
Gartenbank   Schauspieler
Geburtstagskuchen   Sonnenschirm
Herzklopfen   Tischtuch
Liebespaar   Zwetschgenschnaps

39 ⊙⊙
Hören und verstehen

> *Nur wer schon versteht, kann zuhören.*
>
> MARTIN HEIDEGGER

1
Elemente

DEUTSCHE KONSONANTEN (GESAMTDARSTELLUNG)

p	stimmlos	(die)	**P**olka
b	stimmhaft	(das)	**B**ier
t	stimmlos	(die)	**T**omate
d	stimmhaft	(die)	**D**ame
k	stimmlos		**k**ommen
g	stimmhaft		**g**ut
m	stimmhaft	(der)	**M**orgen
n	stimmhaft		**n**eu
ng	stimmhaft		ju**ng**
f	stimmlos		**f**ahren, **v**iel
w	stimmhaft	(der)	**W**ein
s	stimmlos		e**ss**en, (das) Hau**s**
s	stimmhaft		**s**ehr, (der) **S**ommer
sch	stimmlos		**sch**ön
vorderes **ch**	stimmlos		lei**ch**t
hinteres **ch**	stimmhaft	(das)	Bu**ch**
j	stimmhaft		**j**a
r	stimmhaft	(die)	**R**ose
l	stimmhaft	(der)	**L**ehrer
h	stimmlos		**h**aben
ts	stimmlos	(die)	**Z**itrone
ks	stimmlos		bo**x**en

2
Studie

Lesen und hören Sie einige Dialoge noch einmal. Schreiben Sie Beispiele für jeden Konsonanten auf und lesen Sie laut!

3
Kleine Information

Wenn **b**, **d**, **g** *am Wortende oder Silbenende stehen, spreche ich* **p**, **t**, **k**:

b → **p** a**b**, hal**b**, a**b**/fahren
d → **t** gesun**d**, Fahrra**d**, Mä**d**/chen
g → **k** Ta**g**, We**g**, mö**g**/lich

aber: **b**=**b** a**b**e, hal**b**e
        d=**d** gesun**d**e, Fahrrä**d**er
        g=**g** Ta**g**e, We**g**e

Phonetisches Zwischenspiel (10)

4
Studie

Finden Sie weitere Beispiele mit **b → p**
d → t
g → k

5
Kleine Information

ng *sprechen wir immer als Nasal. Das* **g** *hören wir nicht, auch nicht am Wortende:*
ju**ng**, e**ng**, Wohnu**ng**, Zeitu**ng**, Bewegu**ng**

Die Endung **-ig** *sprechen wir immer wie* **-ich**:
Kön**ig**, wicht**ig**, lust**ig**

6
Studie

Finden Sie mehr Beispielwörter mit **ng** und mit **-ig**! Schreiben Sie die Beispielwörter nieder und lesen Sie sie laut!

7
Kleine Information

Wir schreiben **z**, wir sprechen immer **ts**.
Wir schreiben **x**, wir sprechen immer **ks**.
ts: Zitrone, **Z**irkus
ks: Ma**x**, Mar**x**

8
Studie

Finden Sie mehr Beispielwörter mit **z** und **x**! Schreiben Sie die Beispielwörter nieder und lesen Sie sie laut!

Kapitel 21

1
Spiel

Arzt:

Nehmen Sie Platz, Herr Rabe. Was fehlt denn?

Hm. Sie trinken natürlich viel Kaffee?

Aber Herr Rabe!! Trinken Sie keinen Kaffee mehr!
Rauchen Sie?

Nur? Bitte _____!

Trinken Sie Alkohol?

Bitte trinken Sie keinen Alkohol mehr! Sie sind
Rechtsanwalt, nicht wahr?

Bitte arbeiten Sie _____!

Steigen Sie _____!

Öffnen Sie _____!
Haben Sie einen Wagen?

Schnellfahren ist Ihr Hobby? Herr Rabe, _____

_____ !

Können Sie gut schlafen?

Bitte _____!

Und bitte _____ Tabletten.

Patient:

Ach, Herr Doktor, ich habe solche Herzschmerzen.

Nur 20 Tassen täglich.

50 Zigaretten am Tag.

_____ .

Richter. Das ist es ja! Zu viel Arbeit! Elf Stunden
täglich! Dauernd die Treppen rauf und runter!
Und die schlechte Luft im Büro!

Porsche 911. Das ist mein Hobby.

Miserabel. Ich lese jede Nacht einen Krimi.

2
Spiel

Arzt und Patient sind gute alte Freunde.

Patient:

Du, mir geht es miserabel.

Immer Schmerzen!

25 Tassen.

_____ Zigaretten täglich.

Nein nein, _____

_____ .

Ach, mindestens _____ .
Und dauernd die Treppen rauf und runter! Und im
Büro _____ Luft!

_____ .

Arzt:

Du siehst auch nicht besonders gut aus. Was fehlt
dir? Was macht das Herz?

Wieviel Kaffee trinkst du täglich?

Bitte, trink keinen Kaffee mehr!

Wieviel _____?

Bitte rauch nicht mehr! Nicht eine Zigarette!!
Gehst du manchmal spazieren?

Bitte geh _____

_____! Sicher
arbeitest du auch zu viel!

Bitte arbeite _____!

Und steig _____
ganz langsam! Und öffne alle zwei Stunden die
Fenster im Büro. Hast du ein Auto?

Bitte fahr nicht mehr Auto, geh zu Fuß! Und nimm
bitte diese Tabletten, die tun dir bestimmt gut.

3 fakultativ ⊙⊙
Bitte sprechen Sie

Ach bitte, sprich nicht so schnell!   →Spreche ich schnell?
Ach bitte, sprich nicht so laut!
Ach bitte, rauch nicht so viel!
Ach bitte, sei nicht so nervös!
Ach bitte, trink nicht so schnell!
Ach bitte, sing nicht so falsch!
Ach bitte, sei nicht so unfreundlich!
Ach bitte, sprich nicht so viel!
Ach bitte, sing nicht so laut!
Ach bitte, trink nicht so viel!

4
Elemente
DER IMPERATIV (=DIE BITTE)

	SINGULAR	PLURAL
offiziell	bitte kommen Sie!	bitte kommen Sie!
familiär	bitte komm!	bitte kommt!
offiziell	bitte haben Sie keine Angst!	bitte haben Sie keine Angst!
familiär	bitte hab keine Angst!	bitte habt keine Angst!
offiziell	bitte fahren Sie langsam!	bitte fahren Sie langsam!
familiär	bitte fahr langsam!	bitte fahrt langsam!

starke Verben mit e:

offiziell	bitte nehmen Sie Platz!	bitte nehmen Sie Platz!
familiär	bitte nimm Platz!	bitte nehmt Platz!

phonetisch schwierigere Verben:

offiziell	öffnen Sie das Fenster!	öffnen Sie das Fenster!
familiär	öffne das Fenster!	öffnet das Fenster!
offiziell	arbeiten Sie nicht so viel!	arbeiten Sie nicht so viel!
familiär	arbeite nicht so viel!	arbeitet nicht so viel!

Hilfsverb „sein":

offiziell	seien Sie vorsichtig!	seien Sie vorsichtig!
familiär	sei vorsichtig!	seid vorsichtig!

5
Studie

a Du arbeitest zu viel, *mach* doch endlich mal Pause!

b Kinder, *steigt* schnell in den Bus ein!

c _____ keine Angst, der Hund beißt nicht!

d _____ Sie bitte laut, ich verstehe Sie nicht.

e Ich bin gleich fertig. Bitte _____ Sie einen Moment.

f Wir haben euch schon so oft eingeladen! _____ doch endlich!

g Deine Schrift kann kein Mensch lesen, _____ bitte deutlich!

h Komm und _____ deine Badehose mit!

i _____ mir bitte, ich kann den Koffer nicht alleine tragen.

k Frische Tomaten! _____ frische Tomaten!

6 🔊
Bitte sprechen Sie

Ist es recht, wenn ich jetzt anfange? →Ja, bitte fang an!
Ist es recht, wenn ich mal anrufe?
Ist es recht, wenn ich jetzt reinkomme?
Ist es recht, wenn wir euch mal besuchen?
Ist es recht, wenn ich das Fenster aufmache?
Ist es recht, wenn wir mitgehen?
Ist es recht, wenn ich mitmache?
Ist es recht, wenn ich zu dir komme?
Ist es recht, wenn wir uns fertigmachen?
Ist es recht, wenn ich jetzt einsteige?

7 fakultativ 🔊
Bitte sprechen Sie

Darf ich dich was fragen? →Natürlich, frag mich doch!
Kann ich mal anrufen?
Kann ich euch mal besuchen?
Darf ich die Orange nehmen?
Kann ich noch einen Tag hierbleiben?
Darf ich meine Freundin mitbringen?
Darf ich einsteigen?
Kann ich heute nachmittag kommen?
Kann ich mitfahren?

21

8
Studie

Bitte ergänzen Sie den Imperativ Singular (familiär):

a _____ deinem Freund einen Gruß von mir!

b _____ bitte die Tür zu!

c Bitte _____ vorsichtig!

d Gute Nacht, _____ gut!

e _____ bitte so nett!

f Bitte _____ doch Platz!

g _____ keine Angst!

h Bitte _____ mir nicht böse!

i _____ bitte rein, mach dirs bequem!

k _____ leise, bitte!

9 fakultativ ⊙⊙
Bitte sprechen Sie

Wann darf ich dich abholen → Bitte hol mich gleich ab!
Wann kann ich kommen?
Wann muß ich anfangen?
Wann darf ich den Kaffee bringen?
Wann muß ich anrufen?
Wann kann ich dir das Geld geben?
Wann dürfen wir zu euch kommen?
Wann muß ich zahlen?
Wann muß ich heimkommen?
Wann darf ich das Frühstück bringen?

10 ⊙⊙
Suchen und finden

Ich muß jetzt gehen. → Bitte bleib doch noch ein bißchen da!
Wir kommen später. → Bitte kommt gleich!
Heut bleib ich im Bett.
Ich trinke jetzt die Flasche aus.
Ich schreibe den Brief morgen.
Wir kommen nächste Woche zu euch.
Die Torte, die esse ich ganz allein.
Morgen zahlen wir.
Ich bin heute so traurig.
Also jetzt fahren wir.

11 ⊙⊙
Suchen und finden

Text nur auf Tonband

12 ⊙⊙
Szene

Ergänzen Sie den Imperativ (die Bitte)

Caspar: Tag, Dicker, wie gehts? Bist du wieder fit?
Hans: Nicht so ganz. Ich bin immer so nervös.
Caspar: Aber was seh ich denn in dem Aschenbecher? Wieviel hast du geraucht: 11 — 13 — 15 — 17 Zigaretten? Und das alles heute?
Hans: Heute nachmittag.
Caspar: Mein Gott, Hans, _____ doch nicht so viel! Und hier stehen ja zwei — drei — vier Flaschen Zwetschgenschnaps! Also wenn man leberkrank ist, trinkt man doch keinen Schnaps!
Hans: Zwetschgenschnaps, das ist mein Hobby, Verzeihung.

Caspar: Tu was du willst. _____ deinen Zwetschgenschnaps und geh kaputt.

Hans: Aber Caspar, _____ doch nicht so streng! Ohne Schnaps und ohne Krimis kann ich nicht schlafen.
Caspar: Du willst also krank bleiben.
Hans: Nein, wieso?
Caspar: Wieviel Krimis liest du in der Woche, wenn ich fragen darf?
Hans: Vierzehn.

Caspar: Hans, _____ so gut und _____ keine

Krimis mehr. _____ am Abend das Fenster

weit auf und _____ die frische Luft, eine
Viertelstunde lang, dann schläfst du wie ein Baby.

Hans: Caspar, bist du ein Babyarzt?

Caspar: Ja, wenn ich mit dir spreche, glaube ich wirklich, ich

bin einer. Jetzt _____ bitte so freundlich und

_____ mir die vier Schnapsflaschen! Im
Herbst kriegst du sie wieder.

Hans: Armer Caspar, hast du so einen Durst? Gut. Zwei
kannst du haben.

Caspar: Du verstehst mich nicht ganz richtig. Wenn du jetzt
sechs Monate lang Baby spielst, bist du bald wieder
ein Mann.

Hans: Da — deine zwei Flaschen. Prost!

Caspar: Frohe Ostern, Dicker!

13
Fragen zur Szene

14
Lesetext

Bitte wählen Sie die richtigen Wörter

Liebe (Frau/Dame) Schubert,

danke für Ihre lieben Grüße aus Fulda! Nun, wann kommen
Sie (zu/bei) uns? Wir (wohnen/bleiben) jetzt schon drei
Monate hier in unserer neuen Wohnung (auf/in) dem Berg.
5 Ein herrlicher Platz! Der Garten blüht, wir (können/müssen)
fast jeden Morgen im Freien frühstücken! Nehmen Sie doch
endlich Urlaub, (tun/machen) Sie Pause, (bekommen/kommen)
Sie, (besuchen/suchen) Sie uns!
Wollen Sie baden? schwimmen? fischen? Wollen Sie reiten
10 (lesen/lernen)? Das gelbe Zimmer unterm Dach wartet auf Sie.
Packen Sie den Koffer, (vergessen/verlassen) Sie das Bade-
zeug nicht, kaufen Sie sich eine Fahrkarte und (gehen/steigen)
Sie in den Zug ein! Wir holen Sie ab. Wir freuen (uns/sich)
sehr auf Sie!

15 Herzlich
Ihre Familie Münster

15
Diktat

Bitte beachten Sie: Im Brief schreiben wir
das Wort „Du" groß!!

Lieber Helmut,

ich danke _____ für _____ lieben

Gruß aus Kassel! Also wann _____ _____?
Wir sind jetzt schon ein halbes Jahr hier in unserer neuen

5 Hütte direkt am See, _____ eine unglaublich

schöne Stelle! Jeden Morgen _____ wir im Freien

und liegen in der Sonne und baden und _____.

Helmut, mach doch _____ Pause, nimm

_____, komm!

10 Das _____ Zimmer wartet auf _____.

Pack _____ Koffer, _____ die Kamera

nicht, kauf _____ eine _____ und

steig in den _____! Wir holen _____

ab. Und wir freuen uns sehr auf das _____!

15 Viele _____ Grüße von _____

Leo

16
Schreibschule

Bitte beachten Sie: Auch das Wort „Ihr" schreiben wir **im Brief** groß!
Nun schreiben Sie bitte einen ähnlichen Brief, aber an z w e i Freunde,
zum Beispiel:

Liebe Inge, lieber Heinz,

17
Schreibschule

Schreiben Sie eine Einladung in Ihr Land
in Ihre Heimatstadt
zu Ihrer Familie
zu einer Reise

*

18
𝕷𝖊𝖘𝖊𝖙𝖊𝖝𝖙

Rat an die Schauspielerin C. N.

Erfrische dich, Schwester
An dem Wasser aus dem Kupferkessel mit den Eisstückchen —
Öffne die Augen unter Wasser, wasch sie —
Trockne dich ab mit dem rauhen Tuch und wirf
Einen Blick in ein Buch, das du liebst.
So beginne
Einen schönen und nützlichen Tag.

BERTOLT BRECHT

*

19
Erinnern Sie sich

Bitte lernen Sie diese
Verben im Kontext

aufwachen	Ich bin heute früh um fünf aufgewacht.
beschreiben	Können Sie den Fremden beschreiben?
drehen	Bitte drehen Sie nicht an diesem Knopf!
sich drehen	Die Erde dreht sich um die Sonne. Es dreht sich um die Republik (=das Thema ist die Republik).
sich erheben	Langsam erhob er sich (=langsam stand er auf).

klopfen	Ich klopfe an der Tür.
	Es klopft!
kündigen	Ich kündige (= ich verlasse den Arbeitsplatz).
	Die Firma hat mir gekündigt.
stecken	Ich stecke die Hände in die Hosentaschen.
	Die Zeitung steckt in deiner Tasche.
verdienen	Er verdient 1600,– DM im Monat.
	Diesen Urlaub haben wir wirklich verdient!
zittern	Das Mäuschen zittert vor Angst.

20
Erinnern Sie sich

Bitte lernen Sie diese Sätze

Ich bin gespannt auf den neuen Herzog-Film.

Du siehst ausgezeichnet aus!
Diane, eine Prinzessin, die Geld hat und gut aussieht.
Du siehst heute gar nicht gut aus, fehlt dir was?

Ja, um zehn habe ich Zeit. Der Termin paßt mir.
Die Schuhe sind mir zu klein, die passen mir nicht.
Nein, die Firma paßt mir nicht.

Vorsicht! Der Hund beißt!
Vorsicht! Hier nicht aussteigen!

Lauf bitte zum Briefkasten und wirf den Brief ein!

Bitte sag den Eltern einen Gruß von mir!
Bitte bestell den Eltern einen Gruß von mir!

21
Erinnern Sie sich

Finden Sie die passenden Nomen oder Verben

außerordentlich	richtig
deutlich	unbekannt
erlaubt	verboten
hölzern	vorsichtig
katastrophal	winterlich

Nichts auf der Welt ist so gerecht verteilt wie der Verstand. Jeder glaubt, er hat genug davon bekommen.

JACQUES TATI

22
Hören und verstehen

Bitte finden Sie die richtige Antwort

1
Elemente

s

Zwei Möglichkeiten: das stimmhafte **s** (weich, klingend)
das stimmlose **s** (scharf)

Das stimmhafte s

Wenn ein Vokal folgt, spreche ich **s** stimmhaft (weich, klingend).
Aber: **ß** und **ss** spreche ich immer stimmlos (scharf)!

Das stimmhafte **s** spreche ich

a) mit Stimme
b) mit wenig Luftdruck:

Sahne, sehr, Sonne, Süden, Seite
Nase, lesen, Pause, Häuser.

Das stimmlose s

Das stimmlose **s** schreibe ich: **ß**

oder **ss**

oder vor Konsonanten ⎫
oder am Wortende   ⎬ **s**

Beachten Sie aber Nummer 3
(Elemente): am Wortanfang!

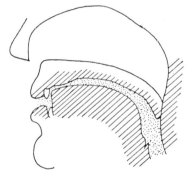

Das stimmlose **s** spreche ich

a) ohne Stimme
b) mit kräftigem Luftdruck:

ist, Herbst, Wurst
Glas, bis, Haus
essen, müssen, Gruß.

2
Bitte sprechen Sie

stimmloses **s**	stimmhaftes **s**
scharf	klingend
los ⟶	lösen
Reis	reisen
Wasser	Vase
Haus	Häuser
Maus	Mäuse
Gans	Gänse
leis	leise
naß	Nase

3
Elemente

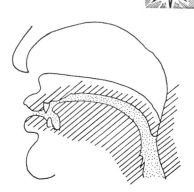

sch

Wir schreiben diesen Laut: **sch**
oder *am Wortanfang oder Silbenanfang* **s** vor **t**
                                 s vor **p**

Beispiele: mi**sch**en, fri**sch**, Du**sch**e, Rau**sch**, **s**pielen, **s**prechen, **S**tudie, ver/**s**tehen, Fußball/**s**piel

Das **sch** ist immer stimmlos (keine Stimme). Es klingt runder, voller als das **s**.

Das **sch** ist leicht zu sprechen. Sprechen Sie ein scharfes, stimmloses **s**, drücken Sie die Lippen stark nach vorn, nehmen Sie die Zunge **ein bißchen** zurück.

4 ⊙⊙
Bitte hören Sie

s	sch
Wasser	→ waschen
Tasse	Tasche
Fleiß	Fleisch
Bus	Busch

sch	s
Busch	→ Bus
Rausch	raus
vermischen	vermissen
Masche	Masse

5
Bitte sprechen Sie

wissen	→ wischen	→ wissen
Tasse	Tasche	Tasse
Bus	Busch	Bus
Mars	Marsch	Mars
raus	Rausch	raus
Mensa	Menschen	Mensa
lösen	löschen	lösen
Rasse	rasch	Rasse

6 ⊙⊙
Welches Wort hören Sie?

1	☐ Bus ☐ Busch
2	☐ Tasse ☐ Tasche
3	☐ Schein ☐ sein
4	☐ Masche ☐ Masse
5	☐ Fleiß ☐ Fleisch
6	☐ schau ☐ Sau
7	☐ raus ☐ Rausch
8	☐ Wasser ☐ waschen
9	☐ Haß ☐ Hasch
10	☐ löschen ☐ lösen

Phonetisches Zwischenspiel (11)

7
Bitte sprechen Sie

a schau deine Schuhe an!
   schreiben Sie schön
   schlafen Sie gut
   schonen Sie sich

b bist du bestimmt da?
   Spaß am Spiel
   du kommst zu spät
   schlaf süß!

c Glasschale
   Fußballspiel
   Hausschlüssel
   Fischsuppe

d Eisschrank
   Zwetschgenschnaps
   Geisteswissenschaft
   Aussprache

Günter Grass

8
Lesetext

Dieser Text ist schwer, Sie können nicht jedes Wort verstehen. Bitte lesen Sie ihn laut und möglichst korrekt.

Schön sah Lud aus als Schwede. Sein sanfter Ernst. Sein kühler Eifer. Und seine Strenge, sein Zorn.

Wie gegen starken Wind angehend. Vorbeugend grimmig, wenn er geschlossene Räume, das Atelier voller Schüler betrat. Stirn und
5 Backenknochen gebuckelt, doch alles fein ziseliert. Das lichte Haar weich. Die Augen gerötet, weil ja Gegenwind herrschte zu jeder Zeit. Zart um Mund und Nasenflügel. Wie seine Bleistiftzeichnungen keusch.

Lud fehlt mir. Wie mir Lud fehlt! Und selbst im Streit ... Selbst wenn
10 wir uns mit den Fäusten ... Lud und ich waren anstrengend miteinander befreundet ...

GÜNTER GRASS

Kapitel 22

1 ⊙⊙
Bildgeschichte S / SCHLESWIG

1 Alte Bauernhöfe auf einer Nordseeinsel.

2 Über Nacht ist eine Sturmflut gekommen! Die ganze Insel ist unter Wasser, man sieht nur noch die Bauernhöfe.

3 Dieses Bauernhaus steht auf dem Festland. Es ist sechshundert Jahre alt.

4 Prächtige Fischerboote liegen im Hafen von Husum.

5 Ein heller Nachmittag. Die Kinder sitzen vor dem Haus in der Sonne.

6 Hinter und über den Blumen: das Schloß von Schleswig.

7 Im Park hinter dem Schloß gibt es uralte Bäume.

8 Schnee ist auf die Hügel gefallen. Das Land sieht festlich aus im weißen Kleid.

2

Studie

Bitte ergänzen Sie die Präpositionen und die Artikel

a _____ Hafen liegen schöne alte Fischerboote.

b _____ _____ Haus haben wir drei riesige Bäume.

c Am liebsten liege ich _____ _____ Baum und schaue in die Zweige.

d Ich habe _____ _____ Terrasse geschlafen und bin ganz früh _____ Morgen aufgewacht.

e _____ _____ Bank _____ _____ Haus sitzt der Opa und liest seine Zeitung.

f Das Leben hier _____ _____ Insel ist sehr schön, aber auch gefährlich.

g Wer ist das Mädchen dort _____ _____ Wiese?

h Haben Sie Angst, _____ _____ Nacht _____ _____ Wald zu gehen? Ich nicht.

i Dort _____ Strand haben wir viele viele Muscheln gefunden.

k Komm _____ uns _____ _____ Garten!

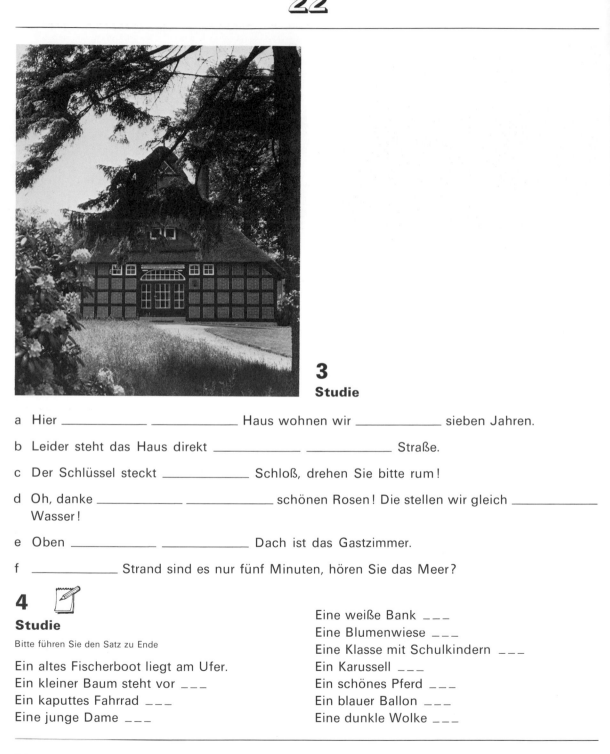

3
Studie

a Hier _____ _____ Haus wohnen wir _____ sieben Jahren.

b Leider steht das Haus direkt _____ _____ Straße.

c Der Schlüssel steckt _____ Schloß, drehen Sie bitte rum!

d Oh, danke _____ _____ schönen Rosen! Die stellen wir gleich _____ Wasser!

e Oben _____ _____ Dach ist das Gastzimmer.

f _____ Strand sind es nur fünf Minuten, hören Sie das Meer?

4

Studie

Bitte führen Sie den Satz zu Ende

Ein altes Fischerboot liegt am Ufer.
Ein kleiner Baum steht vor _ _ _
Ein kaputtes Fahrrad _ _ _
Eine junge Dame _ _ _

Eine weiße Bank _ _ _
Eine Blumenwiese _ _ _
Eine Klasse mit Schulkindern _ _ _
Ein Karussell _ _ _
Ein schönes Pferd _ _ _
Ein blauer Ballon _ _ _
Eine dunkle Wolke _ _ _

6 ⊙⊙
Suchen und finden

Antworten Sie frei mit *ja* oder *nein* oder *gern* oder *ungern*

Hier in der Sonne, da ist es warm! Komm!
→ Nein, in die Sonne lege ich mich nie.
Ein schönes Boot! Komm!
→ Ja, mit dem Boot fahre ich gern.
Hier auf dem Baum ist es herrlich! Komm!
Das Wasser ist ganz warm! Komm!
Hier in dem Biergarten ist es gemütlich! Komm!
Toller Safaripark! Komm!
Hier im Schatten ist es schön kühl! Komm!

5
Kombination

Bitte bauen Sie Sätze, verwenden Sie Präpositionen

Mädchen	Baum
Bauernhof	Sonnenschirm
Schiff	Insel
Ball	Garten
Vogel	Hafen

> *Es gibt nichts Gutes.*
> *Außer: man tut es.*
>
> ERICH KÄSTNER

7 fakultativ
Variation der Bildgeschichte S / Noch einmal : Schleswig

Ergänzen Sie die Präpositionen und die Artikel

1 Das ist die Insel Gröde _____ sehr schönen alten Bauernhöfen.

2 Die gleiche Insel bei Sturmflut. Nur noch die Bauernhöfe erheben sich _____ _____ Wasser. Beide Bilder sind vom Flugzeug aus fotografiert.

3 Husum ist eine kleine Stadt _____ _____ Nordsee. Unser Bild zeigt ein sehr altes Bauernhaus, typisch für dieses Land.

4 Interessante Fischerboote _____ Hafen _____ Husum.

5 Flensburg, eine Stadt der Fischer und Schiffsbauer, liegt _____ _____ Ostsee.

6 Das Barockschloß Gottorp bei Schleswig.

7 Prächtige alte Bäume _____ Schloßpark.

8 Und zum Schluß, wieder _____ Flugzeug aus: ein Blick über die winterliche Landschaft.

8 fakultativ
Kleine Unterhaltung

Wo möchten Sie leben? Warum?

Nordsee	Japan
Insel	Ufer
Berge	Skandinavien
Bauernhaus	Hochhaus
Großstadt	Spanien
Fluß	Villa

9 fakultativ (schwer) ⊙⊙
Bitte sprechen Sie

Wir fahren jetzt in Urlaub an die Nordsee.
→ Waren Sie nicht gerade an der Nordsee?

Du, ich fahre mit den Kindern im Sommer aufs Land.
Den Urlaub verbringe ich allein. Ich gehe in die Berge.
Die Kinder möchten so gern ans Meer.
— — — zum Skifahren in die Schweiz.
Ich fahre zu den Mönchen nach Athos.
Übrigens, wir fahren im Urlaub nach Irland.
Wir gehn wieder in die Pyrenäen zum Skifahren.
Über Ostern sind wir in Paris.

10 fakultativ (schwer) ⊙⊙
Bitte sprechen Sie

Ich fliege jetzt nach Moskau.   → Sind Sie oft in Moskau?
Nicht sehr oft. Gerade komme ich aus Timbuktu. — —
Nein, natürlich nicht. Aber manchmal kommt man auch an so entlegene Orte. Letzte Woche war ich in der Schweiz. — —
Ja, in der Schweiz bin ich oft. Sie sehen, eben komme ich nach Haus, und jetzt gehts schon wieder weiter. — —
Zu Haus bin ich leider selten. Wenn ich von Moskau zurückkomme, gehts gleich nach New York. — —
O ja, recht häufig. Und dann bleibe ich gleich in Amerika und komme erst in drei Wochen nach einer großen Rundreise aus Argentinien zurück. — —
Nein, in Südamerika bin ich überhaupt selten. Aber dann muß ich auch schon wieder nach London. — —
Natürlich. Dort habe ich alle meine Diamanten.

> *Haben Sie bemerkt, daß fast alle Geizhälse steinalt werden? Selbst der Tod fürchtet sich vor ihnen.*
> ROBERT WALSER

11 fakultativ
Kleine Unterhaltung
Schüler — Schüler

Reisen Sie gern? Wohin möchten Sie reisen? Warum?

12
Lesetext

Ist Liebe eine Macht, die über mich kommt? Dann kann ich die Liebe nur dem blinden Zufall überlassen. Ich habe Glück und sie kommt zu mir – oder ich habe Pech und sie kommt nicht.

5 Oder ist Liebe eine Arbeit? Dann ist sie nicht eine Sache des Zufalls. Sondern dann ist sie meine Sache, mein Werk.

Jeder weiß, wie wichtig Liebe ist, alle suchen Liebe, verlangen Liebe, träumen von Liebe. Aber keiner denkt, man muß Liebe lernen. Es ist unser Schaufensterdenken. Wir sind das 10 Kaufen gewohnt. Wir suchen so lange, bis wir im Schaufenster unseres Lebens das richtige Objekt gefunden haben – und dann denken wir: jetzt habe ich sie, die Liebe. Aber Liebe ist nicht eine Frage des Objekts, sondern eine Frage des Könnens.

15 Wer Liebe lernen will, für den muß sie wichtiger sein als alles andere. An alles andere geben wir unsere Energie: an den Erfolg, an die Macht, an das Geld. Fast keine Mühe verwenden wir auf das Lernen der Liebe.

Dieser Text folgt teilweise den Gedanken von Erich Fromm

13
Textarbeit

a Bitte schreiben Sie eine Zusammenfassung in zwei Sätzen!
b Suchen Sie Überschriften für die vier Teile des Textes!
c Wo sieht der Autor die Gefahren für die Liebe?

14
Textarbeit

Bitte *streichen* Sie die Wörter, die *nicht* passen:

a Macht (Zeile 1)   – Blume – Militär – Gewalt – Vulkan – Kind
b Zufall (Zeile 2)   – Überraschung – Museum – Lotto – Schicksal
c Traum (Zeile 8)   – Schlaf – Phantasie – Postamt – Lehrer – Musik
d Mühe (Zeile 17)   – Arbeit – Stuhl – Buch – Anstrengung

15
Textarbeit

a Warum sprechen wir vom *blinden* Zufall (Zeile 2)?
b Was ist Pech (Zeile 3)? Nennen Sie ein Beispiel!
c Nennen Sie ein Synonym zu „Werk" (Zeile 6)!
d Welches Wort kann man hier auch für „Frage" verwenden (Zeile 13)?

16
Textarbeit

Bitte nennen Sie das Gegenteil von suchen (Zeile 7)

verlangen (Zeile 7/8)

geben (Zeile 16)

Erfolg (Zeile 17)

17
Studie

a _____ _____ Markt steht ein altes Karussell.

b Wollen Sie _____ _____ Karussell fahren?

c Es dreht sich nach _____ altmodischen Musik.

d Möchten Sie sich _____ _____ Pferd setzen?

e Oder sitzen Sie lieber _____ _____ Sofa?

f _____ _____ Karussell fahren, das ist nicht gefährlich. Es dreht sich ganz langsam.

g Hier _____ _____ Kiosk gibt es heiße Würstchen

h Setzen wir uns _____ _____ Biergarten?

i _____ _____ Biergarten gibt es Bratwurst für eine Mark.

k Wir setzen uns _____ _____ Tisch gleich neben der Musikkapelle.

18 ⊙⊙
Suchen und finden

Tolles Riesenrad! →Aha, du willst mit dem Riesenrad fahren.
Schönes Karussell!
Mmmm, diese Bratwürste!
Da schau, der Zirkus!
Und das Bier!!
Gefällt dir das Pferd? Mir schon.
Du, da gibt es Schokolade!
Siehst du das alte Karussell?
Der Biergarten ist gemütlich!
Hier kostet ein Hähnchen nur 4,– DM.

19 ⊙⊙
Szene

Kioskfrau:	Heiße Bratwurst! Eine Mark!
Herr Frühling:	Wie gefällt Ihnen das Karussell?
Frl. Kirsch:	Möchten Sie eine heiße Bratwurst, Herr Frühling?
Herr Frühling:	Ein schönes Karussell! Fahren wir mal?
Frl. Kirsch:	Ich kaufe mir eine Bratwurst.
Herr Frühling:	Erst Karussell fahren, dann Bratwurst essen?
Frl. Kirsch:	Oder — erst eine Bratwurst, und dann nochmal eine Bratwurst?
Herr Frühling:	Sie fahren nicht gern Karussell? Haben Sie Angst?
Frl. Kirsch:	Ja. Ein bißchen.
Herr Frühling:	Aber das geht doch so langsam, Fräulein Kirsch. Bitte kommen Sie! Sie setzen sich in den Sessel hier, ich setze mich auf das Pferd.
Frl. Kirsch:	Oder — ich setze mich auf das Pferd, und Sie setzen sich in den Sessel.
Karussellmann:	Einsteigen! Fünfzig Pfennig!
Frl. Kirsch:	Es geht los!

22

Herr Frühling:	Wie gefällt es Ihnen auf Ihrem Pferd? Haben Sie noch Angst?
Frl. Kirsch:	Natürlich. Mein Pferd ist schön, hm?
Herr Frühling:	Natürlich. Und vor allem die Dame auf dem Pferd.
Frl. Kirsch:	Jetzt habe ich keine Angst mehr. Und wie geht es Ihnen, Herr Frühling?
Herr Frühling:	Mir? – Mir geht es schlecht.
Frl. Kirsch:	Schlecht? Was machen wir da? Hallo! Können Sie mal halten, bitte?
Karussellmann:	Nein. Ein Karussell ist ein Karussell.
Herr Frühling:	Mir ist es schlecht. Furchtbar!
Frl. Kirsch:	Vielleicht haben Sie Hunger?
Kioskfrau:	Heiße Bratwurst, eine Mark! Heiße Bratwurst, nur eine Mark!

20 Fragen zur Szene

21 ⊙⊙ Suchen und finden

Gefällt Ihnen das Pferd? → Ja, und vor allem die Dame auf dem Pferd!
Gefällt Ihnen der Sessel?
Gefällt Ihnen das Riesenrad?
Gefällt Ihnen der Park?
Gefällt Ihnen das Kleid?
Gefällt Ihnen der Ring?
Gefällt Ihnen die Wiese?
Gefällt Ihnen der Hut?
Gefällt Ihnen der Garten?
Gefallen Ihnen die Blumen?

22 ⊙⊙ Suchen und finden

Das ist ein weicher Sessel. → Ja, in dem Sessel sitzt man gut.
Das ist keine schöne Stadt. → Ja, in der Stadt wohne ich nicht gern.
Das ist ein schönes Glas.
Das ist ein kaltes Zimmer.
Das ist ein hartes Bett.
Das ist ein schönes helles Büro.
Das ist ein interessanter Zoo.
Das ist ein ausgezeichnetes Hotel.
Das ist ein miserabler Stuhl.
Das ist ein wunderschöner Park.

23 ⊙⊙
Bitte sprechen Sie

Text nur auf Tonband

24
Studie

Bitte ergänzen Sie liegen/legen   stehen/stellen
sitzen/setzen   hängen

a Unser Garten *liegt* direkt am See.

b Peter _____ auf der Wiese und schläft.

c Darf ich mich neben Sie auf die Gartenbank _____?

d Der Opa _____ auf der Terrasse und liest Tolstoj.

e Der Baum ist ganz voller Äpfel, da oben _____ mindestens 2 Zentner!

f Wo ist meine Zeitung? Da _____ sie auf dem Boden.

g Kann ich die Äpfel hier in den Korb _____?

h Die kleine Monika ist erst 10 Monate alt und kann schon _____.

i Wo ist Hans? Der _____ schon seit einer halben Stunde unter der Dusche.

k Deine Jacke suchst du? Da _____ sie doch am Nagel!

25 fakultativ (schwer) ⊙⊙
Bitte sprechen Sie

Text nur auf Tonband

26 fakultativ
Rätsel

Bitte ergänzen Sie *sitzen* oder *setzen:*

Ein schöner Mainachmittag im Garten: Unter dem Apfelbaum _____ die schöne Irmgard, und ich _____ mich neben sie. Der Opa _____ in dem großen runden Sessel, ans andere Ende des Tisches _____ sich Peter. Wo sitzt die Oma? Natürlich neben Opa, und nun kommt Corinna, bringt Kaffee und Torte und _____ sich neben Peter. Der letzte ist, wie immer, Paul, der sich zwischen Corinna und die Oma _____. Welcher Platz bleibt leer?

22

> *Die Armen sind auf die Gerechtigkeit angewiesen, die Reichen sind auf die Ungerechtigkeit angewiesen. Das entscheidet.*
>
> BERTOLT BRECHT
>
> *Revolutionär wird der sein, der sich selbst revolutionieren kann.*
>
> LUDWIG WITTGENSTEIN
>
> *Da die Völker nur Lehrer für 600 Mark sich leisten können, bleiben sie so dumm, daß sie sich Kriege für 60 Milliarden leisten müssen.*
>
> CHRISTIAN MORGENSTERN (1905)

27
Erinnern Sie sich

Erklären Sie diese Substantive aus ihren Teilen

Apfelbaum	Kühlschrank	Schaufenster
Festland	Mainachmittag	Schulkind
Fischerboot	Musikkapelle	Sturmflut
Hochhaus	Plattenspieler	Volkskunst

28
Benutzen Sie das Wörterbuch

Wie heißt das Gegenteil?

aufwachen	froh	schmutzig
Ausland	gleich	sich setzen
Festland	prächtig	vorsichtig
fortgehen	Raucher	winterlich

29
Spiel

Welche Wörter passen zusammen

der Löffel *der Kaffee das Frühstück der Tisch* _____

die Tankstelle _____

die Angst _____

das Krankenhaus _____

das Schiff _____

die Wiese _____

30 ⌾⌾
Hören und verstehen

1 Wohin geht das Kind?
2 Wohin fährt der Herr?
3 Wohin will der erste Junge?
4 Wohin geht der Herr?
5 Wohin fährt die Familie?
6 Wohin geht der Herr?

Phonetisches Zwischenspiel (12)

1
Bitte lesen Sie

Leben ist aussuchen.

KURT TUCHOLSKY

Das Weinen muß man nicht lernen, aber das Lachen.

MAX PALLENBERG

Mit dem Tod ist alles aus. Auch der Tod?

KURT TUCHOLSKY

Laß dir von keinem Fachmann imponieren, der dir erzählt: „Lieber Freund, das mache ich schon seit zwanzig Jahren so." Man kann eine Sache auch zwanzig Jahre lang falsch machen.

KURT TUCHOLSKY

Der eigene Geruch ist dem Menschen unbekannt.

KALMÜCKISCHES SPRICHWORT

Jede Frau darf beten. Ein Mann, der betet, muß sehr dumm oder sehr weise sein.

KURT TUCHOLSKY

Was leuchten will, muß brennen.

WINCENTY RZYMOWSKY

2 ⊙⊙
Bitte hören Sie

lachen	→ Licht
Geruch	riechen
auch	euch
noch	nicht
Nacht	Nächte
Buch	Bücher

3
Bitte sprechen Sie

Nacht	→ Nächte	→ Nacht
Loch	Löcher	Loch
Buch	Bücher	Buch
auch	euch	auch
lachen	lächeln	lachen
Geruch	riechen	Geruch
Dach	Dächer	Dach
Spruch	sprechen	Spruch

4
Bitte sprechen Sie

a mach dich nicht so wichtig
ich suche meine Bücher
der Kuchen ist nicht schlecht
ja, die Nachricht ist richtig

b ich mache eine Radtour nach München
kommen Sie heute nachmittag!
sie kocht schlecht, aber sie hat 30 Kochbücher
acht und acht macht sechzehn, rechne ich

c schön und schwach
Frucht und Fleisch
Tag und Nacht
suchst du das Schlüsselloch?

d das Fleisch kocht
die Asche raucht
es pocht und pocht, wer weckt uns in der Nacht?
lach doch nicht!

e Nachtwächter
Hochschule
Kirchendach
Hochzeitsnacht

Phonetisches Zwischenspiel (12)

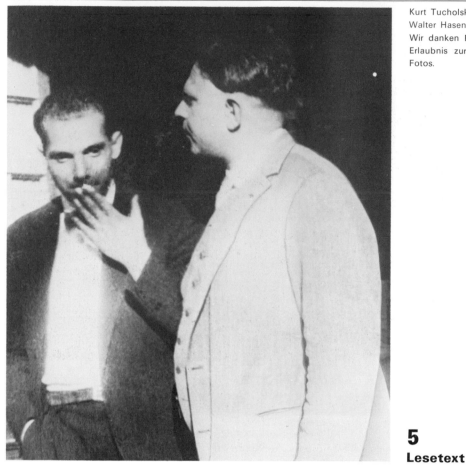

Kurt Tucholsky (rechts) im Gespräch mit Walter Hasenclever
Wir danken Frau Mary Tucholsky für die Erlaubnis zur Erstveröffentlichung dieses Fotos.

5
Lesetext

Dieser Text ist schwer, Sie können nicht jedes Wort verstehen.
Bitte lesen Sie ihn laut und möglichst korrekt:

Und wenn alles vorüber ist ... wenn die Leute zwar nicht klüger, aber müde geworden sind ...
Dann wird einer kommen, der wird eine geradezu donnernde Entdeckung machen: er wird den
Einzelmenschen entdecken. Er wird sagen: Es gibt einen Organismus, Mensch geheißen, und
auf den kommt es an. Und ob der glücklich ist, das ist die Frage. Daß der frei ist, das ist das Ziel.
5 Gruppen sind etwas Sekundäres — der Staat ist etwas Sekundäres. Es kommt nicht darauf an,
daß der Staat lebe — es kommt darauf an, daß der Mensch lebe.
Dieser Mann, der so spricht, wird eine große Wirkung hervorrufen. Die Leute werden seiner
These zujubeln und werden sagen: „Das ist ja ganz neu! Welch ein Mut! Das haben wir noch
nie gehört! Eine neue Epoche der Menschheit bricht an!"

KURT TUCHOLSKY

Kapitel 23

1 ∞
Bildgeschichte T / LEUTE

1 Von oben sehn sie aus wie winzige Marionetten. Aber es sind Menschen. Jeder trägt sein eigenes Glück oder sein eigenes Unglück mit sich herum.

2 Zum Beispiel diese junge Dame. Natürlich ist sie glücklich, denn sie feiert heute Hochzeit.

3 Oder die italienische Bäuerin. Ihre Hände berichten von schwerer Arbeit.

4 Oder das Mädchen mit dem roten Telefon. Was ist schöner: die alten Gardinen oder das junge Mädchen?

5 Vier große afrikanische Augen. Man wird sie nicht so leicht vergessen.

6 Ein lustiges, sehr englisches Gesicht, und das ist kein Zufall: der Herr ist wirklich Engländer.

7 Wer ist das? Eine alte russische Philosophin, sie sitzt in einem Park in Leningrad.

8 Alles Theater, sagen die Philosophen. Jeder hat seine Rolle. Aber nur wenige können über ihre Rolle lachen.

2
Studie

Wählen Sie die Adjektive frei

a Die _alte_ _____ Bäuerin trägt einen _____ Rock und _____ Schuhe.

b In den _____ Händen hält sie eine _____ Melone.

c Hinter _____ _____ Gardinen sitzt ein _____ Mädchen und schaut durchs Fenster.

d Mit wem telefoniert sie? Mit ihrer _____ Mutter oder mit ihrer _____ Freundin oder mit ihrem _____ Geliebten?

e Ich habe einen _____ Engländer fotografiert: er hatte ein sehr _____ Gesicht, auf dem Kopf trug er einen _____ Hut.

f Sie saß auf einer _____ Bank in Leningrad, eine _____ Philosophin.

g Sie trug einen _____ Mantel und las eine _____ Zeitung.

h Kennst du den _____ Schauspieler, der den König spielt? Ist sein Bart _____ oder nicht? Ein _____ Mann!

3 ⊙⊙
Bitte sprechen Sie

Ist das Kind nicht schön?   → Doch, ein schönes Kind!
Ist der Mann nicht interessant?
Ist die Frau nicht toll?
Ist der Mann nicht verrückt?
Ist die Dame nicht phantastisch?
Ist das Kind nicht intelligent?
Ist der Kerl nicht dumm?
Ist die Dame nicht elegant?

4 ⊙⊙
Bitte sprechen Sie

Einen gelben Schirm hat sie.
→ Wer ist das Mädchen mit dem gelben Schirm?
Ein rotes Telefon hat sie.
Einen langen Bart hat er.
Eine grüne Krawatte hat er.
Schwarze Haare hat sie.
Einen alten VW fährt er.
Rote Schuhe trägt sie.
Ein gelbes Fahrrad hat sie.

5 ⊙⊙
Bitte sprechen Sie

Ein sympathischer Mann!
→ Hier im Haus gibt es nur sympathische Männer!
Eine intelligente Frau!
Ein sportlicher Mann!
Ein interessanter Mann!
Ein guter Lehrer!
Eine nette Frau!
Eine elegante Dame!
Ein schönes Mädchen!

6

Elemente

DIE NOMEN-GRUPPE

Sie erinnern sich (siehe Seite 11):
Nur die Konsonanten sind wirkliche S i g n a l e. (Das Zwischen-**e** ist nur ein phonetischer Kontakt.)

Regel I:

Ein Signal genügt.

Beispiel:

der Tabak
starker Tabak
der starke Tabak
ein starker Tabak
} ein **R** genügt!

Regel II:

Wenn ein Adjektiv kein Signal braucht (weil der Artikel oder das Nomen schon das Signal zeigt), nimmt das Adjektiv manchmal ein **n** (wir nennen es Kontakt-**n**).

Signale:

	SINGULAR			PLURAL
	maskulin	*feminin*	*neutrum*	
NOM	R		S	
AKK	N			
DAT	M	R	M	N
GEN	S	R	S	R

Kontakt-n:

	SINGULAR			PLURAL
	maskulin	*feminin*	*neutrum*	
NOM				n
AKK	n			
DAT	n	n	n	n
GEN	n	n	n	n

	SINGULAR			PLURAL
	maskulin	*feminin*	*neutrum*	
NOM	*der Tabak* starker Tabak der starke Tabak ein starker Tabak	*die Stimme* dunkle Stimme die dunkle Stimme eine dunkle Stimme	*das Licht* helles Licht das helle Licht ein helles Licht	*die Haare* schwarze Haare deine schwarzen Haare
AKK	*den Tabak* starken Tabak den starken Tabak einen starken Tabak			
DAT	*dem Tabak* starkem Tabak dem starken Tabak einem starken Tabak	*der Stimme* dunkler Stimme der dunklen Stimme einer dunklen Stimme	*dem Licht* hellem Licht dem hellen Licht einem hellen Licht	*den Haaren* schwarzen Haaren deinen schwarzen Haaren
GEN	*des Tabaks* starken Tabaks des starken Tabaks eines starken Tabaks	*der Stimme* dunkler Stimme der dunklen Stimme einer dunklen Stimme	*des Lichts* hellen Lichts des hellen Lichts eines hellen Lichts	*der Haare* schwarzer Haare deiner schwarzen Haare

7 ☉☉
Suchen und finden

Kennen Sie den Mann?   → Ja, den dicken Mann kenne ich gut.
Kennen Sie die Studentin?
                    → Ja, die blonde Studentin kenne ich gut.
Kennen Sie die Verkäuferin?
Kennen Sie den Taxifahrer?
Kennen Sie die Schauspielerin?
Kennen Sie den Professor?
Kennen Sie das Kind?
Kennen Sie den Trinker?

8 ☉☉
Suchen und finden

Der hat eine große Nase!   → Ein Mann mit einer so großen Nase
                                        interessiert mich!
Der hat ein tolles Auto!
Die hat schöne Haare!
Der hat einen interessanten Kopf!
Die hat schöne Augen!
Der hat einen tollen Bart!
Die hat reiche Eltern!
Die hat eine schöne Stimme!

9 ☉☉
Suchen und finden

Der Schauspieler ist aber schlecht!
                    → Schlecht? Das ist ein guter Schauspieler.
Die Frau ist aber intelligent!
Der Mann ist aber arm!
Sie sind aber müde!
Die Leute sind aber dumm!
Das Mädchen ist aber langweilig!
Der Lehrer ist aber schlecht!
Du hast aber viel Geld!

10
Diktat*

Es ist nicht das Privileg _____ Menschen, ein Gesicht zu haben. Jeder hat eins be-

kommen. Und wir _____ dieses unbeschriebene _____ durch unsere

kleinen und großen Taten aus. Dort kann _____ lesen, wer ich bin. _____

geht verloren, kein hoher _____, kein niederes Spiel, keine _____

5 _____, keine große, offene _____. Das Gesicht — ist es der Schmuck

* Dieser Text folgt teilweise den Gedanken von Jan Procházka

des Menschen? Dann _____ ich nicht, warum so viele auf ein Gesicht verzichten,

warum so _____ nicht nur das Gesicht, _____ oft auch ihre _____

Haltung _____. Tatsächlich haben manche nicht einmal einen _____

Kopf. Wie kann man das anatomisch _____?

11
Textarbeit

a Wieviel Thesen enthält der Text? Wie heißen die Thesen?

b Welche Thesen sind sehr klar? Gibt es auch Thesen, die nicht ganz klar sind, die man diskutieren muß?

c Der Autor unterscheidet verschiedene Gruppen von Menschen: Welche?

d Bitte schreiben Sie eine kurze Zusammenfassung!

12 ⊙⊙
Imitation

14
Schüttelkasten

Bauen Sie Sätze nach dem Muster:

Kennen Sie die Dame mit _____ ?

13
Kombination

Bitte bauen Sie Sätze

Mann	freundlich
Buch	lang
Straße	hell
Pudding	sympathisch
Mantel	süß
Bauer	gescheit
Raum	teuer
Kind	schmal

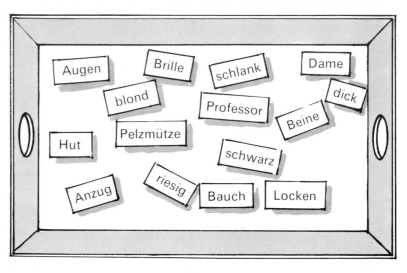

Augen · Brille · schlank · Dame · blond · Professor · dick · Hut · Pelzmütze · Beine · schwarz · Anzug · riesig · Bauch · Locken

15 fakultativ ⊙⊙
Suchen und finden

Text nur auf Tonband

16 fakultativ ⊙⊙
Gesprächsübung

Text nur auf Tonband

Frl. Kirsch:	Herr Frühling! Guten Abend! Kommen Sie rein.
Herr Frühling:	Danke, nur fünf Minuten. Fräulein Kirsch, darf ich Sie ins Theater einladen? Sommernachtstraum, von Shakespeare.
Frl. Kirsch:	Ins Theater?
Herr Frühling:	Heute abend.
Frl. Kirsch:	Oh, das ist ja furchtbar.
Herr Frühling:	Wie bitte?
Frl. Kirsch:	Entschuldigung — wunderbar. Eine wunderbare Komödie!
Herr Frühling:	Also Sie kommen?
Frl. Kirsch:	Nein.
Herr Frühling:	Sie kommen nicht??
Frl. Kirsch:	Was soll ich anziehen? Mein blaues Abendkleid ist kaputt. Das violette ist ein Winterkleid. Das grüne ist ein leichtes Sommerkleidchen.
Herr Frühling:	Ideal! Mit dem Sommerkleid in den Sommernachtstraum! Also Sie kommen?
Frl. Kirsch:	Unmöglich.
Herr Frühling:	Habe ich Sie nicht mal in einer schicken schwarzen Hose gesehen?

Frl. Kirsch:	Aber Herr Frühling, ich kann doch nicht nur mit einer Hose ins Theater gehen! Sehen Sie: die weiße Bluse paßt mir nicht mehr. In dem blauen Pulli sehe ich so dick aus.
Herr Frühling:	Aber nein!
Frl. Kirsch:	Der rote Pulli steht mir nicht.
Herr Frühling:	Wenn ich so überlege — am besten, ich geh mit meiner kleinen Schwester ins Theater. Also guten Abend, Fräulein Kirsch!
Frl. Kirsch:	Wenn ich so überlege — ich hab ja ein Kleid an. Das geht auch.
Herr Frühling:	Also Sie kommen?
Frl. Kirsch:	Ja, sofort.

18
Fragen zur Szene

19 fakultativ
Suchen und finden

Sommernachtstraum — eine wunderbare Komödie.
Paris — eine interessante Stadt.
Island
Picasso
Afrika
Don Giovanni
Sokrates
Prag
Brecht
Hamlet
Norwegen
Die Brüder Karamasoff
Rembrandt
Die Alpen
Hitler
Mercedes

20 fakultativ
Studie

Finden Sie Beispiele

Eis + kalt — *ein eiskalter Winter*
Gras + grün — *ein grasgrüner Pullover*
Bienen + fleißig
Tag + hell
Stroh + dumm
Himmel + blau
Schnee + weiß
Blitz + gescheit

21
Lesetext

22 fakultativ
Schreibschule
Schreiben Sie
Heiratsanzeigen!

24
Suchen und finden

1 Lieben Sie Dostojewski? Sind Sie männl. und nicht über 35? Dann müssen wir uns kennenlernen! Habe br. Augen, bin sportl., attraktiv, ev., toler.　　　　　　　　　　　　　　　　　　　　　S 219

2 Schlk. zärtl. liebev. Lehrerin, 35, 2 Kinder, sucht Partner z. Sprechen, Liebhaben u. Vertrauen.　　　　　　　　　　　　　　　　Q 244

3 Jg. sportl. link. Akademiker, 29, sucht symp. attrakt. Partnerin f. alle Lebenslagen. Wer wagt es?　　　　　　　　　　　　　　　F 2001

4 Toler., charm., led., kath. Akademikerin, 39/1,76 sucht sportl., musikal. Partner.　　　　　　　　　　　　　　　　　　　　　　Z 2822

5 Jg. Mann, arm, ohne Zukunft, mit Intellekt, sucht natürl. Frau.　　　　　　　　　　　　　　　　　　　　　　　　　　　　　R 287

6 Intell. Stewardess, 28/172/54, ev., möchte nicht länger nur auf Flughäfen landen, sucht zärtl. Partner.　　　　　　　　　　　　　PR 2834

7 Melanchol., kompliz., krit. Frau (Philologin) sucht symp. Lebens-partner.　　　　　　　　　　　　　　　　　　　　　　　　　1004

23
Suchen und finden

Den Herrn kenne ich gar nicht!　→ Tja, das ist mein neuer Freund.
Wem gehört denn das flotte Fahrrad?
Zeig mal her, was hast du da für eine Uhr?
Verrückter Hut!
O Herr Professor, heute haben Sie aber einen Kreis schöner junger
　　　　　　　　　　　　　　　　　　　　Damen um sich!
Dieses Auto ist ja wohl Baujahr 1950 oder noch älter?
In dem Abendanzug kenne ich Sie noch gar nicht!
Weißt du, daß deine Hose zerrissen ist?

Einen Mann ohne Auto nehme ich nicht.　→Er muß ein schnelles
　　　　　　　　　　　　　　　　　　　　Auto haben.
Ein Mädchen ohne Abitur nehme ich nicht.
Einen Mann ohne Bart nehme ich nicht.
Eine Frau ohne Geld nehme ich nicht.
Ein Mädchen ohne Beruf nehme ich nicht.
Einen Mann ohne Motorrad nehme ich nicht.
Ein Mädchen ohne Locken nehme ich nicht.
Eine Frau ohne Verstand nehme ich nicht.

25 fakultativ
Suchen und finden

Er ist so melancholisch, →und hat eine so lustige Frau gefunden!
Er ist so arm
Er ist so dick
Sie ist so arm
Er ist so alt
Er ist so unsympathisch
Sie ist so langweilig
Er ist so dumm

26
Elemente

DEFINITIONSFRAGEN: WELCHER? – WAS FÜR EIN?

I

welcher Herr?
  dieser Herr da!
  der dicke da!
  der Professor!

welche Schauspielerin?
  diese!
  dort, die hellblonde, schlanke!
  Elisabeth Orth.

welches Glas?
  dieses Glas!
  das dunkelrote Glas!
  das Likörglas hier!

welche Kinder?
  diese dort!
  die italienischen.
  unsere.

II

was für ein Mann?
  ein sportlicher Mann.
  ein Franzose!
  ein Architekt!

was für eine Uhr?
  eine Taschenuhr.
  eine moderne.
  eine goldene!

was für ein Kleid?
  ein Abendkleid.
  ein violettes.
  ein langes.

was für Damen?
  intelligente.
  ältere Damen.
  Schwedinnen.

27 fakultativ
Kombination

Was für eine Zeitung möchten Sie haben?
Welchen Politiker meinst du?
Was für einen Politiker meinst du?
Was für ein Mädchen?
Welche Zeitung möchten Sie haben?
Welches Mädchen?

Ein zwölfjähriges.
Manuela.
Eine Tageszeitung.
Einen Liberalen.
Die Frankfurter
　　　　Rundschau.
Genscher.

28 fakultativ
Kombination

Was haben Sie für einen Lehrer?
Welche Uhr möchten Sie?
Was für Musik hörst du gern?
Welche Platte möchtest du hören?
Wer ist Ihr Lehrer?
Was für eine Uhr möchten Sie?

Diese hier für 240,– DM.
Herr Gerighausen.
Einen sehr netten.
Vivaldi, Bach, Beethoven.
Das Mandolinenkonzert von
　　　　Vivaldi.
Eine Armbanduhr.

29 fakultativ
Bitte sprechen Sie

Ich suche einen Tisch.   → Was für einen?
Ich suche ein Glas.   → Was für eins?
Ich suche eine Lampe.
Ich suche einen Spiegel.
Ich suche eine Uhr.
Ich suche einen Schrank.
Ich suche einen Kalender.
Ich suche ein Bild.

30 fakultativ
Bitte sprechen Sie

Die blaue Vase gefällt mir.   → Welche? Die blaue?
Der türkische Tisch gefällt mir.   → Welcher? Der türkische?
Das kleine Bild gefällt mir.
Die goldene Uhr gefällt mir.
Der schwarze Stuhl gefällt mir.
Die italienischen Gläser gefallen mir.
Die große Landkarte gefällt mir.
Die schwarzen Stühle gefallen mir.

31 fakultativ
Suchen und finden

A Was für einen Hut möchten Sie?
B Einen Sommerhut.
A Probieren Sie mal den.

A Was für ein Kleid möchten Sie?
B Ein langes.
A Probieren Sie mal das.

Finden Sie weitere Beispiele!

> *Die Vaterlandsliebe ist keine Liebe, weil man keine richtige Auswahl hat. Das ist so, als wenn man die lieben soll, die man heiratet, und nicht die heiratet, die man liebt.*
>
> BERTOLT BRECHT
>
> *Daß die Sonne morgen aufgehen wird, ist eine Hypothese, und das heißt: wir wissen nicht, ob sie aufgehen wird.*
>
> LUDWIG WITTGENSTEIN
>
> *Ich hab zu viel Erwachsene kennengelernt, die der Nachsicht bedürfen, als daß ich je mehr gegen die Kinder streng sein könnt'.*
>
> JOHANN NESTROY

32 fakultativ
Elemente

DER ARTIKEL IM KONTEXT:

Herr: Ich suche ein gutes Buch.
Dame: Für Sie?
Herr: Nein, für einen älteren Herrn.
Dame: Aha. Was darf das Buch denn kosten?
Herr: Ach, so zwischen zwanzig und dreißig Mark.
Dame: Hat der Herr spezielle Interessen?
Herr: Vielleicht – vielleicht eine Biographie.
Dame: Biographien stehen dort links.

Beachten Sie den Artikel:

neu ↓   *bekannt* ↓

Für einen älteren Herrn ..... Hat der Herr spezielle Interessen?

neu ↓   *bekannt* ↓

Ich suche ein gutes Buch ..... Was darf das Buch denn kosten?

Der bestimmte Artikel zeigt auf e i n e Person oder Sache. Ich nehme den bestimmten Artikel nur, wenn der Hörer oder Leser die Person oder Sache schon kennt –
    1. aus dem Text (ich habe sie schon genannt) oder
    2. aus der Situation (beide wissen genau, welche Person oder Sache ich meine).

Unter hundert Einwohnern gibt es immer einen Geizhals, fünf Säufer, einen Gelehrten, fünf Gescheite und achtundachtzig Verliebte.

JOHANN NESTROY

33
Schreibschule

a *Ich habe prima gegessen.*   Jetzt bin ich satt.

b _____   Jetzt bin ich müde.

c _____   Jetzt ist er betrunken.

d _____   Jetzt habe ich kein Geld mehr.

e _____   Jetzt ist sie ganz braun.

f _____   Jetzt kann ich nicht
                                                        über die Grenze.

34 ⚆⚆
Suchen und finden

Sie haben gute Bücher!   → Ich habe nie ein schlechtes Buch gelesen.
Sie haben gute Zigarren!
Sie haben eine teure Kamera!
Sie haben gute Weine!
Sie haben schöne Räume!
Sie haben ein altes Auto!
Sie haben sympathische Freunde!
Sie haben einen teuren Schmuck!

35 ⚆⚆
Suchen und finden

Ach, dieser brutale Mann!   → Warum hast du ihn denn geheiratet?
Ach, diese laute Wohnung!
Ach, dieses schlechte Auto!
Ach, dieser miserable Beruf!
Ach, dieses teure Haus!
Ach, diese dumme Reise!
Ach, diese verrückte Frau!
Ach, diese blöden Gäste!

36
Bitte sprechen Sie

Bei der letzten Wahl hat er eine Million Stimmen bekommen!
                              → Ich habe ihn nicht gewählt.
Gestern hat er im Radio gesprochen.   → Ich habe ihn nicht gehört.
Seine Partei sammelt überall Geld. An jeder Ecke steht einer und will
Geld haben.
Die Leute reden alle über den neuen Film? Ist er wirklich so gut?
Der Film ist doch nach dem Familienroman da, kennen Sie ihn? Wie
heißt eigentlich der Autor von dem Roman?
Alle Zeitungen schreiben über den Maler Tausendwasser, wie finden
Sie ihn?
Er stellt gerade in der Neuen Galerie aus, waren Sie schon dort?
Ja, sagen Sie, kennen Sie den Namen gar nicht?

37
Spiel*

Mit wem spricht die Dame?

a Bitte etwas dunkler färben!

    ☐ mit einem Maler
    ☐ mit einem Arzt
    ☐ mit einem Friseur
    ☐ mit einem Beamten

b Schnuppi, hast du dir die Zähne geputzt?

    ☐ mit ihrem Zahnarzt
    ☐ mit ihrem Freund
    ☐ mit ihrem Sohn
    ☐ mit ihrem Vater

c Sie dürfen „du" sagen.

    ☐ mit ihrem Mann
    ☐ mit ihrer Tochter
    ☐ mit ihrer Mutter
    ☐ mit ihrem Freund

d Wer hat alle meine Liebesbriefe geöffnet?

    ☐ mit ihrem Mann
    ☐ mit dem Schaffner
    ☐ mit dem Briefträger
    ☐ mit dem Arzt

e Mein Herr, Sie haben zu viel Schnaps getrunken!

    ☐ mit dem Friseur
    ☐ mit einem Bekannten
    ☐ mit ihrem Mann
    ☐ mit ihrer Freundin

f Warum nimmst du meinen teuren Lippenstift immer in die Schule mit!

    ☐ mit ihrem Mann
    ☐ mit ihrem Professor
    ☐ mit dem Friseur
    ☐ mit ihrer Tochter

g Kannst du nicht etwas vorsichtiger fahren?

    ☐ mit dem Busfahrer
    ☐ mit dem Taxifahrer
    ☐ mit ihrem Mann
    ☐ mit dem Polizisten

h Ich hatte ein Glas Apfelsaft.

    ☐ mit dem Ober
    ☐ mit der Verkäuferin
    ☐ mit ihrem Sohn
    ☐ mit dem Zahnarzt

i Habt ihr schon die Aufgaben fertig?

    ☐ mit den Gästen
    ☐ mit dem Tankwart
    ☐ mit den Kindern
    ☐ mit den Kollegen

k Morgen, mein Kind, hast du was Schönes geträumt?

    ☐ mit ihrer Tochter
    ☐ mit dem Professor
    ☐ mit ihrer Schülerin
    ☐ mit einem Kunden

* Wortschatz des folgenden Stücks.

38 fakultativ
Kleine Komödie

Teil 2

ad libitum: nur für Gruppen bzw. Lehrer, die sich nicht am Inhalt dieses (eher poetischen) Spiels stoßen. Teil 1 Seite 89, Teil 3 Seite 252

39 fakultativ
Fragen zur Komödie

Eva: Noch etwas Puder... Der Lippenstift, wo ist denn der Lippenstift?
Adam: Hm?
Eva: Adam, hast du den Lippenstift weg?
Adam: Ich? Nein. — Mmmm, ich hab so schön geträumt heut nacht!
Eva: Noch etwas Creme.
Adam: Das war ein Traum! Da hab ich einen goldenen Baum gesehen!
Eva: Einen goldenen Baum! Wo?
Adam: Im Traum, verstehst du? Nur im Traum. Also da hab ich einen goldenen Baum gesehen — und bin hingegangen — und auf dem Baum, da war ein Apfel. Ein goldener Apfel.
Eva: Und? Und? Wo ist der Apfel?
Adam: Und dann — dann bin ich aufgewacht. Das ist jetzt dumm, dumm, dumm! — Den Baum suche ich.
Eva: Und ich? — Mich hast du vergessen, Adam.
Adam: Das war ein Apfel! Den muß ich finden! Tschüß, Eva!
Eva: Mich hat er vergessen. Bitte, er kann ja suchen. Dort steht er, der Baum. Ich bin schon gestern dagewesen. Aber ich sags ihm nicht.

40

Erinnern Sie sich

Bitte lernen Sie diese Verben im Kontext

berichten	Er hat uns über seine Ostasienreise berichtet.
erhalten	Ich habe Ihren Brief erhalten, vielen Dank!
feiern	Max feiert morgen Geburtstag.
nachdenken	Über diese Frage muß ich einmal nachdenken.
sich überlegen	„Nehmen Sie den Fernseher?"
	„Ich überlege es mir bis morgen."
vertrauen	Er lügt nicht. Ich vertraue ihm.

41

Erinnern Sie sich

Bitte lernen Sie diese Sätze

Sie suchen einen Partner fürs ganze Leben?
Geben Sie doch mal eine Heiratsanzeige auf.
Probieren Sie es mit einer Heiratsanzeige.
Ich liebe dich!
Ich mag dich!
Ich hab dich lieb!
So ein dummer Kerl! Ein komischer Kerl. Ein netter Kerl.

42

Erinnern Sie sich

bienenfleißig *So fleißig wie die Bienen*

messerscharf   stahlhart

blitzschnell   rosenrot

schneeweiß   steinalt

todernst   schweinchenrosa

butterweich   bettelarm

federleicht   sonnenklar

43

Hören und verstehen

1 Hoffentlich sind sie auch _____ .

2 Den nehme ich, den _____ .

3 Wir nehmen die _____ .

4 Woher hast du die Schuhe, die _____ ?

5 Ich mag nur _____ .

6 Du willst wirklich den _____ ?

7 Lieber ein _____ .

8 Mit 80 ist man eben einfach _____ .

Kapitel 24

1 ⚆⚇
Bildgeschichte U / REKORDE

1 Das erste Auto. Es fuhr nicht schnell, aber es fuhr.

2 Der stärkste Mann. Oder kennen Sie vielleicht einen stärkeren?

3 Bier ist das beste Getränk, sagen viele. Mancher möchte am liebsten darin schwimmen.

4 Diese Dame schwimmt im klaren Wasser. Sie will die schnellste sein, und sie wird es auch.

5 Aber die Delphine schwimmen natürlich noch besser.

6 Und hier: die beste Leistung im Turnen.

7 Der höchste Sprung.

8 Und das ist der wichtigste Vogel. Denn er bringt die Kinder.

2

Studie

Bitte ergänzen Sie den Superlativ

a „Kennen Sie einen Dickeren?"

— „Nein, das ist der _dickste_ Mann der Welt."

b Und das ist Herr Alberich, 64 cm groß, der _____ Mann der Welt.

c Schimpansen können sehr intelligent sein, aber der Delphin ist wohl das _____ Tier überhaupt.

d Dort kommt er, der _____ Mann der Stadt: er hat zwei Banken, drei Firmen (und viele tausend Feinde).

e Er schreibt gar nicht oder nur ein paar Sätze. Sein _____ Brief, das waren drei Seiten.

f Natürlich muß ein Mannequin schlank sein. Aber Tanja ist wirklich die _____ von allen.

g Ich mag das Bier nicht. Ich trinke lieber das dänische, das ist das _____.

h Was, das hier ist die schöne Helena? Und ich habe gemeint, Helena ist die _____ Frau der Welt!

3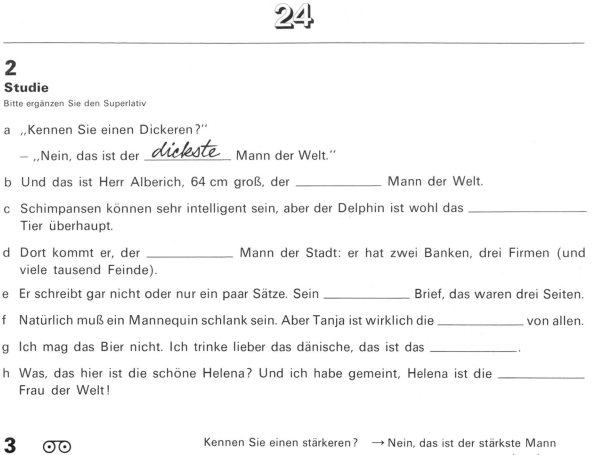

Suchen und finden

Kennen Sie einen stärkeren? → Nein, das ist der stärkste Mann von London.

Kennen Sie eine reichere?

Kennen Sie eine sympathischere? | Kennst du eine schlankere?

Kennst du einen dickeren? | Kennen Sie einen gescheiteren?

Kennen Sie eine elegantere? | Kennen Sie einen traurigeren?

Kennen Sie einen interessanteren? | Kennst du eine schönere?

4

Suchen und finden

Unglaublich dick! → Ja, das ist sicher der dickste Mann hier.

Unglaublich teuer!

Unglaublich sauer! | Unglaublich langsam!

Unglaublich laut! | Unglaublich groß!

Unglaublich hoch! | Unglaublich kalt!

Unglaublich schlecht! | Unglaublich schnell!

5 Elemente

		KOMPARATIV	SUPERLATIV	
1	lustig	lustiger	am lustigsten der lustigste	
2	stark	stärker	am stärksten der stärkste	} *
	jung	jünger	am jüngsten der jüngste	
3	frisch	frischer	am frischesten der frischeste	} **e**st nach d t s ß sch x z
	intelligent	intelligenter	am intelligentesten der intelligenteste	
4	dunkel	dunkler	am dunkelsten der dunkelste	} Komparativ ohne e bei -el -er -en
	teuer	teurer	am teuersten der teuerste	
	offen	offner	am offensten der offenste	

Besondere Formen

5	gern ** lieb	lieber	am liebsten der liebste
6	groß	größer	am größten der größte
7	gut	besser	am besten der beste
8	hoch	höher	am höchsten der höchste
9	nah	näher	am nächsten der nächste
10	sehr ** viel	mehr	am meisten das meiste, die meisten
11	spät	später	am spätesten, zuletzt der späteste, der letzte

---

* die meisten Adjektive mit **a/o/u** nehmen im Komparativ und im Superlativ den Umlaut **ä/ö/ü;** aber hier gibt es Ausnahmen.
** nur Adverb.

6
Schreibschule

Bildgeschichte U, Bilder 2 5 3 8
Beispiel:

*Das ist der dickste Mann,
es gibt keinen dickeren.*

7   ⊙⊙
Kleiner Dialog

Mutter: Was tust du denn wieder stundenlang vor dem Spiegel?
Tochter: Ach Mama, man wird jeden Tag älter.
Mutter: Älter? Du? Du bist jetzt — wie alt? Fünfzehn.
Tochter: Genau. Und immer dicker und häßlicher werde ich. Bald bin ich so dick wie du, Mama.
Mutter: Nettes Kompliment.
Tochter: Ich hänge mich jetzt auf.
Mutter: Schade.

8
Variation

Dame: Man wird jeden Tag _____.
Herr: Du? Verzeihung, wie alt bist du?

Dame: 22. Immer _____ und _____ werde ich. Bald bin ich _____.
Herr: Oh, danke für das Kompliment.
Dame: Morgen früh hänge ich mich auf.

Herr: Du _____? Traurig.

9
Variation

Friedrich: Was tust du denn wieder stundenlang vor dem Spiegel, Rosa?

Rosa: Ach Friedrich, jetzt bin ich 88 und werde immer

noch _____!

Friedrich: Aber Rosa, du bist doch schön wie ein junges

Mädchen, eine _____ Frau kenne ich nicht!

Rosa: Unsinn. Täglich werde ich _____ und

_____. Bald bin ich _____

_____

Friedrich: Danke.

Rosa: Übermorgen hänge ich mich auf.

Friedrich: Oh wie schade.

10 fakultativ 👓
Gesprächsübung

A Schlank bist du, Julia!
B Noch lange nicht schlank genug.
A Willst du das schlankste Mädchen in der ganzen Stadt sein?

Gescheit bist du, Fritz!   Hübsch bist du, Maria!
Elegant bist du, Veronika!   Intelligent bist du, Konrad!
Klug bist du, Hans!   Schön bist du, Vera!

11 ⊙⊙
Bitte sprechen Sie

Sind das die besten Stiefel? →Ja, bessere haben wir nicht.
Ist das der größte Koffer? →Ja, einen größeren haben wir nicht.
Ist das der längste Rock?
Sind das die dünnsten Strümpfe?
Ist das die dunkelste Sonnenbrille?
Ist das die kleinste Kamera?
Sind das die dicksten Handschuhe?
Ist das der wärmste Pulli?
Ist das das längste Abendkleid?
Sind das die besten Tanzschuhe?

12 ⊙⊙
Bitte sprechen Sie

Die Bluse ist zu kurz.
→Leider haben wir keine längere.

Die Hose ist zu teuer.
Der Mantel ist zu lang.
Die Strümpfe sind zu dick.
Das Kostüm ist zu teuer.
Die Perücke ist zu klein.
Der Rock ist zu kurz.
Die Handschuhe sind zu dünn.
Das Kleid ist zu lang.
Der Hut ist zu klein.

13
Studie

a Essen Sie immer so viel?   — Viel? Früher habe ich noch _____ gegessen!

b Jetzt kommst du endlich!   — Verzeihung, ich konnte leider nicht _____ kommen.

c Kalt ist es hier!   — Gehen wir ins Wohnzimmer, dort ist es

_____.

d Was? Das ist Herr Meier?   — Ja, er ist 16 Jahre _____ als seine Frau.

e Haben Sie gut geschlafen?   — Nicht besonders. Das Bett ist etwas zu kurz. Haben Sie vielleicht ein _____?

f Welcher Planet ist der _____?   — Jupiter.

g Gute Idee, nicht?   — Ja, aber ich habe eine _____.

h Wie alt ist der _____ Mann der Welt?   — 134 Jahre.

14
Schreibschule

Bauen Sie Sätze, nehmen Sie immer den Superlativ

Der Mount Everest   Schokoladetorte
Tokio   Greta Garbo
Shakespeare   Hamburg
Champagner   Der Wal
Die Chinesen   Sokrates

15 fakultativ
Gesprächsübung

A: Wie findest du die Sekretärin?
B: Unfreundlich!
A: Ja ja, die wird immer unfreundlicher!

A: Wie findest du den Zahnarzt?
B: Schlecht.
A: Ja ja, der wird immer schlechter.

Wie findest du die Kinder?
Wie findest du den Ober?
Wie findest du die Kollegin?
Wie findest du die Gäste?
Wie findest du den Künstler?
Wie findest du die Dame?

16
Elemente
wie / als

Du bist so schön wie Greta Garbo! – Ich will aber viel schöner sein
als Greta Garbo!

> so schön **wie** — schöner **als**

17
Bitte sprechen Sie

Ich möchte so schlank sein wie Sie!
→ Sie sind doch viel schlanker als ich!
Ich möchte so sportlich sein wie Sie!
Ich möchte so charmant sein wie Sie!
Ich möchte so gut schwimmen können wie Sie!
Ich möchte so musikalisch sein wie du!
Ich möchte so fleißig sein wie Sie!
Ich möchte so gut reiten können wie du!
Ich möchte so elegant sein wie Sie!
Ich möchte so reich sein wie du!
Ich möchte so gut reden können wie du!

18 fakultativ
Kombination
Bauen Sie Sätze

Muster: Apfelkuchen esse ich viel lieber als Käsekuchen.

Cognac	Marlboro
Apfelkuchen	klassische Autoren
Sessel	Käsekuchen
moderne Autoren	Stuhl
Garten	Haus
Camel	Whisky

19 fakultativ (sehr schwer)
Kombination
Vergleichen Sie in ganz kurzen Sätzen

Dostojewski/Kafka/Hesse/....
Marx/Hegel/Lenin/....
Vivaldi/Mozart/Beethoven/....
Edgar Allan Poe/Edgar Wallace/Agatha Christie/....
Athen/Rom/Paris/....

20
Elemente

DIE ORDNUNGSZAHLEN

Heute ist der dritte März.
Er trinkt heute schon die zweite
Flasche.
Das ist unser sechstes Kind.

eins — der die das } erste

zwei — der die das } zweite

drei — der die das } dritte

2 − 19: -te
20 − ∞: -ste

vier	– vierte
fünf	– fünfte
sechs	– sechste
sieben	– siebte
acht	– achte
neun	– neunte
zehn	– zehnte
elf	– elfte
zwölf	– zwölfte
dreizehn	– dreizehnte
...	
zwanzig	– zwanzigste
einundzwanzig	– einund-zwanzigste
dreißig	– dreißigste
vierzig	– vierzigste
hundert	– hundertste
tausend	– tausendste

21
Bitte lesen Sie

Ernst Bloch war Philosoph und ist geboren am 8. 7. 1887.

Bertolt Brecht war _____ und ist geboren am 10. 2. 1898.

Albert Einstein war _____ und ist geboren am 14. 3. 1879.

Sigmund Freud war _____ und ist geboren am 6. 5. 1856.

Martin Heidegger war _____ und ist geboren am 24.12.1889.

Werner Heisenberg war _____ und ist geboren am 5. 12. 1901.

Ödön von Horvath war _____ und ist geboren am 9. 12. 1901.

Carl Gustav Jung war _____ und ist geboren am 26. 7. 1875.

Franz Kafka war _____ und ist geboren am 3. 7. 1883.

Paul Klee war _____ und ist geboren am 18. 12. 1879.

Franz Marc war _____ und ist geboren am 8. 2. 1880.

Ludwig Wittgenstein war _____ und ist geboren am 26. 4. 1889.

22
Kleine Unterhaltung

Wann sind Sie geboren?
Das wievielte Kind sind Sie?

23 fakultativ (schwer)

Lesetext*

Die soziale Frage ist heute kein nationales Problem mehr. Es
genügt nicht mehr, die soziale Gerechtigkeit im eigenen Lande
zu sichern. Wir haben nur eine Zukunft, wenn auch die
ärmeren Völker dieser Erde eine Zukunft haben.

5 Bisher haben die meisten Politiker zwar gesagt, daß die Welt
jeden Tag enger zusammenwächst, aber gehandelt haben sie
nicht danach. Internationale Zusammenarbeit (ohne die die
Welt nicht überleben kann) muß man l e r n e n.

Auch Unternehmer und Arbeiter mußten erst lernen, vernünftig
10 zusammenzuarbeiten. Sie mußten lernen, daß es im Interesse
beider ist, wenn jeder sein Recht erhält. Ebenso müssen wir
heute lernen, daß alle Völker dieser Erde ein Recht auf ein
menschenwürdiges Dasein haben.

Noch stehen wir ganz am Anfang. Wir müssen über unseren
15 Lebensstil nachdenken. Wir müssen nachdenken uber ganz
neue Formen eines „solidarischen Lebens". Wir müssen es
heute üben für die Welt von morgen — üben, ganz neu mit
den Dingen umzugehen, mit Menschen, Zeit, Geld, Besitz.
Die reicheren Völker müssen beginnen, die Tatsache ernstzu-
20 nehmen, daß die Welt eine Einheit ist.

* Zusammenfassung eines
Leitartikels in der
Frankfurter Allgemeinen Zeitung

24 fakultativ

Textarbeit

Steht das im Text?   Steht das im Text?

a Die ärmeren Völker haben zu viele Rechte. | ja | nein |

b Die reicheren Völker haben bis heute zu wenig
   für die ärmeren getan. | ja | nein |

c Die reicheren Völker müssen mehr arbeiten. | ja | nein |

d Die reicheren Völker haben keine Zukunft. | ja | nein |

e Die reicheren Völker können nur überleben, wenn
   sie den ärmeren helfen. | ja | nein |

> *Die Chance klopft öfter an, als man meint. Aber meistens ist niemand zu Hause.*
>
> WILL ROGERS

25 fakultativ
Textarbeit

Wo steht das?   Zeile

a Das Reden über internationale Zusammenarbeit nützt nichts, wenn man nicht danach handelt.   _____

b Soziale Gerechtigkeit ist nötig für die Existenz beider: des Unternehmers und des Arbeiters.   _____

c Die Diskussion über internationale Zusammenarbeit ist nicht neu.   _____

d Für internationale Zusammenarbeit haben die Politiker bis heute nicht viel getan.   _____

26 fakultativ
Textarbeit

a Bitte finden Sie die zusammengesetzten Nomen in dem Text und erklären Sie diese Nomen aus ihren Teilen!

b Finden Sie eine Überschrift über unseren Text!

c Bitte prüfen Sie unseren Lesetext nun kritisch! Welche Sätze des Textes sagen das gleiche mit verschiedenen Worten? Warum wiederholt sich der Autor so oft?

d Internationale Zusammenarbeit ist ein Problem, das eine theoretische und eine praktische Seite hat. Wieviel sagt unser Autor zur theoretischen, wieviel zur praktischen Seite?

e Urteilen Sie kritisch: Trägt unser Text etwas zur Lösung des Problems bei? Wenn ja, was? wieviel?

27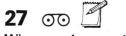
Hören und verstehen

1 Was ist das Thema der Diskussion?

2 Was denken die Herren über das Publikum?

3 Was will das Publikum vom Kritiker haben?

4 Gibt es Künstler, die die Sympathien der Kritiker gewinnen wollen? Und wie machen sie das?

5 Was sagt Kritiker Kunze über den Beethoven-Film?

28
Rätsel

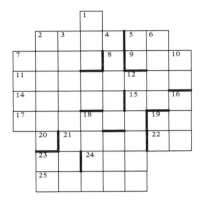

Waagrecht:

2 Gegenteil von *weich*.

5 _____ Morgen ist es hier oft noch eiskalt.

7 Heute _____ es einen guten Film im Kino.

9 Er arbeitet _____ der Commerzbank.

11 beginnen (Synonym).

14 Die Läufer stehen am _____, gleich geht es los!

15 Gegenteil von *reich*.

17 ein _____ aus englischem Porzellan.

19 Bitte ein Frühstück mit _____!

21 Du kannst nicht leben ohne die _____.

22 das Kloster _____ Peter.

24 Konstanz am Boden_____.

25 Gegenteil von *oben*.

Senkrecht:

1 Wo er wohnt? Ich habe den _____ vergessen.

2 Gegenteil von *vorn*.

3 Die Blätter, die im Herbst von den Bäumen _____.

4 die Frau meines Onkels.

5 Heute habe ich nichts gearbeitet, aber _____ morgen will ich wieder arbeiten.

6 Ich bade am liebsten im _____.

7 Ich lade Sie ein, Sie sind mein _____.

10 Benno wohnt _____ München.

12 Sie haben herrliche Blumen in Ihrem _____!

16 Gegenteil von *ohne*.

18 Kommen Sie mit ins Theater, haben Sie _____?

19 Schon wieder regnet _____!

23 Tee, Kaffee, Schokolade – was möchtest _____?

Kapitel 25

Bildgeschichte V / Der Spaziergänger

1 Gegen elf wachte er auf, kroch aus dem Bett und wusch sich mit einer Handvoll Wasser.

2 Eine halbe Stunde später sah man ihn auf der Straße, die Hand in der Hosentasche, eine alte Mütze auf dem Kopf.

3 Am Bahnhof traf er zwei oder drei Freunde. Man unterhielt sich über das Wetter, über Getränke, über Politik.

4 Und natürlich über die feinen Damen.

5 Er bummelte über den Markt, da kaufte er sich eine warme Wurst.

6 Nun las er ganz genau die Theaterplakate.

7 In einem kleinen Laden schaute er nach alten Sachen.

8 Dann setzte er sich in einen Biergarten. Da trank und schlief er bis zum späten Abend.

2
Studie

a Täglich lag er bis halb elf im Bett und _____.

b Endlich stand er auf, denn er _____ Hunger.

c Er _____ sich – dazu brauchte er nur eine Minute. Eine Handvoll Wasser _____ genug.

d Nun ging er auf die Straße, drehte sich eine Zigarette und _____.

e Er machte einen Morgenbesuch in einem Biergarten, da _____ er einen kleinen Schnaps.

f Langsam _____ er durch die Straßen zum Bahnhof, dort _____ er seine alten Freunde.

g Sie _____ sich über Politik, Geld, Branntwein und über die feinen Damen.

h Auf dem Markt _____ er sich eine heiße Wurst.

i Nun ging er zum Hafen und _____ sich auf eine Bank.

k Dort _____ Zeitung, bis er müde wurde und einschlief. Oft _____ er erst wieder auf, wenn der kalte Nachtwind ihn weckte.

3
Elemente

STARKE UND SCHWACHE VERBEN

		Infinitiv	*Präsens*	*Präteritum*	*Perfekt*
Starke Verben		trinken	ich trinke	ich trank	ich habe getrunken
			Sie trinken	Sie tranken	Sie haben getrunken
			du trinkst	du trankst	du hast getrunken
			er trinkt	er trank	er hat getrunken
			sie trinkt	sie trank	sie hat getrunken
			es trinkt	es trank	es hat getrunken
			wir trinken	wir tranken	wir haben getrunken
			Sie trinken	Sie tranken	Sie haben getrunken
			ihr trinkt	ihr trankt	ihr habt getrunken
			sie trinken	sie tranken	sie haben getrunken
Schwache Verben		schauen	ich schaue	ich schaute	ich habe geschaut
			Sie schauen	Sie schauten	Sie haben geschaut
			du schaust	du schautest	du hast geschaut
			er schaut	er schaute	er hat geschaut
			sie schaut	sie schaute	sie hat geschaut
			es schaut	es schaute	es hat geschaut
			wir schauen	wir schauten	wir haben geschaut
			Sie schauen	Sie schauten	Sie haben geschaut
			ihr schaut	ihr schautet	ihr habt geschaut
			sie schauen	sie schauten	sie haben geschaut

4
Diskussion

I   Bitte vergleichen Sie die Endungen der starken Verben im Präsens/im Präteritum!

   →Welche Endungen sind gleich?

      →Welche Endungen sind verschieden?

II Bitte vergleichen Sie die Endungen der schwachen Verben im Präsens/ im Präteritum!

   →Welche Endungen sind gleich?

      →Welche Endungen sind verschieden?

5 Studie*

Bitte bauen Sie Sätze

Rum *Er trank Rum.*

Pfeife
Plakate
Wurst
Mütze
Karten
Zeitung
Markt
Politik
Biergarten

* sofortige Korrektur

7 Textarbeit

6 Lesetext

Die Sonne stand hoch am Himmel, die Kinder spielten schon viele Stunden im Hof, da stand er auf. Er brachte dem Papagei frisches Wasser, sprach ein paar Worte mit ihm, guckte aus dem Fenster, rasierte sich und ging in die Küche.

5 Da machte er sich zwei Eier mit Schinken. Nach dem Frühstück sah er noch in die Morgenzeitung, dann setzte er seinen blauen Hut auf und ging durch die Straßen spazieren. Wachte er? Träumte er? Seine Augen waren halb geschlossen – so studierte er die Gesichter, die Stimmen, die Plakate und die 10 Beine der Mädchen.

Er kaufte Brot, Käse und Wein und trank irgendwo ein Täßchen Kaffee. „Schon halb sechs!" sagte er plötzlich laut zu sich, zahlte schnell und eilte nach Hause.

Nun war er ganz wach! Nervös lief er im Zimmer hin und her, 15 zündete sich rasch noch eine Pfeife an und zeichnete ein paar große violette Linien auf das Papier. Immer wieder trat er von dem Bild zurück und rief: „Gut!" oder „Ja, ja!" oder: „Toll!".

Der Papagei freute sich und sang und pfiff und schrie.

20 Gegen sieben ging leider schon wieder die Sonne unter. Er mußte aufhören. Lange stand er noch vor dem Bild. „Das wird gut," sagte er, „morgen arbeite ich den ganzen Tag – oder den ganzen Nachmittag. Alles Gute wächst langsam."

a Wie lange arbeitete der Mann an diesem Tag?
b Wann (ungefähr) frühstückte er?
c Warum „eilte" er plötzlich nach Hause (Zeile 13)?
d Was war der Mann von Beruf?
e Was hielt er selbst von seiner Arbeit?

> *Für jede Knospe gibt es einen Frost, für jedes Talent eine Akademie.*
>
> WASSILY KANDINSKY
>
> *Halbe Theorie führt von der Praxis weg, ganze zu ihr zurück.*
>
> NOVALIS

8

Studie

Ergänzen Sie die Verben im Präteritum

a Früh um fünf _____ die Sonne auf.

b Aber er _____ bis elf im Bett und _____.

c Er _____ aus dem Fenster und studierte die Wolken.

d Er _____ seine Sommerjacke an und _____
die blaue Mütze auf.

e Er _____ in eine Galerie und _____ ein
paar Bilder von Kandinsky an.

f In einem kleinen Café _____ einen Espresso und
_____ ein Eis.

g Ich _____ ihn im Park und unterhielt mich mit ihm.

h Er _____ seiner Katze Milch und frisches Fleisch.

i Er _____ eine Virginia und _____ die
Abendzeitung.

k Der Mond _____ am Himmel.

9

Studie

Bitte ergänzen Sie die Verben, immer im Präteritum

Das Haus _____ in einem kleinen alten Park. Er _____ im Parterre, da

_____ er seine Bibliothek, einen kleinen Rauchsalon und eine Schlafkammer. Gegen

neun _____ er auf, wusch sich ein bißchen und _____ sich die schönen weißen

Haare. Überall suchte er die Zündhölzer, endlich _____ er sie und zündete sich eine
5 gute holländische Zigarre an.

Er _____ sich einen Kaffee, _____ sich in den roten Sessel, _____
die Morgenzeitung und rauchte.

Eine Stunde später _____ er vielleicht noch ein Gläschen Sherry, dann nahm er die

weiße Jacke vom Haken und _____ sie an, nun _____ er langsam durch den

₀ Park und _____ ein altes Lied vor sich hin.

Am Nachmittag sah man ihn am Ufer sitzen, da _____ er vielleicht eine Orange, unter-

hielt sich mit einer Dame oder mit den Kindern und _____ ihnen lustige Geschichten

und Märchen. Das war der Tag meines Lehrers Professor Gutekunst.

10 fakultativ

Schreibschule

Wählen Sie aus den folgenden Sätzen fünf
oder sechs und vollenden Sie die Sätze
im Präteritum

a   Die Dame nahm den Lippenstift und …

b   „Oh, ein rosa Brief," sagte sie und

c   Sie ging ans Telefon und

d   Sie stieg ins Taxi ein und

e   Im Domcafé

f   Sie zeigte ihm

g   Am Abend

h   Der Mond ging auf,

i   Er zog die Pistole,

k   Sie gab ihm ihr Scheckbuch,

11 fakultativ

Schreibschule

Wählen Sie aus den folgenden Sätzen fünf oder sechs und beginnen Sie die Sätze im Präteritum

a _____   und lag auf dem Boden.

b _____   und fand sie nicht.

c _____   und gab mir die Hand.

d _____   und aß es allein.

e _____   und gab ihm eine Ohrfeige.

f _____   und unterschrieb.

g _____   und weinten vor Glück.

h _____   und machte das Fenster zu.

i _____   zahlte und ging.

k _____   und warfen die Gläser an die
                                                                Wand.

12 fakultativ

Elemente

Die d-Wörter

Beachten Sie die kleinen Wörtchen, die mit d beginnen – die d-Wörter. Sie sind sehr häufig. Meist schaffen Sie die Anschlüsse.

Er bummelte über den Markt... Da kaufte er sich eine warme Wurst.

Anschluß ←⌐

Langsam ging er zum Bahnhof... Dort traf er seine Freunde.

Anschluß ←⌐

Er hatte eine alte Mütze auf... Die Mütze hatte drei Löcher.

Anschluß ←⌐

Er ging durch die Straßen spazieren... Dann setzte er sich in einen Biergarten.

Anschluß ←⌐

14

Elemente

DIE MODALVERBEN

Infinitiv	Präsens	Präteritum
wollen	ich will	ich wollte
	Sie wollen	Sie wollten
	du willst	du wolltest
	er will	er wollte
	sie will	sie wollte
	es will	es wollte
	wir wollen	wir wollten
	Sie wollen	Sie wollten
	ihr wollt	ihr wolltet
	sie wollen	sie wollten
können	ich kann	ich konnte
	Sie können	Sie konnten
	du kannst	du konntest
	er kann	er konnte
	sie kann	sie konnte
	es kann	es konnte
	wir können	wir konnten
	Sie können	Sie konnten
	ihr könnt	ihr konntet
	sie können	sie konnten

25

13 fakultativ

Schreibschule

Erzählen Sie einen Tag aus Ihrem Leben (nur fünf oder sechs Sätze).
Vergessen Sie nicht die d-Wörter.

> *Auch ein Weg von tausend Meilen beginnt mit einem Schritt.*
>
> *Keine Straße ist lang mit einem Freund an der Seite.*
>
> *Die Geduld nicht verlieren, auch wenn es unmöglich scheint, das ist Geduld.*
>
> *Die Lebenszeit ist die gleiche — ob man sie lachend oder weinend verbringt.*
>
> JAPANISCH

Infinitiv	Präsens	Präteritum
möchten	ich möchte	ich wollte
	Sie möchten	Sie wollten
	du möchtest	du wolltest
	er möchte	er wollte
	sie möchte	sie wollte
	es möchte	es wollte
	wir möchten	wir wollten
	Sie möchten	Sie wollten
	ihr möchtet	ihr wolltet
	sie möchten	sie wollten
müssen	ich muß	ich mußte
	Sie müssen	Sie mußten
	du mußt	du mußtest
	er muß	er mußte
	sie muß	sie mußte
	es muß	es mußte
	wir müssen	wir mußten
	Sie müssen	Sie mußten
	ihr müßt	ihr mußtet
	sie müssen	sie mußten

25

15
Studie

Bitte ergänzen Sie die Modalverben im Präteritum

a Wir _____ pünktlich kommen, aber wir _____ eine halbe Stunde auf die Straßenbahn warten.

b Ich _____ heute von sieben Uhr früh bis sieben Uhr abend an der Schreibmaschine sitzen.

c Wir _____ noch Blumen kaufen, aber alle Läden waren schon zu.

d Wie war der Flug? Sonne? _____ du was sehen?

e Ich _____ mit der Prinzessin persönlich sprechen.

f Sie rief dreimal an, aber sie _____ dich nicht erreichen.

g Ich _____ mir gestern zwei Zähne ziehen lassen.

h Das Hotel war miserabel, wir _____ in einer Kammer ohne Fenster übernachten.

i So ist meine Tante! Ich _____ Cognac und bekam Himbeersaft.

k Hast du mich ganz vergessen? Fünf Wochen keine Post! Und du _____ mir täglich schreiben!

16 ⊙⊙
Bitte sprechen Sie

Jetzt kommen Sie endlich!   → Ja ja, ich wollte schon gestern kommen.

Jetzt rufst du endlich an!
Jetzt schreiben Sie endlich!
Jetzt fängst du endlich an!
Jetzt hilft er endlich!
Jetzt kommt er endlich!
Jetzt fragt er endlich!
Jetzt ist sie endlich fertig!
Jetzt antwortet ihr endlich!
Jetzt seid ihr endlich da!

17 ⊙⊙
Bitte sprechen Sie

Leider kam er nicht.
→ Ich weiß. Er konnte nicht kommen.
Leider wußte er es nicht.
Leider antwortete er nicht.
Leider rief er nicht an.
Leider ging sie nicht mit.
Leider half er nicht.
Leider kam er nicht mit.
Leider wußte sie es nicht.
Leider half sie nicht.
Leider kam sie nicht.

25

18
Diktat

Ein paar Fischweiber wurden auf dem _____ vom Markt in ihr _____

von einem _____ Gewitter überrascht. Ein _____, dessen Blumenladen

am Wege lag, _____ sie auf.

Die Frauen legten sich in dem Blumenladen zur _____, aber sie _____

5 keinen Schlaf finden. Der _____ Geruch der Blumen war _____ zu

ungewohnt. Da _____ eine von ihnen die _____: sie _____

über die Blumen ein paar Kannen von ihrem _____. Tief _____ die

Fischweiber den Geruch ein und _____ bald in Schlaf.

Sie _____ noch, als der Gärtner _____ und den Laden _____

10 _____. Er _____ erst gar nicht, wo er war — so stark roch es nach

Fischen.

Indische Legende, erzählt von
HEINRICH ZIMMER

19
Textarbeit

a Warum übernachteten die Frauen in dem Blumenladen?
b Warum konnten sie erst nicht schlafen?
c Warum goß die Frau Fischwasser über die Blumen?
d Geben Sie der Geschichte einen Titel!
e Versuchen Sie die Logik der Geschichte in einem Satz zu sagen!

20 fakultativ (schwer)
Lesetext

Die Aretusa hatte neunzehn mann besatzung, dazu kamen der kapitän und dessen junge frau. Drei dänen waren darunter und einige norweger. Der kapitän war Jonathan Branley aus Hull. Der steuermann der Aretusa war ein Schotte, ein kräftiger mann, der sich
5 Edward Maclinder nannte.
Als das schiff vor Gibraltar kam, fuhren die zollbeamten an das schiff heran, um die ladung zu überprüfen. Es war mittag, juli und prächtiges sommerwetter.
Die herren vom zoll betraten die Aretusa, aber sie fanden zu ihrem
10 erstaunen keine menschenseele vor. Andrerseits schien alles in bester

9 6112

185

ordnung, nichts war angerührt, die kasse des kapitäns stimmte, der lagerraum war im besten zustand. Von piraterie konnte keine rede sein. Die drei herren vom zoll standen vor einem rätsel. Sie nahmen die dienstmützen ab und wischten sich den schweiß aus der stirne.

15 Frischgekochtes essen stand auf den tischen. Mr. Thompson tauchte den zeigefinger ein wenig in die halbvolle suppenterrine: ihr inhalt war noch warm!

Die flagge der Aretusa flatterte im wind. Von der besatzung aber, von dem kapitän und dessen frau war keine spur zu entdecken...

20 Das ist die geschichte der Aretusa, die mitte juni 1868 von Boston abfuhr und über deren besatzung nie mehr etwas gehört wurde.

H. C. ARTMANN

21 fakultativ
Textarbeit

a Wie lange fuhr das Schiff von Boston bis Gibraltar?
b Warum waren die Herren vom Zoll erstaunt?
c Warum betont der Autor, daß die Kasse des Kapitäns stimmte?
d Warum tauchte Mr. Thompson den Finger in die Suppe?
e Warum nennt der Autor die Namen des Kapitäns und des Steuermanns?
f Woher kam der Schweiß der Herren vom Zoll?

22 fakultativ
Textarbeit

H. C. Artmann schreibt — wie manche moderne Autoren — alle Wörter mit kleinem Anfangsbuchstaben. Bitte finden Sie nun in unserem Text die Wörter, die man normalerweise groß schreibt!

23
Erinnern Sie sich

Bitte lernen Sie diese Verben im Kontext

abhängen	„Kommen Sie mit?" — „Das hängt vom Fahrpreis ab."
aufgehen	Die Sonne geht auf. Die Blüten gehen auf.
untergehen	Die Sonne geht unter. Die Titanic geht unter.
eilen	Von allen Seiten eilt das Publikum ins Theater, denn die Vorstellung beginnt in fünf Minuten.
erreichen	Er hat sein Ziel pünktlich erreicht.
	Hoffentlich erreicht Sie dieses Telegramm in Caracas.
gucken	Er guckt durchs Fenster auf den Marktplatz.
	Mein Taschenspiegel, wo ist er denn? Ich muß mal in der Handtasche gucken.
kriechen	Die Schlange kriecht auf dem Boden.
	17 Uhr, Feierabend. Langsam kriecht der Verkehr durch die engen Straßen.
pfeifen	Der Wind pfeift.
	Die Lokomotive pfiff, der Zug fuhr ab.
regnen	Es regnet.
	Nun regnet es schon wieder den vierten Tag.
wachsen	In unserem Garten wächst ein Rosenbusch.
	Du bist aber schnell gewachsen!

24
Benutzen Sie das Wörterbuch

Adjektive:	Verben:		
wach	*wachen*	stark	_____
kühl	_____	süß	_____
kurz	_____	warm	_____
leer	_____	_____	altern
reif	_____	_____	trocknen

Und woher kommen die Verben erblinden, erfrischen, erkranken, erleichtern, ermüden, erröten, erschweren, erweitern?
Woher sind die Verben verdummen, verdunkeln, verfeinern, verlängern, sich verspäten, vertrocknen?

25
Rätsel

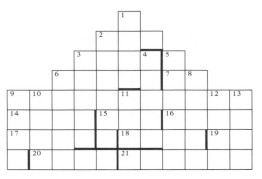

Waagrecht:

2 Kaffee oder _____ ?
3 nicht laut
6 Studenten-Restaurant
7 Spielkarte, eine sehr hohe!
9 ein hohes Fest

14 das ist _____ billig!

15 danke, _____ bin satt.
16 ein kluger Vogel

17 er ist sympathisch, er ist _____ .

18 ich gehe nach Hause, ich gehe _____ .

19 ich mache es _____ und nicht anders!

20 _____ danke, ich rauche nicht.

21 Bitte, _____ Sie heute zu uns zum Abendessen!

Senkrecht:

1 ich möchte keine Kartoffeln, ich möchte _____ .

2 spielen Sie _____ ?

3 Professor F. _____ Botanik an der Universität Leipzig.

4 ein Ding, ein Objekt, eine _____ .

5 ich bin zu Hause, ich bin _____ .

6 das Zimmer ist billig, ich zahle monatlich 110,– _____ .

8 er kann nicht sprechen, er ist _____ .
9 die Frage nach der Zeit

10 vor einer Minute, _____ war er noch da (gerade war er da).

11 _____ ! Schade! Da kann man nichts machen!
12 Kurzform für Elisabeth
13 unschönes modernes Licht, es tut den Augen weh.

26
Spiel

Er verschreibt sich.

_____

Er verfährt sich.

_____

Er verläuft sich.

_____

Ich habe mich verhört.

_____

Ich habe mich versprochen.

27
Erinnern Sie sich

Wie heißen Singular und Artikel?

Bienen	Bäder
Blumen	Fenster
Fische	Höfe
Gärtner	Läden
Getränke	Parks

28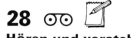
Hören und verstehen

Kapitel 26

1 👓
Bildgeschichte W / DIE DEUTSCHEN

1 Die Deutschen. Wer sind die Deutschen? Was tun die Deutschen? Wofür interessieren sich die Deutschen?

2 Sie interessieren sich für das Essen,

3 sie interessieren sich für das Trinken,

4 sie interessieren sich für – für – die Sonne,

5 sie interessieren sich für ihr Auto,

6 sie interessieren sich für ihre Arbeit,

7 sie interessieren sich für das Geld.

8 Und manchmal auch für die Kultur.

2 👓
**Variation der
Bildgeschichte W**

1 Die Deutschen. Wer sind die Deutschen? Was tun die Deutschen? Worüber reden die Deutschen?

2 Sie reden über das Essen,

3 sie reden über das Trinken,

4 sie reden über – über – über den Mond,

5 sie reden über ihr Auto,

6 sie reden über ihre Arbeit

7 und besonders viel über das Geld.

8 Und manchmal über die Kultur.

3 👓
**Variation der
Bildgeschichte W**

1 Die Deutschen. Wer sind die Deutschen? Was tun die Deutschen? Woran denken die Deutschen?

2 Sie denken an das Essen,

3 sie denken an das Trinken,

4 sie denken an – an – an die Natur,

5 sie denken an ihr Auto,

6 sie denken an ihre Arbeit

7 und ganz besonders gern an das Geld.

8 Und manchmal auch an die Kultur.

4
**Studie
Interview**

a Wofür interessieren Sie sich besonders?

Ich interessiere mich für _____ .

b Woran denken Sie besonders viel?

Ich denke _____ .

c Worüber reden Sie gern?

Ich rede _____ .

d Wenn Sie ein Problem haben – wen fragen Sie?

Ich frage _____ .

e Worüber freuen Sie sich ganz besonders?

_____ .

f Worüber wollen Sie nicht so gern reden?

_____ rede ich nicht gern.

g Schreiben Sie oft Briefe? An wen?

_____ .

h Spielen Sie gern Fußball? Nein? Was spielen Sie gern?

_____ .

i Worüber unterhalten Sie sich mit Ihren Freunden?

_____ .

k Was wünschen Sie sich am meisten?

_____ .

5

Elemente

**DAS VERB DIRIGIERT
DEN SATZ**

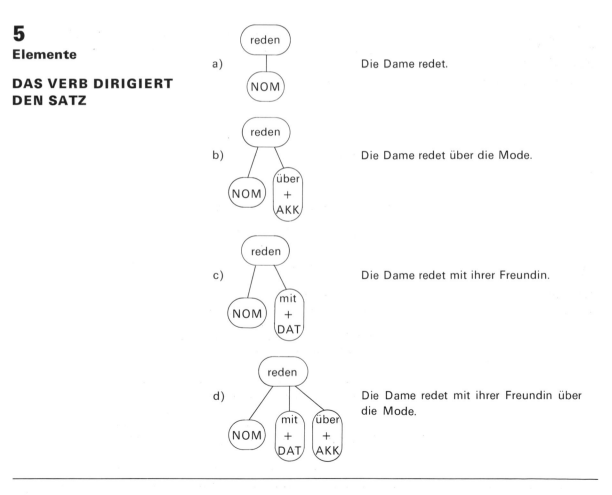

a) Die Dame redet.

b) Die Dame redet über die Mode.

c) Die Dame redet mit ihrer Freundin.

d) Die Dame redet mit ihrer Freundin über die Mode.

Wer ist wer?
Identifizieren Sie diese
Leute:
Marlene Dietrich
Die Lorelei
Karl Marx
Rainer Maria Rilke
Karl Valentin

Der Neandertaler
Adolf Hitler

Die Deutschen sind

zu   10% schön
zu   10% schrecklich
zu   90% schwierig und
zu 100% leicht verrückt

6
Diskussion

Beispiel: (denken)   Er denkt nur an das Geld.

(NOM) (an + AKK)

Notieren Sie ebenso:

a Man kann sich mit ihm prima unterhalten.
b Wir haben uns über seine Firma unterhalten.
c Mit dem kann man sich nur über Preise und Prozente unterhalten.
d Ihr Angebot interessiert mich.
e Er interessiert sich nur für ökonomische Probleme.
f Sie redet und redet.
g Am liebsten redet er über das Geld.
h Mit mir hat er noch nie über seine privaten Probleme geredet.
i ,,Wovon redest du?'' – ,,Ich rede vom Zweiten Weltkrieg.''
k Jetzt warte ich schon zwei Stunden auf dich!

7

Studie

Bitte bauen Sie Sätze

a	die Deutschen	unterhalten	Autos
b	Familie	träumen	Citroen*
c	Nachbar	bauen	Garage
d	ich	interessieren	BMW*
e	die Männer	diskutieren	Sportwagen
f	ich	denken	Mercedes*
g	die Leute	sprechen	Wetter
h	die Presse	schreiben	Benzinpreise
i	wir	suchen	Campingplatz
k	ich	warten	Bus

* Auto-Marken sind maskulin: der Mercedes, der VW...

8

Variation der Bildgeschichte

Nur Bilder 2 bis 7: Worüber unterhalten sich die Deutschen?
Wovon träumen die Deutschen?

9 fakultativ

Bitte sprechen Sie

Mode! Mode! Mode! Ich kann es nicht mehr hören!
→ Ach, wir reden doch nur ein bißchen über die Mode.
Schon wieder das blöde Geld!
Habt ihr denn kein anderes Thema als die Frauen?
Immer die Politik! Hört endlich auf damit!
Dein Haus in Spanien interessiert mich wirklich nicht!
Haben denn die Deutschen nichts anderes im Kopf als ihre Hunde?

10 fakultativ

Bitte sprechen Sie

Steht Ihr Mann wirklich den ganzen Tag vor Autogeschäften?
→ Ja, er interessiert sich nur für Autos.
Ist es wahr, daß Ihr Mann 5000 Kriminalromane gelesen hat?
Ist es wahr, daß Ihre Frau das ganze Geld unterm Bett hat?
Sitzt Ihr Mann wirklich Tag und Nacht im Büro?
Ist es wahr, daß Ihr Junge jeden Sonntag auf dem Fußballplatz verbringt?
Ist es wahr, daß Ihr Mann die ganze Zeit bei seiner Freundin ist?

11 👓
Kleiner Dialog

A Sie interessieren sich für einen Gebrauchtwagen?

B Ja, ich habe an einen VW gedacht.

A Der da ist sehr preiswert.

B Die Farbe gefällt mir gar nicht.

A Und der?

B Was kann der kosten?

A 2900, – DM. – Für Sie.

B Kilometerstand?

A 66 000. Der Wagen ist unfallfrei.

B Nicht übel. Aber über den Preis müssen wir uns noch unterhalten.

12
Fragen zum Dialog

13
Variation

N Sie suchen einen Gebrauchtwagen?

M Ich bin noch nicht so sicher. Ich denke _____

_____.

N Wie gefällt Ihnen _____?

M _____?

N 4800 DM.

M _____!

N _____? 1800 DM.

M _____?

N 110 000 km. Ganz neuer Motor.

M _____. Aber _____ Preis

_____ sprechen.

14
Variation

R _____ Gebrauchtwagen?

F Wir haben _____.

R Da habe ich _____

_____.

F _____?

R Nur 24 000 km!

F _____?

R 140 km in der Stunde.

F _____?

R 55 000 DM.

F _____!

R _____ Preis können wir natürlich reden.

F Was ist der äußerste Preis?

15
Studie

Bauen Sie Sätze mit den Verben

verkaufen   sich interessieren
sich unterhalten   sprechen
denken   sich informieren
leihen   bezahlen
suchen   träumen

16
Kleine Unterhaltung

Wofür interessieren sich die Leute, wenn sie eine Zeitung aufschlagen?

Mein Vater   Ein Bauarbeiter
Die Sekretärin   Ein Theaterintendant
Ich   Der Pfarrer
Mein Großvater   Meine Mutter
Ein Boxer   Der Finanzminister
Ein Fernsehdirektor   Der Lkw-Fahrer

17 ⊙⊙
Bitte sprechen Sie

In zwei Wochen ist Weihnachten. → Freust du dich auf Weihnachten?
Da. Ein Brief von Papa! → Freust du dich über den Brief?
Oh, das sind aber schöne Rosen!
Morgen fliege ich nach Paris.
Ich habe im Lotto eine Million gewonnen!
Morgen ist mein Geburtstag.
Im Sommer fahren wir nach Griechenland.
Danke! Ein wunderschönes Buch!

18 fakultativ ⊙⊙
Bitte sprechen Sie

Die Schulzeit war doch schön! → Denken Sie oft an Ihre Schulzeit?
Meine Frau ist jetzt schon seit zwei Monaten in Italien.
Nächste Woche kaufe ich mir ein neues Motorrad.
Mein Vater ist sehr krank.
Ach, jetzt bin ich 3000 km von daheim weg!
Ich verstehe nicht, warum Maria nicht schreibt.
Leider verstehe ich mich mit meinem Chef überhaupt nicht.
Ja ja, fünf Jahre lang war ich im Krieg.

19 fakultativ ⊙⊙
Bitte sprechen Sie

Text nur auf Tonband

20 fakultativ ⊙⊙
Suchen und finden

Text nur auf Tonband

21 ⊙⊙
Imitation

> *Das ist schön bei uns Deutschen: Keiner ist so verrückt, daß er nicht noch einen Verrückteren fände.*
>
> HEINRICH HEINE
>
> *Wer ist der größere Narr: der ein Narr ist, weil er nicht anders kann — oder der aus freiem Willen ein Narr ist?*
>
> CERVANTES

22
Studie

a Typisch deutsch! Er denkt nur _____ seine Arbeit.

b Er ist Spezialist für römische Münzen. Wenn er _____ Münzen spricht, hört er nicht mehr auf.

c Wenn er nach Italien kommt, interessiert er sich nur _____ Münzen.

d Er hat _____ römische Münzen neun Bücher geschrieben.

e Sein Fach ist Botanik. Er redet nur _____ Botanik.

f Er sieht nur Pflanzen, denn er ist Botaniker; auch im Urlaub interessiert er sich nur _____ Pflanzen.

g Er kennt nur sein Fach und spricht nur _____ sein Fach.

h Ich glaube, auch in der Nacht träumt er nur noch _____ Pflanzen.

23
Kombination

Ich bitte	auf ein Wiener Schnitzel.
Warum redest du immer nur	um ein Glas Wasser.
Bringen Sie doch	für Ihre Einladung.
Jetzt habe ich Lust	Menü Nr. 2.
Wir danken herzlich	über deinen Beruf?

24
Kombination

Er denkt nur	auf den Direktor.
Ich brauche	für Finanzpolitik.
Sie unterhalten sich meistens	einen neuen Schreibtisch.
Ich interessiere mich	an seinen Geldbeutel.
Wir warten	über die Marktpreise.

25
Kombination

Er unterhält sich am liebsten	von ihrer Hochzeit
Sie träumt nur	um den Zimmerschlüssel.
Gott, ich habe so Angst	an dich.
Ich denke Tag und Nacht	über Pferde.
Interessieren Sie sich	für Münzen?
Ich bitte	vor der Prüfung.

26 ⊙⊙
Suchen und finden

Hast du keine Lust?   → Auf ein Eis? Doch!
Fragst du bitte?   → Den Chef? Gut.

Können Sie noch ein bißchen warten?
Haben Sie es nicht gefunden?
Haben Sie Angst?
Kommt ihr heute abend?
Hast du dich nicht informiert?
Bezahlst du nicht?

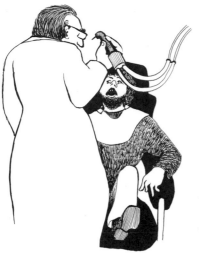

27 ⊙⊙
Suchen und finden

Haben Sie wirklich Angst?   → Ja, vor dem Zahnarzt habe ich
                                                                immer Angst.
Du schreibst aber einen langen Brief!   → Ja, ich schreibe dem Opa.

Woher kommt ihr so spät?
Mein Gott, ihr unterhaltet euch immer noch!
Worauf warten Sie?
Interessieren Sie sich auch für Musik?
Was suchst du?
Gehen Sie schon?

28 fakultativ
Studie

Bitte formulieren Sie die Fragen zu den folgenden Antworten

_____ ? – Das Volk wählt das Parlament.

_____ ? – Das Parlament wählt den Kanzler.

_____ ? – Im Parlament sitzen die Abgeordneten der
vier Parteien.

_____ ? – Der Bundesrat repräsentiert die Länder der
Bundesrepublik.

_____ ? – Der Kanzler stellt die Regierung zusammen.

29 fakultativ
𝕷𝖊𝖘𝖊𝖙𝖊𝖝𝖙

Wer hat in der Bundesrepublik Deutschland das politische Steuer in der Hand? Wenn man vom Buchstaben des Gesetzes ausgeht, sind es vor allem drei Instanzen:

das Parlament,
5   der Bundespräsident,
die Regierung.

Der *Bundespräsident* ist nur für die offizielle Repräsentation des Staates da. Er hat keine politische Macht.

Das *Parlament* besteht aus zwei Häusern: Bundestag und Bundesrat.
10 Der *Bundestag* spiegelt direkt die Wahl des Volkes: das Volk wählt die Parteien in den Bundestag. Eine Partei kommt in den Bundestag, wenn sie mehr als 5% der Stimmen des Volkes hat; darum haben die kleineren Parteien (Nationalisten, Kommunisten) hier keinen Sitz. Im Bundestag sitzen die Konservativen (CDU und CSU), die Sozial-
15 demokraten (SPD) und die Liberalen (FDP).

Der *Bundesrat* repräsentiert die Länder. Er kann die Arbeit des Bundestags bremsen oder gar blockieren. Er ist eine Art Gegengewicht gegen die Impulse von Bundestag und Regierung und stellt so die Balance im Staat her.
20 Der Bundestag wählt den *Bundeskanzler*. Der Bundeskanzler stellt die *Regierung* zusammen. Der Kanzler hat eine starke Position. In wichtigen, vor allem außenpolitischen Fragen hat er gewisse Freiheiten. Er hängt also nicht total vom Parlament ab.

Wer steuert also diesen Staat?
25 Sicher in erster Linie der Kanzler und die Parteien. Wir dürfen aber nicht nur von den offiziellen Instanzen ausgehen. Zwei weitere Kräfte spielen mit, solange die Bundesrepublik eine echte Demokratie ist. Diese Kräfte vergißt man leicht. Erstens die *Presse*. Sie hat eine hohe politische Verantwortung (die sie selbst nicht immer voll begreift).
30 Zweitens das *Individuum*, der Bürger. Denn er wählt ja das Parlament, die Parteien.

Leider kennt das Individuum, der einzelne nur zu selten das Gewicht der Verantwortung, das auf ihm liegt.

30 fakultativ
𝕿𝖊𝖝𝖙𝖆𝖗𝖇𝖊𝖎𝖙

a   Nennen Sie die Mächte, die über die Politik der Bundesrepublik entscheiden.
b   Welche Funktion hat die Presse?
c   Welchen Einfluß hat der Bundesrat?
d   Warum hat der einzelne eine hohe politische Verantwortung?
e   Warum gibt es im bundesdeutschen Parlament keine Kommunisten?
f   Warum hat das Parlament zwei Häuser?
g   Welche Mächte sind — nach Ihrer Meinung — die stärksten?
h   Vergleichen Sie mit Ihrem Land!

31 fakultativ
Redeübung

Berichten Sie über das politische System Ihres Landes. Machen Sie sich Notizen und sprechen Sie dann frei!

32 fakultativ
Studie

a Die Regierung ist _____ das Volk da, nicht das Volk _____ die Regierung.

b Interessieren Sie sich _____ Kulturpolitik?

c Früher träumten die Menschen _____ der Demokratie, in der das Volk die Politik macht. Heute träumen manche wieder _____ der alten Monarchie.

d Das demokratische System der Bundesrepublik hat sich als sehr stabil erwiesen. Das kommt vor allem _____ der guten Balance zwischen der Regierung und der parlamentarischen Kontrolle.

e Früher gab es nur die deutschen Länder. Sie waren frei und _____ deutschen Kaiser kaum abhängig.

f Das Wort „die Deutschen" bedeutet einfach: Volk. Das Wort „die Germanen" kommt _____ dem Lateinischen und bedeutet: die Verwandten.

33 ⊙⊙
Kleiner Dialog

Dame: Haben Sie Rheuma?
Herr: Nein.
Dame: Aber Sie haben Angst _____ Rheuma?
Herr: Stimmt, woher wissen Sie das?
Dame: Eben haben Sie eine Kastanie _____ die Hosentasche gesteckt.
Herr: Und Sie meinen, das hilft?
Dame: Das hängt _____ Ihrer Einstellung ab.

34
Variation

Herr Hammer:	Interessieren Sie sich _____ Astrologie?
Herr Nagel:	Nein, ich bin ganz gegen Astrologie.
Herr Hammer:	Aber gerade lesen Sie…
Herr Nagel:	Ich?
Herr Hammer:	Gerade lesen Sie doch Ihr Horoskop, hier in der Zeitung!
Herr Nagel:	Stimmt. Wissen Sie, ich habe heute ein wichtiges Gespräch _____ dem Generaldirektor.
Herr Hammer:	Sie haben Angst _____ dem Gespräch?
Herr Nagel:	Vielleicht, ein bißchen.
Herr Hammer:	Aha, darum lesen Sie Ihr Horoskop!
Herr Nagel:	Ja ja, man kann nie wissen.

35
Redeübung

Erzählen Sie von abergläubischen Dingen in Ihrem Land. Machen Sie sich Notizen und sprechen Sie dann frei!

36 ⊙⊙
Szene

Reporter:	Gibt es fliegende Untertassen, gibt es keine?
Dame:	Gott, man kann nie wissen.
Reporter:	Sie glauben also, es gibt fliegende Untertassen? Haben Sie auch Angst davor?
Dame:	_____ den fliegenden Untertassen? Nein.
Reporter:	Und Sie, was denken Sie? Gibt es fliegende Untertassen?
Junger Mann:	Ja ja, man redet viel _____ die fliegenden Untertassen. Aber ich finde das Quatsch.
Reporter:	Sie sind Ausländer? Woher kommen Sie?
Herr:	_____ Griechenland.
Reporter:	Gibt es fliegende Untertassen, gibt es keine? Was meinen Sie?
Herr:	Vielleicht kommen die fliegenden Untertassen _____ Ihnen nach Deutschland. Zu uns nach Griechenland kommen nur riesige Lufthansa-Maschinen _____ deutschen Touristen.

37
Fragen zur Szene

38 fakultativ
Schreibschule

Was können Gastarbeiter und deutsche Arbeiter voneinander lernen?
Eine Umfrage bei *deutschen* Arbeitern ergab folgendes Resultat:

Deutsche Arbeiter können von Gastarbeitern lernen:
Freundlichkeit, Bescheidenheit, Essen und Kochen, Toleranz.

Gastarbeiter können von deutschen Arbeitern lernen:
Fleiß, Pünktlichkeit, Ordnung, Sparsamkeit.

Bitte schreiben Sie nun einen kurzen Essay. Beginnen Sie vielleicht
so:

Die Deutschen halten die Gastarbeiter für toleranter, ...

39
Erinnern Sie sich

Bitte lernen Sie diese Sätze:

Das ist richtig.   Das stimmt ganz genau.
Das ist falsch.   Das stimmt überhaupt nicht.
Er ist schon fünfzehn Jahre unfallfrei gefahren.
So ein Quatsch! Fliegende Untertassen gibt es doch nicht.
Quatschen Sie nicht so dummes Zeug.
So ein Unsinn!
Haben Sie Feuer? Gibt es hier irgendwo Zündhölzer?

40

Erinnern Sie sich

Erklären Sie diese Nomen:

Briefträger	Hosentasche
Gebrauchtwagen	Lebenspartner
Heiratsanzeige	Riesenrad
Hochwasser	Segelboot

41

Erinnern Sie sich

Wie heißt das Gegenteil?

anfangen	preiswert
aufschlagen	riesig
häßlich	untergehen
herb	vertrauen
meistens	wachen

42 ⊙⊙ 📝

Hören und verstehen

1 Was fehlt dem Herrn?
2 Was braucht die Dame?
3 Was fehlt der Dame?
4 Was fehlt dem Herrn?
5 Was fehlt dem Herrn?
6 Was braucht die Dame?
7 Was brauchen die Spieler?
8 Was fehlt dem Herrn?

> *Man träumt entweder gar nicht oder interessant. Man muß lernen, ebenso zu wachen: gar nicht oder interessant.*
>
> FRIEDRICH NIETZSCHE

Leonardo da Vinci: Physikalische Skizze

1

Elemente

AUSSAGE UND BITTE

Die Prosodie – das Auf und Ab der Stimme beim Sprechen – erfüllt im Deutschen zwei Aufgaben: eine syntaktische und eine expressive Aufgabe.

SYNTAKTISCHER AKZENT

Am Ende einer Aussage oder Bitte senken wir die Stimme:

Ich kenne die Oper.

Er ist Kunstmaler.

Sie hat ihr Auto verkauft.

Langsam aber sicher wurde ich ungeduldig.

Kommen Sie hierher!

Prosodisches Zwischenspiel (1)

2
Studie

Bilden Sie zehn kurze Sätze wie die obigen, und schreiben Sie die Sätze nieder. Markieren Sie die Betonung und lesen Sie laut.

3
Elemente

AUSSAGE UND BITTE

EXPRESSIVER AKZENT

Emotionales Sprechen: die Stimme hebt die wichtigsten Momente des Satzes heraus.
Unterschiede zwischen Hauptakzent und Nebenakzent: bei geringer Emotion bleibt der Unterschied gering, bei starker Emotion wird er groß.

Ich kenne die Oper.   *oder*   Ich kenne die Oper.

Er ist Kunstmaler.   *oder*   Er ist Kunstmaler.

Ich habe keinen Pfennig Geld mehr.   *oder*   Ich habe keinen Pfennig Geld mehr.

4
Studie

Bilden Sie zehn kurze Sätze wie die obigen und schreiben Sie die Sätze nieder. Markieren Sie
a) geringe emotionale Beteiligung
b) starke emotionale Beteiligung
und lesen Sie laut.

Kapitel 27

1 ⊙⊙
Kleiner Dialog

1. Herr: Kommen Sie auch zu dem Deutschkurs?
2. Herr: Ja.
1. Herr: Und können Sie mir sagen, wo der Kurs ist?
2. Herr: Oben im dritten Stock.
1. Herr: Aha. Verzeihung, noch eine Frage: wissen Sie, wann der Kurs anfängt? Hoffentlich nicht zu früh!
2. Herr: Um acht Uhr früh. Leider, leider.
1. Herr: O Gott!

2
Variation

1. Dame: Kommen Sie auch zu der Modenschau?
2. Dame: Natürlich!

1. Dame: Können Sie mir vielleicht auch sagen, wo _____

_____ .

2. Dame: Im Palas-Hotel.
1. Dame: Mmmmm, sehr nett. Und noch eine Frage, bitte:

wissen Sie, _____ anfängt?

2. Dame: _____ .
1. Dame: Vielen Dank für die Auskunft!

3
Spiel

Fragen Sie nach

dem Optiker-Kongreß
der Reitstunde
dem Stenokurs
der Industriemesse
dem Ballettunterricht
dem Chirurgen-Kongreß

4
Kleiner Dialog

1. Student: Entschuldigung, wissen Sie, wo die Aula ist?
2. Student: Gleich hier.
1. Student: Und bitte, können Sie mir sagen, wann die Vorlesung anfängt?
2. Student: Welche Vorlesung?
1. Student: Über Napoleon.
2. Student: Über Napoleon? Keine Ahnung, ich bin Tierarzt.

5
Spiel

Fragen Sie nach dem Seminarraum
        dem Hörsaal 122
        der Vorlesung über Albertus Magnus
                            Shakespeare
                            Einstein
                            Thomas Mann
                            Brahms
                            Lao Tse

6
Studie

(Mehrere Möglichkeiten)

a Können Sie mir sagen, _____ die Universität ist?

b Wissen Sie, _____ die Vorlesung anfängt?

c Können Sie mir sagen, _____ das Buch kostet?

d Ich weiß leider nicht, _____ die Dame gegangen ist.

e Weißt du, _____ Christoph wohnt?

f Ich habe keine Ahnung, _____ das Theaterstück zu Ende ist.

g Bitte, ich möchte wissen, _____ der Kurs kostet.

h Bitte sagen Sie mir doch, _____ Sie zurückkommen!

i Weißt du, _____ das Buch gehört?

k Keine Ahnung, _____ den Brief unterschrieben hat.

7
Studie

(Mehrere Möglichkeiten)

a Können Sie mir sagen, wann die Vorlesung _____?

b Können Sie mir erklären, wo die Westfalenhalle _____?

c Wissen Sie, wo die Aula _____?

d Darf ich fragen, wie alt Sie _____?

e Darf ich mal fragen, wann die Vorlesung zu Ende _____?

f Ich weiß nicht, wo die Mensa _____.

g Weißt du, wo Marias Eltern _____?

h Darf ich fragen, ob Sie verheiratet _____?

i Wissen Sie, wo ich dieses Buch _____?

k Ich weiß nicht, ob er Ausländer _____.

8
Elemente

DIE FRAGE

Direkte Frage	Indirekte Frage

W – Fragen:

1 Wo ist der Konzertsaal? = Können Sie mir sagen, wo der Konzertsaal ist?

2 Wann beginnt das Symphoniekonzert? = Wissen Sie, wann das Symphoniekonzert beginnt?

3 Was kosten die Karten? = Keine Ahnung, was die Karten kosten.

4 Wer spielt die erste Violine? = Wissen Sie vielleicht, wer die erste Violine spielt?

Ja-Nein-Frage:

5 Gehen Sie auch in das Konzert? = Darf ich fragen, ob Sie auch in das Konzert gehen?

9
Studie

(Mehrere Möglichkeiten)

a Darf ich mal fragen, _____ Sie Polnisch können?

b Wissen Sie, _____ man hier Polnisch lernen kann?

c Mich interessiert vor allem, _____ den Unterricht gibt.

d Wissen Sie, _____ das kostet?

e Darf ich mal fragen _____ Sie noch ledig sind?

f Können Sie mir sagen, _____ das Studentenheim ist?

g Wissen Sie vielleicht, _____ Studenten hier wohnen?

h Können Sie mir vielleicht sagen, _____ man hier gut essen kann?

i Darf ich Sie mal fragen, _____ Sie Kinder haben?

k Können Sie mir bitte sagen, _____ die Poliklinik ist?

10
Elemente

DAS VERB DIRIGIERT DEN SATZ

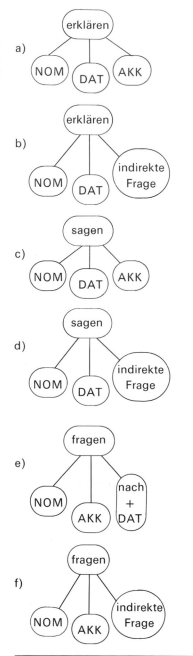

a) Ich erkläre Ihnen den Weg zur Universität.

b) Ich erkläre Ihnen, wie Sie zur Universität kommen.

c) Bitte sagen Sie mir doch den Preis der Konzertkarte.

d) Bitte können Sie mir sagen, was die Konzertkarte kostet?

e) Ich frage die Sekretärin nach der Post.

f) Ich frage die Sekretärin, ob die Post schon gekommen ist.

11
Suchen und finden

Ich frage den Ober, → was ich zahlen muß.
Ich frage den Polizisten, → wie ich zum Bahnhof
                                                komme.

Ich frage den Arzt, Ich frage den Maler,
Ich frage den Busfahrer, Ich frage die Kranken-
Ich frage die Sekretärin,   schwester,
Ich frage den Portier, Ich frage den Auto-
Ich frage den Schaffner,   händler,
Ich frage die Studentin, Ich frage die Stewardeß,

12
Kombination

Ich möchte Deutsch lernen. Wissen Sie,	was der Stadtplan kostet?
Frag doch im Reisebüro	wie alt Sie sind?
Darf ich indiskret fragen,	die Kamera.
Ach, bitte erklären Sie mir nochmal	wo es hier Sprachkurse gibt?
Können Sie mir sagen,	nach dem Preis!

13
Kombination

Können Sie mir sagen,	ein gutes Hotel?
Zeig mir doch bitte	warum so ein schönes Mädchen noch nicht verheiratet ist.
Ich bin fremd hier. Wissen Sie hier	ob du noch Schmerzen hast.
Ich verstehe nicht,	den schnellsten Weg zum Bahnhof!
Dr. Heim hat angerufen,	wie spät es ist?

14
Kleiner Dialog

A Darf ich mal fragen, _____ Sie studieren?
B Geschichte und Geographie.

A Darf man wissen, _____ Sie dann später werden wollen?
B Lehrer.
A Aber haben Sie überhaupt eine Ahnung, _____ Sie eine Stelle kriegen?
B Darüber zerbreche ich mir jetzt noch nicht den Kopf. Vielleicht mache ich dann später eine Pizzeria auf.

15
Spiel

Führen Sie ähnliche Gespräche!

16
Kleiner Dialog

A Ich frage mich immer, _____ wir uns nicht schon irgendwo gesehen haben.
B Ich kann mich nicht erinnern.

A Darf ich mal fragen, _____ lange Sie schon hier in Hamburg sind?

Führen Sie den Dialog weiter!

17
Spiel

Führen Sie ähnliche Gespräche!

18 ◉◉
Szene

Alter Herr:	Also Sie! Sie haben meine Tochter geheiratet.
Junger Herr:	Ja.
Alter Herr:	Darf ich mal fragen, was Sie überhaupt von Beruf sind, was Sie arbeiten, wo Sie arbeiten?
Junger Herr:	Ich bin meistens zu Hause.
Alter Herr:	Zu Hause! Zu Hause! Können Sie mir sagen, was Sie da den ganzen Tag tun?
Junger Herr:	Oh, so gegen neun stehe ich auf.
Alter Herr:	Gegen neun.
Junger Herr:	Dann frühstücke ich bis zehn.
Alter Herr:	Eine Stunde lang.
Junger Herr:	Eine Stunde lang. Dann lese ich die Zeitung. Und dann fahre ich meistens weg.
Alter Herr:	Darf ich mal fragen, was Sie überhaupt verdienen?
Junger Herr:	Verdienen? Ich habe alles, was ich brauche.
Alter Herr:	Und darf man wissen, wo Sie wohnen?
Junger Herr:	Ach, in einem kleinen Garten am Meer. Ich weiß ja nicht, ob ich Sie da mal einladen darf.
Alter Herr:	In einem kleinen Garten wohnt er. Und heiratet meine Tochter.

(Isolde und die alte Dame treten ein.)

Isolde:	Was ist denn hier los?
Alte Dame:	Wilhelm! Wilhelm! Ich bitte dich! Weißt du, wer der junge Mann ist? *(Geflüster.)*
Alter Herr:	Wie bitte? *(Geflüster.)* Wie — wieviel Schiffe?
Junger Herr:	So gegen sechzig Handelsschiffe und so weiter.
Alter Herr:	Tja — ich — ich verstehe —
Alte Dame:	Wilhelm, ich hoffe, du entschuldigst dich.
Alter Herr:	Hm.
Alte Dame:	Wilhelm!
Alter Herr:	Nun gut.
Isolde:	Du bist einverstanden, Papa?
Alter Herr:	In Ordnung. Sechzig Handelsschiffe. Warum hast du mir das nicht gleich gesagt, Isolde?

19
Fragen zur Szene

20
Suchen und finden

mündlich

Bitte fragen Sie in ganzen Sätzen und antworten Sie in ganzen Sätzen!

Name   Darf ich fragen, wie Sie heißen?
Geburtstag
Geburtsort
Heimatadresse
Land
Name der Eltern
Beruf des Vaters
Schule
Studium
Examen
Beruf oder Berufsziel

21
Schreibschule

Schreiben Sie Ihren Lebenslauf!

22 ⊙⊙
Bitte sprechen Sie

Wie alt sind Sie?   → Warum wollen Sie wissen, wie alt ich bin?
Wo wohnen Sie?
Haben Sie Geld?
Sind Sie verheiratet?
Was verdienen Sie?
Haben Sie einen Freund?
Wo arbeiten Sie?
Wohin gehen Sie?

23 fakultativ ☉☉
Suchen und finden

Text nur auf Tonband

24 fakultativ ☉☉
Suchen und finden

Wer ist die Dame da?   →Interessiert mich nicht, wer die Dame ist.
Ist sie Schauspielerin?   →Interessiert mich nicht, was sie tut.
Sie kommt aus Italien, denke ich.
Der Vater muß Millionär sein.
Sie sieht intelligent aus.
Aber die blonden Haare, die sind nicht echt.
So viel ich weiß, hat sie einen tollen Alfa Romeo.
Sie wohnt jetzt in Blankenese.

25
Diktat

Ob er das _____ Genie des 20. Jahrhunderts war

(wie einer seiner Schüler _____) – das wird eine

_____Zeit beurteilen können. Ludwig Wittgen-

stein (_____) wurde in Wien_____.

5 Mit _____ Jahren baute er eine Nähmaschine, die

die _____ bewunderten, mit neunzehn baute er

ein _____. Er war hochmusikalisch und spielte

_____ Klarinette.

Nach einem technischen, mathematischen und philosophischen

10 _____ in Berlin, Manchester und Cambridge kam

Ludwig Wittgenstein

er, mit 24 Jahren, in den _____ eines Millionenkapitals. Den größten Teil davon

verschenkte er anonym an _____ österreichische _____. Im Jahre 1912
erschien sein bekanntestes philosophisches Werk, der „Tractatus".

Sechs Jahre lang lebte Wittgenstein als _____ in einigen Orten Nieder-

15 österreichs und edierte _____ ein _____ für Volksschulen. Im Jahr 1929

kehrte er nach England _____ und lehrte (ab 1939 als Professor) an der Universität
Cambridge.

Mit seinen Werken wollte Wittgenstein „nicht Anderen das _____ ersparen,

sondern, wenn es _____ wäre, jemand zu eigenen Gedanken anregen" (wie er

20 _____ sagt).

26 fakultativ (schwer)

Lesetext

Es folgen drei Biographien ohne Namen. Wer war es?

I

Er ist in Prag geboren und im Alter von vierzig Jahren in Wien gestorben.
Schon auf den Kinderfotos kann man (wie er selbst über sich sagt)
seine „Ängstlichkeit und totenaugenhafte Ernsthaftigkeit" bemerken. In
seinem ganzen Leben gab es nur einen Menschen, zu dem er ein gleich-
5 bleibendes, echtes Vertrauen hatte — seine jüngere Schwester Ottla.
Jeder weiß, an welcher Krankheit er gestorben ist — an Lungentuberkulose. Diese Krankheit: natürlich war sie ein Unglück und führte,
nach acht Jahren des Kampfes, zu seinem Tod. Aber er empfand sie
anders, sie gab ihm „die Freiheit" (wie er selbst schreibt), vor allem die
10 Freiheit vom Beruf.
Wie wenig er diesen Beruf liebte, versteht man, wenn man vergleicht:
den äußeren Beruf und die innere Aufgabe. Von Beruf war er Jurist
und Angestellter einer Versicherung. In Wirklichkeit war er Schriftsteller, vielleicht der wichtigste europäische Prosa-Autor dieses Jahr-
15 hunderts.
Wie bedeutend er war, das hat man erst 25 Jahre nach seinem Tod
bemerkt. Erst seit 1950 gibt es in Deutschland Bücher von ihm zu
kaufen. Jedes seiner Bücher erfüllt die Aufgabe, die er sich selbst
gestellt hat: „Ein Buch muß die Axt sein für das gefrorene Meer in uns."

II

„Sie ist eine miserable Hausfrau, aber eine sehr gute Schauspielerin.
Sie hat immer einige Freunde, denn mit Frauen verträgt sie sich
schlecht. Vielleicht verträgt sie sich mit Frauen so schlecht, weil sie
immer einige Freunde hat." Dies sagte ihr Mann über sie, der Kompo-
5 nist Kurt Weill.
Ihre Mutter war Wäscherin, ihr Vater Kutscher. Sie ist im Jahr 1900
in Wien geboren. Mit sechs Jahren ging sie zum Zirkus, mit acht war
sie eine Attraktion als Seiltänzerin, mit vierzehn ging sie zum Ballett.
Sie spielte die großen Rollen, sang die großen Chansons in den Stücken
10 von Brecht und Weill – in der Dreigroschenoper, in „Mahagonny".
Nach dem Tod ihres Mannes heiratete sie den 25 Jahre jüngeren
Maler Russ Detwiler.
Sie konnte keine Noten lesen. Aber wer ihre Stimme einmal gehört
hat, vergißt sie nicht – halb zerbrechlich, halb Kinderstimme, zwischen
15 Zirkus und Romantik, „süß, hoch, leicht, gefährlich, kühl, mit dem
Licht der Mondsichel," schreibt Ernst Bloch über sie. Sie ist nicht die
bekannteste, aber wohl die geistreichste Sängerin unseres Jahrhunderts.

III

„Gott ist tot," heißt sein bekanntester Satz. Die Frage, warum er ein
Leben lang fanatisch gegen das Christentum kämpfte, haben manche
mit dem Hinweis beantwortet: weil sein Vater Pfarrer war.
Aber ich weiß nicht, ob man es sich so leicht machen darf. Er war
5 ein besonders frommes Kind und hat als Kind „Gott in seinem ganzen
Glanze gesehen," wie er später berichtete. Mit zehn Jahren schrieb
er Gedichte und komponierte ein Musikstück, mit fünfundzwanzig war
er Professor für antike Literatur an der Universität Basel. Man hat viel
darüber diskutiert, wo der Grund für seinen späteren Wahnsinn lag,
10 manche haben es sich mit der Erklärung wieder allzu leicht gemacht.
Nach seinem Zusammenbruch (1889) lebte der Nervenkranke noch
elf Jahre eines traurigen Daseins und starb 1900 in Weimar.
Man hat ihn als Anti-Moralist bezeichnet. Aber seine Moral war eine
Moral „jenseits von Gut und Böse," ein großes Denken, das keiner
15 Gefahr auswich. Dieser heißblütige, schwerkranke Mann schrieb eine
Sprache der Kühle und predigte die Härte gegen sich selbst: „Ich will
es so schwer haben, wie nur irgendein Mensch es hat."

27
Erinnern Sie sich

Bitte lernen Sie die Sätze:

Ich bitte um Entschuldigung.   Ich möchte mich entschuldigen.
Entschuldigen Sie bitte.   Ich möchte mich bei Ihnen
entschuldigen.

Verheiratet bin ich nicht, ich bin ledig.
Das Konzert ist gleich aus.
Das Konzert ist gleich zu Ende.
Sie studieren Chemie?
An welcher Universität studieren Sie denn?
Bei welchem Professor hören Sie denn?

28
Erinnern Sie sich

Von welchen Verben kommen diese Nomen:
das Angebot, der Anruf, der Bekannte, der Fund, der Gedanke, der
Kuß, die Lage, die Leistung, der Schlüssel, der Verstand.

29
Studie

Bauen Sie Sätze:

sich freuen   *Ich freue mich über Deine Rosen.*
diskutieren, denken, sich interessieren, warten, träumen, reden, sich
unterhalten, Angst haben, sich entschuldigen.

30
Rätsel

Finden Sie zu jedem Wort ein Synonym! Die Anfangsbuchstaben
ergeben den Namen für ein spezielles Zimmer in altmodischen,
großen Häusern.

sprechen _____

telefonieren _____

Quatsch _____

Sekt _____

Universität _____

Palast _____

Schriftsteller _____

Geschäft _____

Sturm _____

keiner _____

31 ⊙⊙
Hören und verstehen

Wählen Sie die beste Antwort

1 a Aber alle reden von ihm.
   b Ich höre heute so schlecht.
   c Das Orchester spielt morgen abend.
   d Wer hat das gesagt?

2 a Aber die gehen doch so leise.
   b Krokodile können nicht essen.
   c Der Nil ist breiter, als du denkst.
   d Da mußt du keine Angst haben.

3 a Ach darum ist das Licht so grün.
   b Aber auf dem Mond gibts doch keine Luft!
   c Hör endlich auf mit dem Unsinn!
   d Es sind ja auch nur Menschen.

4 a Hier fehlen ja die Spaghetti.
   b Bringen Sie sie doch in den Laden!
   c Dann kann ich Ihnen auch nicht helfen.
   d Haben Sie denn keinen Stadtplan?

5 a Wohin gehst du denn?
   b Zähl sie doch!
   c Das ist ja auch egal.
   d Wer steht auf der Liste?

6 a Dann schau doch mal nach!
   b Die sind kaputt.
   c Der Ingenieur kommt gleich.
   d Sie sind sicher allein weg.

Prosodisches Zwischenspiel (2)

1
Elemente

FRAGE

SYNTAKTISCHER AKZENT

A. W-Frage (Fragewort am Anfang):

Auch am Ende einer W-Frage senken wir die Stimme.

Wie heißen Sie?
· • · ↘

Wo wohnt er?
· • ↘

Wann sind Sie angekommen?
· · · • · · ↘

Wofür ist der Bundespräsident da?
· · · · • · · · ↘

Prosodisches Zwischenspiel (2)

B. Ja-Nein-Frage (Verb am Anfang):

Am Ende einer Ja-Nein-Frage heben wir aber
die Stimme.

　　　Gehen Sie schon?

　　●　·　·　　↗

　　　Fahren Sie mit dem Auto?

　·　·　·　·　·　●↗

　　　Kennst du sie?

　●　　·　↗

　　　Kommen Sie auch zu der Modenschau?

　·　·　·　●　·　·　·　·　↗

EXPRESSIVER AKZENT

A. W-Frage:

　　　Warum sagst du kein Wort?

　·　·　●　·　·　　↘

oder

　　　　●

　·　·　　·　·　　↘

　　　Woher kommst du so spät?

　·　·　●　·　·　　↘

oder

　　　●

　·　·　　·　·　　↘

*B. Ja-Nein-Fragen werden noch intensiver, wenn wir die Haupt-
betonung tief legen.*

　　　Gehen Sie schon?

　●　·　·　↗

oder

　　·　·　↗

　●

　　　Bist du verrückt geworden?

　·　·　●　·　·　↗

oder

　·　·　·　·　·　↗

　　●

2
Studie

Schreiben Sie zehn kurze Fragen
nieder. Markieren Sie
a) geringe emotionale Beteiligung
b) starke emotionale Beteiligung
und lesen Sie laut.

Kapitel 28

1

𝔏𝔢𝔰𝔢𝔱𝔢𝔵𝔱

Johann Carl Fuhlrott

Einige Arbeiter entdeckten 1856 im Neandertal bei Düsseldorf ein paar alte Knochen. Den Teil eines Schädels und einige lange Knochen brachten sie dem Lehrer Johann Carl Fuhlrott. Fuhlrott begriff sofort, daß dies ein sensationeller Fund war.

5 Er schickte eine Kopie des Schädels nach Bonn, und Professor Schaafhausen von der Bonner Universität erkannte, daß dies die Knochen eines Menschen waren, er nahm an, daß der Schädel nicht von einem Kranken stammte, sondern von einem gesunden Menschen einer ganz alten Rasse.

10 Johann Carl Fuhlrott trug seine Hypothese 1857 in der Naturwissenschaftlichen Gesellschaft in Bonn vor. Aber keiner glaubte, daß die Knochen wirklich alt waren. Der Göttinger Anatom Wagner war sicher, daß der Schädel einem holländischen Bauern gehörte. Der Bonner Anatom Meyer fragte, ob

15 die Knochen von einem russischen Soldaten von 1814 stammten. Der Engländer Pruner wußte genau, daß der Schädel typisch keltisch war, und Blake nannte es den Schädel eines Idioten. Der berühmte Arzt Rudolf Virchow zeigte, daß der Schädel von einem alten kranken Menschen der Neuzeit stammen mußte.

20 Nur wenige Professoren stellten die Frage, ob man hier vielleicht doch einen Beweis für die Evolution des Menschen in Händen hatte.

Erst im Jahre 1886 untersuchte man die Neandertalerfunde mit exakten wissenschaftlichen Methoden. Nun gab es keinen

25 Zweifel mehr, daß der Neandertaler ein sehr altes und ganz normales Lebewesen gewesen ist.

2
Textarbeit

Steht das im Text?   Steht das im Text?

1 Die Knochen stammten von dem berühmten Arzt Virchow. | ja | nein |

2 Der Neandertaler war ein gesundes Lebewesen. | ja | nein |

3 Professor Schaafhausen verstand die Bedeutung des Fundes sofort. | ja | nein |

4 Fuhlrott interessierte sich nicht für die Knochen und sandte sie darum nach Bonn. | ja | nein |

5 Professor Schaafhausen hat die Knochen entdeckt. | ja | nein |

6 Der Neandertaler war ein Soldat. | ja | nein |

7 Der Lehrer Fuhlrott schickte den Schädel nach Bonn. | ja | nein |

8 Rudolf Virchow konnte beweisen, daß es die Knochen eines Kranken waren. | ja | nein |

3
Textarbeit

Ordnen Sie diese drei Überschriften nach den Teilen unseres Lesetextes

_____ Zweifel und Vermutungen

_____ Die wissenschaftliche Bestätigung

_____ Der Fund im Neandertal

4
Textarbeit

Bitte antworten Sie schriftlich in ganzen Sätzen

a Wie hieß die Hypothese von Fuhlrott?
b Wann erkannte man allgemein die Bedeutung des Fundes?
c Warum glaubten die Professoren zuerst nicht an das Alter des Fundes?
   Bitte suchen Sie die möglichen Gründe.
d Die Knochen können eine wichtige biologische Theorie beweisen.
   Wissen Sie, welche?

5
Textarbeit

Suchen Sie ein Synonym für: entdecken, ein paar, begreifen, erkennen,
                             annehmen, berühmt, exakt, der Beweis

Der Neandertaler: Schädelfund 1856

6
Elemente

daß/ob

> I Die Knochen waren uralt.
>
> Fuhlrott begriff, **daß** die Knochen uralt waren.
>
> II Ist das ein Beweis?
>
> Ein Professor fragte, **ob** man hier einen Beweis für die Evolutionstheorie in Händen hatte.

7
Diskussion

Bitte bauen Sie die Sätze um:

a Waren die Knochen echt?

   Man fragte sich, _____

b Die Knochen waren echt.

   Es gab keinen Zweifel mehr, _____

c Es war ein sensationeller Fund.

   Er begriff, _____

d Waren es die Knochen eines gesunden Lebewesens?

   Man zweifelte, _____

Bitte notieren Sie „**daß**" oder „**ob**":

ich weiß nicht
ich frage mich
ich stelle die Frage   → _____
ich zweifle

ich weiß
ich bin sicher
ich glaube   → _____
ich nehme an

Feixen   Lächeln

Angst   Schrecken

Wutanfall   Abscheu

8
Studie

Bitte ergänzen Sie **daß** oder ein **Fragewort**

a _____ der Mensch vom Affen abstammt, das galt lange Zeit als eine philosophische Frage.

b _____ der Körper des Menschen vom Tier herkommt, ist heute klar bewiesen.

c Aber noch niemand konnte die Frage beantworten, _____ der Geist des Menschen kommt.

d Chemische Untersuchungen haben gezeigt, _____ die Knochen des Neandertalers etwa 50 000 Jahre alt sind.

e Ein Zwischenglied zwischen Affe und Mensch hat man 1924 in Südafrika gefunden: es ist

der klare Beweis dafür, _____ Mensch und Affe verwandt sind.

f Es ist nicht sicher, _____ der südafrikanische Urmensch das Feuer hatte.

g Man vermutet, _____ der Urmensch schon eine Art Sprache gehabt hat.

h _____ der Urmensch schon aufrecht gegangen ist, nimmt man sicher an.

9 fakultativ
Studie*

Bitte ergänzen Sie **daß** oder ein **Fragewort**

Nach Detlev Ploog: Die Sprache der Affen (München 1974), S. 64 ff.

Alle Kenner sind sich einig, _____ Schimpansen sich verständigen können. Der Gedanke,

_____ es sich hier um eine Art Sprache handelt, ist alt. Bei der Frage, _____ die menschliche

Sprache kommt, muß man also bis zum Affen zurückdenken. Der Schimpanse hat geistige

Talente, die der Sprache verwandt sind. Aber es ist auch sicher, _____ der Schimpanse diese

5 Talente kaum entwickelt hat. Die Versuche haben gezeigt, _____ Schimpansen keine Laute

nachahmen können. Aber man staunt, _____ exakt z. B. die Schimpansin Emmy hört und

versteht. Ich sage: „Banane Teller", und sie begreift sofort, _____ sie die Banane auf den

Teller legen muß. Natürlich bleibt die Frage, _____ die Grenze zwischen Menschensprache

und Affensprache liegt. Kein Zweifel, _____ es tiefe Unterschiede gibt. Aber wir müssen die

10 alte Frage, _____ Sprache ist und _____ sie entstand, neu stellen.

10 👓
Bitte sprechen Sie

Der Doktor kommt nicht. → Zu dumm, daß er nicht kommt!
Das Seminar ist geschlossen.
Das Buch fehlt.
Die Uhr ist kaputt.
Die Bibliothek ist geschlossen.
Der Professor kommt nicht.
Das Geld ist aus.
Leda hat einen anderen Mann.

11 👓
Bitte sprechen Sie

Ich frage den Professor. → Höchste Zeit, daß du den Professor fragst!
Ich gehe in die Bibliothek.
Ich fahre in die Uni.
Ich gehe ins Seminar.
Ich bringe das Buch zurück.
Ich mache die Prüfung.
Ich zahle.
Ich rufe den Professor an.

12 👓
Bitte sprechen Sie

Der Film ist aus. → Schade, daß der Film schon aus ist.
Ich muß heim. → Schade, daß du schon heim mußt.
Die Flasche ist leer.
Der Kaffee ist kalt.
Das Hotel ist zu.
Wir gehen.
Der Kiosk ist zu.
Der Zug ist weg.

13 👓
Bitte sprechen Sie

Ja, wir kommen. → Schön, daß ihr kommt!
Ja, ich unterschreibe.
Ja, wir fahren mit.
Ja, es geht mir gut.
Ja, der Brief ist fertig.
Ja, ich habe die Prüfung bestanden.
Ja, wir heiraten.
Ja, ich habe deine Partei gewählt.

Es gibt vielerlei Lärme, aber es gibt nur eine Stille.

TUCHOLSKY

14
Elemente

DAS VERB DIRIGIERT DEN SATZ

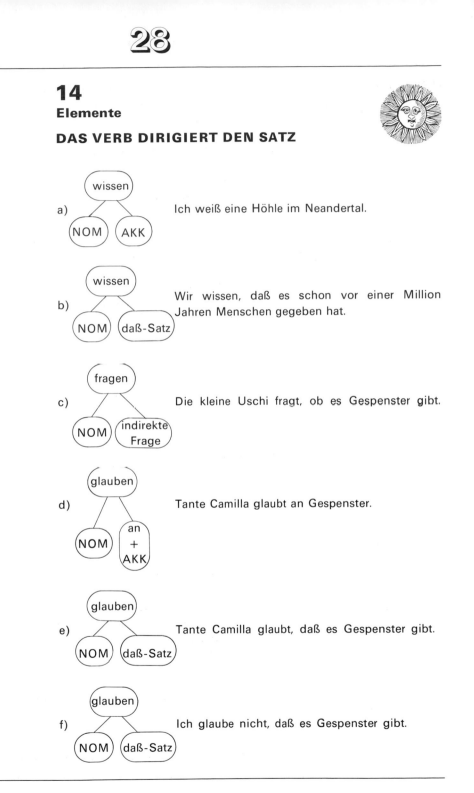

a)   Ich weiß eine Höhle im Neandertal.

b)   Wir wissen, daß es schon vor einer Million Jahren Menschen gegeben hat.

c)   Die kleine Uschi fragt, ob es Gespenster gibt.

d)   Tante Camilla glaubt an Gespenster.

e)   Tante Camilla glaubt, daß es Gespenster gibt.

f)   Ich glaube nicht, daß es Gespenster gibt.

15 ⊙⊙
Szene

Herr Beck: (O Gott, o Gott, da kommt Frau Meier!!) Guten Abend, Frau Meier! Wie schön, *daß* wir uns hier treffen!

Frau Meier: Guten Tag, Herr Beck, geht es Ihnen gut? Sehr nett, _____ wir uns schon wieder sehen in dem Tabakladen hier. (Warum muß ich den alten Esel immer hier treffen!)

Herr Beck: Zu dumm, _____ es schon wieder regnet! So ein Regenwetter! _____ es wohl morgen wieder besser wird – was meinen Sie? Wissen Sie, _____ der Wetterbericht sagt?

Frau Meier: Keine Ahnung. Aber _____ die Meteorologen sagen, das ist mir gleich. Wenn die mal recht haben, ist es nur Zufall. Darf ich fragen, _____ es Ihrer Frau geht?

Herr Beck: Danke.

Frau Meier: Entschuldigung, _____ ich wieder weiter muß, um sechs machen die Läden zu. (Ab morgen geh ich nur noch in den Tabakladen beim Kino, was soll ich immer mit dem alten Krautkopf reden.)

Herr Beck: Ich hoffe, _____ wir uns bald wieder hier im Tabakladen treffen! (Morgen geh ich in den Tabakladen beim Kino, ich kann die Vogelscheuche nicht mehr sehen!) Auf Wiedersehen, Frau Meier!

Frau Meier: Guten Abend, Herr Beck!

16
Fragen zur Szene

17
Variation

A Grüß Gott! Das ist aber nett, _____ wir uns hier sehn!

B Oh, guten Abend! Ich wußte gar nicht, _____ Sie auch hier sind! Darf ich fragen, _____ es Ihrer Frau geht?

A Danke. Ich hoffe, _____ es Ihnen besser geht!

18
Variation

N Morgen, wie gehts? Das freut mich, _____

_____ .

M Morgen! Ich hab gar nicht gewußt, _____

_____ .

N Darf ich mal fragen, _____?

M Miserabel. Ich hoffe nur, _____!

19
Variation

R Guten Tag! Ganz reizend, _____

_____ !

S Danke! Wie finden Sie das Wetter? Eiskalt, nicht?

R Mir ist das egal, _____ es kalt ist oder warm. Ich bin froh, _____ ich gesund bin!

S Das freut mich sehr, _____!
Uns geht es hundeübel.

R Ach? Das tut mir aber leid, _____

_____ ! Ich hoffe, _____

_____ !

20

Wer eine Pflanze beobachtet, erkennt, daß ihr Wachstum nicht zufällig ist, sondern unter einer Kontrolle steht. Das führt zu der Frage, ob es eine Steuerung des Wachstums gibt und wo diese Steuerung ihren Ort hat.

5 Seit Darwin wissen wir, daß jede Pflanze eine Art „Gehirn" hat. Dieses Gehirn ist die Wachstums-Spitze, der höchste Teil der Pflanze. Durch Experimente kann man demonstrieren, daß die Wachstums-Spitze das Wachstum der Pflanze steuert. Ebenso kann man zeigen, daß die Wurzelspitzen das Wachstum der Wurzeln steuern.

10 Auch die Frage, warum die Pflanze nach oben und nach unten wächst, kann man sehr einfach beantworten. Wir wissen heute, daß die Wachstumsspitzen sensibel sind für die Schwerkraft der Erde. Man wird immer beobachten können, daß die Wurzelspitze einer Pflanze zur Erde hinzeigt, die obere Pflanzenspitze von der Erde wegzeigt. Man

15 hat einige kleinste Pflanzen einem Satelliten mitgegeben. Das Resultat war, daß die Pflanzen keine Orientierung mehr hatten und nach allen Seiten wuchsen.

* Frei nach Frits W. Went: Die Pflanzen (Reinbek 1976), S. 107 ff.

21
Textarbeit

a Welche Dinge können wachsen?

eine Rose
ein Kind
ein Auto
ein Pferd
ein Feuer
ein Stuhl

b Welche Dinge haben eine Spitze?

ein Berg
ein Buch
ein Turm
ein Baum
eine Pflanze
ein See

c Welche Dinge kann man steuern?

einen Wagen
ein Bett
die Politik eines Landes
einen Computer
die Sonne
ein Motorrad

d Wer hat ein Gehirn?

eine Katze
ein Vogel
ein Apfel
ein Lehrer
eine Flasche
eine Frau

e Was kann man beobachten?

ein Baby
ein Museum
das Wachstum
den Sonnenuntergang
ein Tier
eine Universität

22
Textarbeit

a Geben Sie dem Text eine Überschrift!
b Warum kann man die Wachstumsspitze einer Pflanze mit dem Gehirn vergleichen?
c Warum hat eine Pflanze auf einem Satelliten keine Orientierung?

23
Reduktions-Übung

Unser Text ist sehr kompliziert. Man kann das gleiche mit einfacheren Worten sagen. Bitte machen Sie den Text einfach: ohne Nebensätze!

Beginnen Sie so:

Das Wachstum einer Pflanze ist nicht zufällig. Es . . . . .

24 fakultativ
Lesetext *

Daß die meisten Pflanzen das Licht suchen, ist bekannt; bei vielen Blumen wird man beobachten, daß sie ihre Köpfe direkt nach der Sonne richten und immer nach der Richtung drehen, wo die Sonne ist. Filmaufnahmen zeigen, daß die Bewegung aufhört, wenn die Sonne hinter
5 einer Wolke verschwindet, und sofort weiterläuft, wenn die Sonne wieder scheint.
Bei den meisten Pflanzen wird man feststellen, daß die Blätter im rechten Winkel zum Lichtstrahl stehen; es ist leicht einzusehen, daß sie so ein Maximum an Licht haben. Das Problem, wie alle Blätter genug Licht
10 bekommen können, ist eigentlich ein mathematisches Rechenexempel. Fast alle Pflanzen kommen zu der ebenso logischen wie schönen Lösung, daß die Blätter in der Ordnung einer Spirale stehen. Und so kommt es, daß viele Pflanzen von oben wie ein Kristall aussehen.

* Frei nach Frits W. Went: Die Pflanzen (Reinbek 1976), S. 112 ff.

25 fakultativ
Textarbeit

Streichen Sie die Wörter weg, die nicht passen:

a die Sonne   der Mond   der Himmel   das Licht
   die Sterne   das Zimmer

b das Problem   die Aufgabe   die Antwort   die Frage
   das Telefon   das Buch

c die Ordnung   die Struktur   die Form   die Farbe
   das Gesetz   die Dame

d feststellen   sehen   erkennen   träumen   beobachten
   bemerken

e bekommen   erhalten   fallen   kriegen   empfangen
   suchen

f laufen   gehen   sich bewegen   schlafen   wandern
   sitzen

26 fakultativ
Textarbeit

a Welches ist das Thema unseres Lesetextes?
b Können Sie die Teile einer Pflanze nennen?
c Bitte nennen Sie einige Pflanzen, die Sie kennen!

27 fakultativ
Reduktions-Übung

Unser Text ist sehr kompliziert. Man kann das gleiche mit einfacheren Worten sagen. Bitte machen Sie den Text einfach: ohne Nebensätze!

Beginnen Sie so:
Die meisten Pflanzen suchen das Licht. Sie richten ...

28
Erinnern Sie sich

Bitte lernen Sie diese Verben im Kontext:

begreifen	Warum hast du sie geschlagen? Ich kann dich nicht begreifen (= verstehen).
beweisen	Man konnte auf chemischem Wege beweisen, daß die Knochen 50 000 Jahre alt sind.
bestätigen	Nun gab es keinen Zweifel mehr. Die Forschung bestätigte Fuhlrotts Hypothese.
sich einigen	Die Parteien haben sich auf einen Kompromiß geeinigt.
entstehen	Wie ist das Leben entstanden?

sich entwickeln	Tier- und Pflanzenwelt haben sich im Lauf von Jahrmillionen entwickelt.
erklären	Das verstehst du nicht? Moment, ich erkläre es dir genau.
gelten	Der Forscher hat einen guten Namen, er gilt viel.
	Der Vertrag galt bis zum 31. Dezember; er gilt heute nicht mehr.
geschehen	Was ist geschehen? Wie ist der Unfall geschehen (= passiert)?
küssen	Und zum Abschied küßte er sie auf den Mund.
untersuchen	Der Arzt untersucht den Patienten.
	Dieses Problem müssen wir noch einmal genau untersuchen.
vermuten	Wer hat angerufen? Ich vermute, Walter war es, aber ich kann es nicht beweisen.
zweifeln an	Ich zweifle an ihren Worten.
	Sie zweifelte an seiner Treue.

29
Benutzen Sie das Wörterbuch

Wie heißen die Nomen zu diesen Verben

abstammen   bestätigen   sich einigen   entstehen   gelten
heizen   ordnen   untersuchen

30
Benutzen Sie das Wörterbuch

Von welchen Verben kommen diese Nomen:

der Begriff   der Bericht   der Beweis   die Heizung
der Kuß   die Lehre   der Unterschied   die Vermutung
der Zweifel

31 ⊙⊙ 📝
Hören und verstehen

Führen Sie bitte den Gedanken fort:

1 Ich bin natürlich nicht ganz sicher,
2 Ich weiß,
3 Ich bin sicher,
4 Ich bin sicher,
5 Ich verstehe nicht,
6 Aber natürlich weiß ich nicht sicher,

Prosodisches Zwischenspiel (3)

1

Lesetext

Dieser Text ist schwer, Sie können nicht jedes Wort verstehen. Bitte lesen Sie ihn laut und achten Sie besonders auf eine lebendige, aber richtige Satzmelodie (Prosodie)

„Bin ich nicht Steuermann?" rief ich. „Du?" fragte ein dunkler hochgewachsener Mann und strich sich mit der Hand über die Augen, als verscheuche er einen Traum. Ich war am Steuer gestanden in der dunklen Nacht, die schwachbrennende Laterne über meinem Kopf, und nun war dieser Mann gekommen und wollte mich beiseiteschieben. Und da ich nicht wich, setzte er mir den Fuß auf die Brust und trat mich langsam nieder, während ich noch immer an den Stäben des Steuerrades hing und beim Niederfallen es ganz herumriß. Da aber faßte es der Mann, brachte es in Ordnung, mich aber stieß er weg. Doch ich besann

10 mich bald, lief zu der Luke, die in den Mannschaftsraum führte und rief: „Mannschaft! Kameraden! Kommt schnell! Ein Fremder hat mich vom Steuer vertrieben!" Langsam kamen sie, stiegen auf aus der Schiffstreppe, schwankende müde mächtige Gestalten. „Bin ich der Steuermann?" fragte ich. Sie nickten, aber Blicke hatten sie nur für

15 den Fremden, im Halbkreis standen sie um ihn herum und, als er befehlend sagte: „Stört mich nicht", sammelten sie sich, nickten mir zu und zogen wieder die Schiffstreppe hinab. Was ist das für Volk! Denken sie auch oder schlurfen sie nur sinnlos über die Erde?

FRANZ KAFKA

2

Elemente

Die beiden folgenden Hinweise ergänzen noch unsere „Elemente" auf den Seiten 205/206 und 220/221.

Unabgeschlossene Sätze: Unabgeschlossene Sätze haben schwebende Betonung. Die Stimme bleibt auf der Höhe der Hauptbetonung.

Können Sie mir sagen, wo ...
• • • **●** • •

Wissen Sie denn, wie ...
● • • •

Ich frage mich immer, ob ...
• **●** • • •

Nachfragen: Oft stelle ich eine Frage, aber ich erwarte keine Antwort. Ich weiß die Antwort schon. Ich will nur sagen, daß ich mich wundere. Das nennen wir eine Nachfrage. Am Ende der Nachfrage heben wir oft die Stimme:

Was hat du gesagt?
● • • • ↗

Wieviel kostet das?
● • • • ↗

234

Kapitel 29

1 👓

Bildgeschichte X / Märchen

1 Es waren einmal drei Schwestern. Zwei waren herrisch und stolz. Die dritte, Aschenputtel, mußte die andern bedienen. Als die zwei Stolzen zu einem Fest gingen, blieb Aschenputtel allein.

2 Doch Aschenputtel kannte eine gute Fee. Die gab ihr eine goldene Kutsche, ein goldenes Kleid und silberne Schuhe.

3 Keiner erkannte Aschenputtel, als sie auf dem Fest erschien. Der Prinz nahm sie an der Hand und tanzte mit ihr allein die ganze Nacht.

4 Als das Fest zu Ende war, lief Aschenputtel fort so schnell wie der Wind. Da verlor sie ihren Schuh.

5 Als der Prinz den Schuh fand, schickte er einen Boten durchs ganze Land: wem der Schuh gehörte, der sollte ins Schloß kommen.

6 Alle Frauen gingen ins Schloß, und alle wunderten sich, als der silberne Schuh dem unbekannten Mädchen paßte.

7 Da erschien die Fee wieder und warf das goldene Kleid über sie. Und als der Prinz sie erkannte, sprach er: „Du bist die rechte Braut!"

8 Es gab eine Hochzeit mit Jubel und Tanz. Und wenn sie nicht aufgehört haben, tanzen sie heute noch.

2

Studie

Vollenden Sie die Sätze, immer im Präteritum

a Als die zwei stolzen Schwestern zum Fest gingen, _____

b Die gute Fee gab _____

c Keiner erkannte das Mädchen, als _____

d Der Prinz nahm Aschenputtel an der Hand _____

e Als das Fest zu Ende war, _____

f Als der Prinz den Schuh fand, _____

g Alle Frauen staunten, als der Schuh _____

h Die Fee kam wieder und _____

i Als der Prinz Aschenputtel wieder erkannte, _____

k Es gab eine Hochzeit _____

3

Elemente

als / wenn

	Präsens (Bedeutung: Zukunft oder Gegenwart)	*Präteritum*
nur einmal (Ereignis oder Zustand)	wenn	als
häufige Wiederholung der gleichen Situation	wenn	wenn (=immer wenn)

4

Schreibschule

Wählen Sie aus diesen Sätzen fünf oder sechs und ergänzen Sie den Hauptsatz

a Als ich die Schauspielerin sah, *schlug mein Herz doppelt so schnell.*

b Als wir in London landeten, …

c Als ich erwachte, …

d Als sie den Speisewagen betraten, …

e Als ich die Pistole in seiner Hand sah, …

f Als das Auto stoppte, …

g Als ich auf die Uhr schaute, …

h Als er das Telegramm erhielt, …

i Als ich die Tür öffnete, …

5
Schreibschule

Wählen Sie aus diesen Sätzen fünf oder sechs und ergänzen Sie den Hauptsatz

a Immer wenn ich melancholisch bin, *gehe ich allein spazieren.*

b Immer wenn ich melancholisch bin, …
c Immer wenn ich Kopfschmerzen habe, …
d Immer wenn ich Kopfschmerzen habe, …
e Wenn ich mich ärgere, …

f Immer wenn ich mich ärgere, …
g Immer wenn ich verliebt bin, …
h Wenn ich verliebt bin, …
i Wenn ich Geld brauche, …

6
Schreibschule

Wählen Sie aus diesen Sätzen fünf oder sechs und ergänzen Sie den Hauptsatz

a Als ich auf die Straße trat, *flog mir ein Fußball an den Kopf.*

b Wenn ich nervös bin, …
c Immer wenn wir ins Theater wollen, …
d Als ich den Tiger sah, …
e Als wir auf dem Gipfel ankamen, …

f Immer wenn ich kein Geld hatte, …
g Als ich dich kennenlernte, …
h Als ich die Dame fotografieren wollte, …
i Als wir vom Turm herunterschauten, …

> *Für jede Dummheit findet sich einer, der sie macht.*
>
> DEUTSCHES SPRICHWORT
>
> *Wenn die Menschen nicht manchmal Dummheiten machten, geschähe überhaupt nichts Gescheites.*
>
> LUDWIG WITTGENSTEIN

7
Suchen und finden

Beispiel: Wann haben Sie mit Haschischrauchen angefangen?
→ Als ich damals keine Arbeit fand.

Wann haben Sie den jungen Mann kennengelernt?
Wann haben Sie Ihr Fahrrad verkauft?
Hören Sie gern Platten? Wann?
Wann nehmen Sie Schmerztabletten?
Wohnen Sie bei Ihren Eltern? Wann sind Sie von daheim weggegangen?
Trinken Sie Wein? Wann?
Haben Sie schon mal große Angst gehabt? Wann?
Treiben Sie Sport? Wann?

8
Schreibschule

Wählen Sie aus diesen Sätzen sechs oder sieben und ergänzen Sie den temporalen Nebensatz mit „als"
oder „wenn":

a *Als ich erwachte* _____ , schien die Sonne.

b _____ , sagte der Arzt: Das kostet nichts.

c _____ , war ich todmüde.

d _____ , werde ich rot.

e _____ , frage ich meine Mutti.

f _____ , kam keine Antwort.

g _____ , schliefst du schon.

h _____ , kommen mir die Tränen.

i _____ , lag ein Scheck über 1000,– drin!

k _____ , sagte er nein.

9
Lesetext

Als die Araber und Türken den Kaffee nach Mitteleuropa brachten,
verstand man ihn zuerst nur als Medizin und nahm ihn in kleinsten
Mengen. Erst als um 1670 die ersten Bücher den Gebrauch des Kaffees
lehrten, begriff man, daß der Kaffee zum Trinken da ist.

5 Das erste richtige Kaffeehaus war Will's Café in London – ein Herren-
club, wo sich die Schriftsteller trafen und ihre politischen und literari-
schen Gespräche führten.

Als in Paris die ersten türkischen Cafés aufmachten, war es für die
Damen noch unmoralisch, solche Lokale zu betreten. Aber schon
10 um 1720 gab es über dreihundert Cafés in Paris.

Der Kaffee ist für die rationalistische Epoche charakteristisch, denn er
ist ein Getränk, das den Menschen hellwach macht. Voltaire zum Beispiel konnte ohne dieses Getränk nicht leben und arbeiten.

Das Wiener Kaffeehaus ist weltberühmt wie der Wiener Walzer.
15 Das Kaffeehaus wurde zum Treffpunkt der österreichischen Künstler
und Dichter – von Nestroy bis Karl Kraus, der bekanntlich sagte:
„Ich arbeite im Kaffeehaus besser als ein anderer in seinem Geschäft."

10
Textarbeit

a Geben Sie den vier Teilen unseres Lesetextes vier Überschriften!
b Finden Sie die Überschrift für den ganzen Text!
c Versuchen Sie, in unserem Text die nicht-deutschen Wörter (Fremdwörter) zu finden!
d Erzählen Sie den Inhalt unseres Textes m ü n d l i c h. Verwenden Sie nur Hauptsätze!

11
Textarbeit

Unser Text gibt etwa zehn Informationen. Stellen Sie jetzt die richtigen Fragen nach diesen Informationen und geben Sie kurze Antworten.

Beispiel: *Wer brachte den Kaffee nach Mitteleuropa?*
— Die Araber und Türken.

12
Studie

Bitte ergänzen Sie die Konjunktionen

a Wußten Sie, *wieviel* Kaffeesorten es gibt? Rund 4500 Sorten.

b _____ der Kaffee nach Mitteleuropa kam, hielt man ihn für eine Arznei.

c Erst viel später verstand man, _____ der Kaffee ein richtiges Getränk ist.

d _____ Sie einmal in einem österreichischen Kaffeehaus sitzen und etwas Besonderes probieren wollen, bestellen Sie sich einen Einspänner.

e Sie wissen nicht, _____ ein Einspänner ist? Ein Mokka mit besonders viel Sahne, im Glas serviert.

f Die wenigsten wissen, _____ der Kaffee in Wirklichkeit kommt, nämlich aus Äthiopien.

g Nicht jeder weiß, _____ auch der Tee Koffein enthält, nämlich 2 bis 4% Koffein.

h Balzac, der französische Dichter, starb schon mit 51. Man weiß auch, _____ die Todesursache war: ,,Nachtarbeit und der Gebrauch oder besser Mißbrauch von Kaffee."

13 ∞
Imitation

Bertolt Brecht (rechts) im Gespräch mit
Hanns Eisler (1932)

14 fakultativ

𝔏𝔢𝔰𝔢𝔱𝔢𝔵𝔱

Durch bestimmte Weglassungen werden Geschichten merkwürdig

In Jütland schenkte eine Mutter ihrem kleinen Sohn, als er zur See ging, ein Umhängetuch. Da es für ihn zu groß war, schnitt sie ein Stück weg. Das Schiff, auf dem er fuhr, ging im Kattegat verloren. Nach geraumer Zeit fand man am Strand halb im Sand ein Tuch, von dem
5   ein Teil fehlte. Die Mutter des kleinen Matrosen erkannte dieses Tuch wieder, das Stück, das sie zu Hause hatte, paßte daran. So wußte man, daß das Schiff gesunken war.

Das barmherzige Rote Kreuz

Als der Krieg anfing, brauchte man viel weibliches Pflegepersonal. Man machte nur eine einzige Probe mit denen, die sich meldeten. Man fragte sie, ob sie lieber Offiziere werden wollten oder gemeine Pflegerinnen. Die lieber Offiziere werden wollten, führte man in ein
5   Zimmer und sagte ihnen, daß man sie nicht brauchen könne, weil man keine Offiziere brauche. Alle andern nahm man.
Als der Krieg zu Ende war, konnte man sie nicht mehr brauchen und warf sie auf die Straße. Dazu brauchte man keine Probe.

Das große Essen

Auf der Insel Thurö wohnten ein Mann und eine Frau in äußerster Sparsamkeit. Der Mann trug sein Leben lang nur Hemden aus Säcken gemacht. Im Winter setzten sie sich, um nicht heizen zu müssen, vor die offene Stalltüre und benutzten die Wärme der Rinder. Als sie,
5 ganz kurz hintereinander, starben und zusammen beerdigt wurden, veranstaltete man aus ihrer Hinterlassenschaft oder durch Sammlung ein Begräbnis-Essen des ganzen Dorfes, wie das üblich ist. Das war das einzige ausgiebige Essen, das die beiden gegeben haben.

Mühsal der Besten

,,Woran arbeiten Sie?'' wurde Herr K. gefragt. Herr K. antwortete: ,,Ich habe viel Mühe, ich bereite meinen nächsten Irrtum vor.''

Das Wiedersehen

Ein Mann, der Herrn K. lange nicht gesehen hatte, begrüßte ihn mit den Worten: ,,Sie haben sich gar nicht verändert.'' ,,Oh!'' sagte Herr K. und erbleichte.

Diese fünf Geschichten sind von BERTOLT BRECHT

15
Erinnern Sie sich

Bitte lernen Sie diese Verben im Kontext

sich ärgern	Über Deinen dummen Brief habe ich mich furchtbar geärgert.
aufräumen	Ich muß noch mein Zimmer aufräumen.
beobachten	Die alte Frau saß auf der Bank und beobachtete die Kinder beim Spielen.
erscheinen	,,Die Zeit'' erscheint wöchentlich.
	Vera? Nein, die ist noch nicht erschienen (=gekommen).
	In dem alten Schloß erscheinen nachts um zwölf Uhr die Gespenster.
nachschauen	Da muß ich mal im Wörterbuch nachschauen.
	Er schaut jedem hübschen Mädchen nach.
teilen	Wollen wir den Apfel teilen?
	Die Torte ist aber groß! Teilen wir sie?
verkehren	Leo verkehrt in schlechter Gesellschaft.
versprechen	Bitte versprechen Sie nicht zu viel, Sie können es nicht halten!
	Er hat sein Versprechen gebrochen.
vorschlagen	Ich schlage Ihnen vor: Warten Sie noch ein Jahr mit dem Heiraten.
	Der Präsident schlägt einen Kompromiß vor.
sich wundern	Über Max kann man sich nur wundern.
	Ich wundere mich über Sabine, warum hat sie drei Monate keinen Brief geschrieben?

16
Bitte differenzieren Sie

allgemein	*speziell*
Medikament	Tabletten Tropfen Pillen
Blume	Rose Nelke Tulpe
Arzt	
Heim	
Hochschule	
Kaffee	
Künstler	
Uhr	
Wagen	

17
Erinnern Sie sich

Wie heißt der Singular?

die Auskünfte, die Begriffe, die Beweise, die Fächer, die Hörsäle, die Hochschulen, die Informationen, die Institute, die Laute, die Lehren, die Preise, die Reden, die Sätze, die Seminare, die Ursachen, die Vermutungen, die Vorlesungen, die Vorträge, die Wörter, die Zweifel.

18 ⊙⊙
Hören und verstehen

1 Warum boten die Leute dem Baron den Wein an?

- [ ] a weil er gern trank
- [ ] b weil sie auch tranken
- [ ] c weil sie ihm das Pferd stehlen wollten
- [ ] d weil es kalt war

2 Warum zog das Pferd zwei nach Haus?

- [ ] a den Baron und einen Freund
- [ ] b den Baron und den Rausch
- [ ] c den Baron und eine Flasche
- [ ] d den Baron und einen Wagen

3 Warum übernachtete er im Wagen?

- [ ] a weil ihm das Pferd weglief
- [ ] b weil er kein Benzin mehr hatte
- [ ] c weil er keinen Wein mehr hatte
- [ ] d weil er zu viel Wein getrunken hatte

Kapitel 30

Kunde:	Ich suche ein Bild, das über mein Bett paßt.
Verkäufer:	Sonnenuntergang? Schneeberge? Zirkuspferde?
Kunde:	Nein nein. Das sind Sachen, die mich nervös machen.
Verkäufer:	Ein Mädchen, das auf dem Sofa liegt? Zum Beispiel die Venus? Hier.
Kunde:	Macht mich noch nervöser. Wissen Sie, ich bin Rennfahrer.
Verkäufer:	Aha. Also Sie wollen ein Bild von einem Rennwagen. Und das macht Sie nicht nervös?
Kunde:	Nein, das beruhigt mich.
Verkäufer:	Da haben wir eine Farbfotografie, die Ihnen sicher gefällt: der neueste Martini-Alfa Romeo Formel 1.
Kunde:	Wundervoll, wundervoll! Das Bild nehme ich.

2
Fragen zur Szene

3 👓👓
Variation

Alte Dame:	Ich möchte ein Bild, _____ über mein Sofa paßt. Also sehr breit.
Verkäufer:	Wie breit?
Alte Dame:	80 cm.
Verkäufer:	Und was soll auf dem Bild sein?
Alte Dame:	Entweder Katzen, oder Hunde. Ich bin ein Mensch, _____ beides liebt, Katzen und Hunde.
Verkäufer:	Das hier? Ein Bild, _____ sehr viele Kunden kaufen. 95,– DM.
Alte Dame:	Aber das ist ja ein junges Mädchen. Mädchen bin ich selber. Darf ich fragen, wo die Katze ist?
Verkäufer:	Ich mache Ihnen ein Angebot, _____ Ihnen bestimmt zusagt. Ich male Ihnen die Katze dazu. Das Bild kostet dann 110,– DM.
Alte Dame:	110,– DM mit Katze?
Verkäufer:	Jawohl. Kommen Sie am Montag wieder!
Alte Dame:	Also gut. Am Montag.

4
Fragen zum Dialog

5 👓
Variation

Besucher: Ich suche ein Aquarell, _____ Sie hier einmal vor 2 Jahren gezeigt haben.

Verkäufer: Vor 2 Jahren! Wissen Sie den Maler, _____ das gemalt hat?

Besucher: Ja. Ich bin der Maler. Mein Name ist Meier.

Verkäufer: Herr Meier! Ja ja, das war ein Aquarell, _____ wir nicht verkaufen konnten, weil es zu teuer war.

Besucher: Ich nehme es wieder mit. Ich bin nämlich der Julius Meier, _____ gestern den Österreichischen Nationalpreis bekommen hat. Das Staatliche Museum möchte jetzt alle meine Aquarelle haben.

6
Fragen zum Dialog

7 👓
Variation

Kunde: Ich möchte den Kalender, _____ im Schaufenster hängt.

Verkäufer: Welchen Kalender?

Kunde: Den roten da.

Verkäufer: Den Fußballkalender? Ja, das ist ein Kalender, _____ wir sehr viel verkaufen.

8
Elemente

**Das Relativum „der"
= das Demonstrativum „der"**

	Singular			Plural
	maskulin	*feminin*	*neutrum*	
NOMINATIV	der	die	das	die
AKKUSATIV	den	die	das	die
DATIV	dem	der	dem	denen
GENITIV	dessen	deren	dessen	deren

9
Bitte sprechen Sie

Einen Kalender suche ich. → Hier ist ein Kalender, der Ihnen
sicher gefällt.
Einen guten Roman suche ich. → Hier ist ein Roman, der Ihnen
sicher gefällt.

Eine Jazzplatte suche ich.
Ein gutes Buch suche ich.
Einen Krimi suche ich.
Eine Lampe suche ich.
Ein gutes Magazin suche ich.
Ein Plakat suche ich.

10 ⊙⊙
Bitte sprechen Sie

Kennen Sie das Bild? → Ja, das ist ein Bild, das ich nie vergesse.
Kennen Sie den Film? → Ja, das ist ein Film, den ich nie vergesse.
Kennen Sie das Buch?
Kennen Sie die Stadt?
Kennen Sie den Roman?
Kennen Sie die Geschichte?
Kennen Sie den Mann?
Kennen Sie die Leute?

11 ⊙⊙
Suchen und finden

Eine schöne Villa! → Kennst du die Leute, denen die Villa gehört?
Eine teure Kamera! → Kennst du den Mann, dem die Kamera gehört?
Wundervolle Brillanten!
Eine tolle Trompete!
Nette Kinder!
Eine bankrotte Firma!
Ein interessanter Roman!
Ein schönes Holzpferd!

12
Suchen und finden

Rembrandt → ein Maler, den man kennen muß.
Goethe   Sokrates
Einstein   Shakespeare
Picasso   Beethoven
Mozart   Salzburg

13
Suchen und finden

Aquarell → Sind Sie der Mann, der das Aquarell gemalt hat?
Haus   Oper
Symphonie   Buch
Roman   Film
Foto   Bild

14 fakultativ 🔘🔘
Gesprächsübung
Text nur auf Tonband

15 fakultativ 🔘🔘
Suchen und finden
Text nur auf Tonband

> *Liebe zwischen kleinen Leuten*
> *— süß wie Honig.*
> *Liebe zwischen Edelleuten*
> *— klar wie Wasser.*
>
> *Woran erkennt man den Wissenden? Nicht an dem, was er weiß, sondern an dem, was er tut.*
>
> CHINESISCH

16
Studie

a Ah, das ist der Maler, *der* das Aquarell gemacht hat!

b Ah, das ist die Spanierin, mit _____ du pausenlos getanzt hast!

c Ah, das ist der Direktor, _____ du haßt!

d Ah, das ist der Idiot, _____ mein Bier ausgetrunken hat!

e Ah, das ist der Hund, vor _____ du so Angst hast!

f Ah, das ist der Kalender, _____ wir Ulrike schenken wollen!

g Ah, das ist der Mann, mit _____ ich jahrelang korrespondiert habe!

h Ah, das ist der Zahnarzt, vor _____ Sie so Angst haben!

i Ah, das ist der Mann, _____ Auto wir gestohlen haben!

k Ah, das ist das Bild, von _____ du mir neulich erzählt hast!

17
Schreibschule

a *Ist das der Dichter* _____, der den Roman geschrieben hat?

b _____, die du heiraten willst?

c _____, wo Sie wohnen?

d _____ , vor dem du Angst hast?

e _____ , das wir bestellt haben?

f _____ , wo du das Plakat gekauft hast?

g _____ , in den du verliebt bist?

h _____ , mit denen Sie zusammenarbeiten?

i _____ , wo du studiert hast?

k _____ , der den Nationalpreis bekommen hat?

18
Elemente

Das Relativum **wer (was)** nehme ich, wenn die Person (Sache) nicht exakt definiert wird:

Wer zu spät kommt, muß bis zur Pause warten.

Sie gab mir **alles, was** sie hatte.

Ich weiß **etwas, was** du nicht weißt.

19
Elemente

Das Relativum **wo** definiert den Ort:

Das ist die Galerie, **wo** das tolle Plakat hängt.

Das ist die Stadt, **wo** ich geboren bin.

20
Schreibschule

Wählen Sie aus diesen Beispielen sechs oder sieben und ergänzen Sie den Relativsatz

a Dort ist das Museum, wo *der Tizian hängt.*

b Das ist die Frau, die …

c Hier ist der Laden, wo …

d Ich kann nicht glauben, was …

e Ich kenne die Leute nicht, von denen …

f Das ist das Hotel, wo …

g Wer war die Dame, mit der …

h Das ist der Schreibtisch, wo …

i Da kommt das Taxi, das …

k Ist das die Firma, wo …

21
Studie

a Das ist das Atelier, _wo_ die bekannte Malerin Anna Will arbeitet.

b Das sind die Bilder, _____ mir am besten gefallen.

c Sehn Sie: das ist das Zimmer, _____ ich seit 3 Semestern wohne.

d Was ist überhaupt das Thema, _____ ihr diskutiert?

e Hier schicke ich das Buch, _____ Sie mich baten.

f Weißt du, _____ das Bild gemalt hat?

g Hier ist die Akademie, _____ wir studieren.

h Die Bank, _____ er seine Millionen hatte, ist bankrott.

i Du bist der Mann, _____ ich seit 10 Jahren warte!

k Es gibt mehr Künstler, _____ die Akademie schadet, als solche, _____ sie nützt
(Kandinsky).

> *Kunst muß nicht sein. Darum muß sie gut sein. Sonst müßte sie, in der Tat, nicht sein.*
>
> JOACHIM KAISER

22 ⊙⊙

Bildgeschichte Y / MOZART

1 Das ist Salzburg, wo Mozart 16 Jahre lang lebte, lernte und arbeitete.

2 Der achtjährige Mozart war ein Pianist, den Europa kannte und feierte.

3 Hier das Instrument, auf dem Mozart spielte.

4 Und das ist Wien, wo er seine großen Opern und Sinfonien schrieb.

5 Ein Original-Manuskript.

6 Dies ist ein Bild, das nicht den populären, sondern den ernsten, dunklen Mozart zeigt.

7 Mozarts „Zauberflöte" ist eine philosophische Oper.

8 Eine romantische Aufführung der „Zauberflöte". Die Figur, die vor dem Mond steht, ist die „Königin der Nacht".

Meine Musik ist für alle Arten von Ohren geschrieben, nicht nur für die langen.

WOLFGANG AMADEUS MOZART

23
Diktat

Wie alle zeitlos bedeutenden _____ erreicht Mozarts

„Zauberflöte" die _____ und aller

Kreise. Denn die „Zauberflöte" darf jeder auf _____

verstehen, sie wird jeden in seiner Sphäre _____

5 _____ :

das Mädchen, das _____ ,

den Philosophen, für den das Leben die große _____

_____ ist,

den jungen Mann, der _____ Projekte

10 _____ ,

den Alten, der schon eher _____ den Weg

kennt,

das Kind, das im _____ ist.

24
Suchen und finden

Ein Pianist ist ein Mann, der
Piano spielt.

Eine Flötistin
Ein Dirigent
Ein Trompeter
Ein Trommler
Das Publikum
Eine Opernsängerin
Der Theaterdirektor

25
Lesetext

Die Offenheit eines Menschen für den andern kann man leicht messen: wie groß ist seine Bereitschaft, zu helfen und zu erfreuen? Genau so groß ist sein Talent für die Gemeinschaft.

Die Bereitschaft zur Freude können wir schon im Gesicht eines Menschen lesen. Das Gesicht eines Menschen, der Freude bringt, erweckt unsere Sympathie. Heiterkeit ist ein Zeichen für das
5 Talent zur Gemeinschaft. Ein Freudenbringer will nicht den andern zum Objekt machen, dem er seine Sorgen auflädt. Sondern er will Heiterkeit ausstrahlen, überall die Lichter anzünden, dem andern das Leben schöner und kostbarer machen.

Dostojewski, der ein großer Psychologe war, sagte: man kann die Menschen an ihrem Lachen besser erkennen als durch lange psychologische Forschungen.

10 Die Freudenbringer kennt man an ihrem Lachen. Manche zeigen stets ein kindlich-heiteres Verhalten. Aus Freude und Heiterkeit bauen sie die notwendige Basis für ihr Leben.

ALFRED ADLER

26
Textarbeit

Ordnen Sie die folgenden Gedanken nach ihrer Folge im Text:

Nummer

_____ Das Talent für die Gemeinschaft erkennt man an der Hilfsbereitschaft.

_____ Der Freudenbringer will die Welt heller machen.

_____ Der Freudenbringer will das Leben des andern wertvoller machen.

_____ Einer, der für die Gemeinschaft lebt, redet mehr von den heiteren Dingen als von den Sorgen.

27
Textarbeit

Bitte stellen Sie einfache, kurze Fragen und geben Sie einfache, kurze Antworten:
a zu Zeile 1/2 — b zu Zeile 8/9 — c zu Zeile 5/6
d zu Zeile 6   — e zu Zeile 7   — f zu Zeile 11

28 fakultativ
Textarbeit

Finden Sie Synonyme für:
Gemeinschaft, Basis, stets, im Gesicht lesen, Talent.
Finden Sie das Gegenteil zu:
Offenheit, anzünden, lachen, bauen, leicht.

29 fakultativ

Vorfragen zur Komödie

ad libitum: nur für Gruppen bzw. Lehrer, die sich nicht am Inhalt dieses (eher poetischen) Spiels stoßen.
Teil 1 Seite 89, Teil 2 Seite 162

30 fakultativ ⊙⊙

Kleine Komödie*

Teil 3

Adam: Guten Abend, Eva, da bist du ja.

Eva: Nun, Kleiner, wo ist der Apfel?

Adam: Pech gehabt. Alle Bäume sind voll: Bananen, Aprikosen, Orangen, Zitronen – das schönste Obst, das man sich wünschen kann! Aber wo ist der Apfel, den ich suche?

Eva: Adam – warum fragst du nicht m i c h ?

Adam: Wie bitte?

Eva: Das Bäumchen, das du suchst, ist 30 m von hier.

Adam: Was?? Das mußt du mir zeigen!!

Eva: „Mußt"... ein Wort, das ich nie gehört habe.

Adam: Also bitte bitte – sei so nett und zeig mir das Bäumchen!

Eva: Gern. – Aber nur, wenn du den Apfel, von dem du redest, mit mir teilst. Ich kriege die erste Hälfte! Verstanden?

Adam: Und? Wo ist der Baum?

Eva: Hier bitte.

Adam: Tatsächlich! Der goldene Apfel, den ich so gesucht habe!

Eva: Aber was ist das hier? Ein Zettel.

Adam: „Das Essen von diesem Baum ist verboten."

Eva: Ein kleines Zettelchen, das man kaum sieht.

Adam: Verboten. Ein neues Wort.

Eva: Ein dummes Wort.

Adam: Müssen wir wieder gehn.

Eva: Moment, Adam! Du hast mir den Apfel versprochen.

Adam: Geht leider nicht. Es war auch nur eine Hälfte, die ich versprochen habe.

Eva: Aha, du brichst dein Versprechen.

Adam: Verstehst du den Zettel nicht, der am Baum hängt?

Eva: Ich möchte nur wissen, ob du ein Mann bist oder nicht. Ich möchte nur wissen, ob du ein Versprechen hältst, das du gibst, oder nicht.

Adam: Eva, wir sind Gäste hier, wir können nicht machen, was wir wollen.

Eva: Wer ist dir wichtiger: deine Frau – oder einer, den du gar nicht kennst, der den blöden Zettel geschrieben hat?

Adam: Hol dir doch selber den goldenen Apfel!

Eva: Leider bin ich zu schwach. Adam – hast du vielleicht Angst??

Adam: Angst? Nein. Aber was machen wir, wenn die Polizei kommt?

Eva:	Adam, du bist ein armes Würstchen. Und das will der Mann sein, den ich lieben soll? Für einen Adam, der zittert, interessiere ich mich nicht. Meinst du, ich brauche den Apfel? Ich brauche den Apfel nicht. Und dich — dich brauche ich auch nicht. Tschüß.
Adam:	Halt, halt! Gut. Ich nehme den Apfel, den man nicht nehmen soll.
Eva:	Nur wenn du willst. Aber bitte: ich habe den Apfel nicht gewollt!
Adam:	Achtung!! Ich nehme den Apfel vom Baum!
Eva:	Schnell, Adam, hinter die Bäume!
Polizei:	Hier Polizei! Stop, meine Damen und Herren! Aha — das sind ja die Leutchen, die den goldenen Apfel gestohlen haben!
Eva:	Wir?
Polizei:	Geben Sie den Apfel her, den Sie verstecken, aber sofort!
Eva:	Ich weiß nicht, was Sie wollen.
Polizei:	Den Apfel, Fräulein. Tut mir leid.
Adam:	Eva, gib den Apfel her! Wo hast du ihn denn?
Eva:	Zurückgeben? Meine Herren, da können Sie lange warten.
Polizei:	Hier ist die Tür! Das Paradies ist geschlossen.
Adam:	O je.
Eva:	Nicht die Nerven verlieren!
Adam:	Kopf hoch!
Zusammen:	Und nun — gute Nacht.

31 fakultativ
Fragen zur Komödie

32 fakultativ
Suchen und finden

Ein Wort, → das ich nie gehört habe.

Ein Getränk
Eine Musik
Eine Frucht
Ein Land
Eine Antwort
Eine Geschichte
Ein Bild
Eine Frage
Ein Brief

33 fakultativ
Suchen und finden

Für einen Mann, → der Angst hat, interessiere ich mich nicht.
Für eine Frau
Für ein Haus
Für ein Bild
Für einen Künstler
Für ein Pferd

Für eine Geschichte
Für einen Freund
Für ein Getränk
Für ein Mädchen

34
Rätsel

Hier im Rätsel schreiben wir nicht Ü, sondern UE!

Senkrecht:

1 Sie dürfen nicht Auto fahren ohne _____ .

2 England ist eine Monarchie, die BRD eine _____ .

3 Tennis – Skifahren – Fußball – Boxen – welchen _____ treiben Sie?

4 Ich möchte eine _____ Kaffee, bitte.

5 Sie ist 99 Jahre alt! _____ alt!

6 Möchten Sie zum Frühstück ein _____ ?

10 nicht laut, sondern _____ .

11 Nein, unsere Kinder kommen nicht. Wir kommen _____ Kinder.

12 Bitte nehmen Sie Kugelschreiber und _____ und schreiben
    Sie!

15 Im Juni ist Heu _____ , im Herbst ist Kartoffel _____

18 Können Sie boxen?

    Nein, ich habe noch _____ geboxt.

20 Unser Haus ist in der Schiller _____ 24.

23 _____ , Mond und Sterne.

25 Nächstes Jahr machen wir eine _____ nach Japan.

27 Tango ist ein altmodischer _____ .

Waagrecht :

1   Guten Morgen! Das _____ steht schon auf dem Tisch!

7   schlecht

8   Hauptstadt von Frankreich

13 Ich habe acht Stunden nichts gegessen, einen riesigen _____ habe ich!

14 Tolles Pferd! Können Sie _____ ?

16 _____ zug.

17 Verheiratete Leute tragen sie am Finger.

19 Die Königin der Blumen, die _____ .

21 Im Winter fahre ich _____ ! Ein herrlicher Sport!

22 nicht lustig, sondern _____ .

24 Da sitzen die alten Tanten und trinken Kaffee und essen _____ .

26 Tag und _____ .

28 Schmeckt im Sommer gut: Vanille _____ oder Himbeer _____ oder Schokolade
    _____ .

29 Mädchenname

30 Ich bin. Er _____ .

31 _____ und trinken macht allen Leuten Vergnügen.

32 Wir kaufen uns _____ Himmelbett.

35
Studie

Bauen Sie Sätze und verwenden Sie dabei
die richtigen Präpositionen.

Beispiel: verkehren *Seit wann verkehrst du mit diesen Leuten?*

abstammen	reden
sich ärgern	staunen
diskutieren	warten
sich freuen	zweifeln
sich interessieren	

36
Erinnern Sie sich

Wie heißt das Gegenteil von erwachen, Freude, schließen, nützen,
Paradies, Pech, schwach, suchen, Untergang, verstecken?

37
**Benutzen Sie das
Wörterbuch**

Nomen

der Applaus _____

die Beobachtung

das Gefühl

das Wunder

der Gebrauch

der Schaden

der Nutzen

_____

das Versprechen

der Vorschlag

das Angebot

das Rennen

_____

Verben

applaudieren

_____

_____

_____

_____

_____

_____

trommeln

_____

_____

_____

_____

fotografieren

38 ⊙⊙
Hören und verstehen

> *Auch das Schweigen gehört zur Sprache. Ein Franzose schweigt anders als ein Engländer, ein Deutscher
> oder Italiener.*
>
> Pierre Daninos
>
> *Mit wem man nicht schweigen kann, mit dem soll man auch nicht reden.*
>
> Wolfgang Stammler

Wort-Register

Sprachkurs Deutsch Teil 1 + Teil 2

Das Register enthält auch die Wörter, die in einzelnen Übungen zu erraten oder zu erschließen sind. Das Register enthält *nicht* den Wortschatz der Phonetischen und Prosodischen Zwischenspiele, der Sprichwörter und Zitate. Um das Register einigermaßen durchsichtig zu halten, wurde auch darauf verzichtet, Artikel, Pronomen, Ländernamen u. Nationalitätenbezeichnungen aufzuführen. Die mit * gekennzeichneten Wörter gehören zu denen, die auch in den Anweisungen vorkommen. Eine vollständige Liste dieses Vokabulars wird im Glossar zu Teil 1 (nebst Übersetzung) den Kapiteln vorgeschaltet.
Die erste Zahl bedeutet das Kapitel, die zweite das Lehrstück:
17,34 bedeutet: Kapitel 17, Nummer 34

fett gedruckt: alle Wörter, die in der neuen Wortliste zum Zertifikat Deutsch aufgeführt sind[1];
mager gedruckt: alle übrigen Wörter.
Nachgewiesen ist jeweils das erste Erscheinen eines Wortes.
Wenn der erste Hinweis auf ein fakultatives Lernstück verweist, ist häufig eine zweite Stelle (ein obligatorisches Stück) nachgewiesen. Kursiv gedruckte Zahlen verweisen auf eine grammatische Tafel („Elemente") oder auf eine Verbliste („Erinnern Sie sich").

[1] Das Zertifikat Deutsch als Fremdsprache. Hrsg. v. Deutschen Volkshochschul-Verband und v. Goethe-Institut. Wortliste 1978.

A

der Abend, -e 1,33 / 1,35
   guten Abend 7,1
der Abendanzug, ⁀e 23,23
das Abendessen, — 7,32
das Abendkleid, -er 8,42
das Abendland 8,11
abendländisch 8,11
abendlich 17,44
abends 9,4
die Abendzeitung, -en 2,24
aber 1,15
   zwar...aber 24,23
aber (modal) 2,11
abergläubisch 26, 35
abfahren 8,38 / *8,42*
   fährt ab, fuhr ab, ist abgefahren
die Abfahrt, -en 9,33
abfallen 24,28
   fällt ab, fiel ab, ist abgefallen
abfliegen 11,30
   fliegt ab, flog ab, ist abgeflogen
der Abgeordnete, -n 26,28
abhängen von *25,23*
   hängt ab, hing ab, hat abgehangen
abhängig von 26,32
abholen *19,42*
das Abitur 14,39
der Abiturient, -en 14,40
die Abiturientin, -nen 14,40
die Abitursnote, -n 14,39

ablehnen 19,41
abnehmen 20,30
   nimmt ab, nahm ab, hat abgenommen
der Abschied 28,28
absolut 17,23
abstammen 28,8
die Abstammung 28,29
absteigen 17,21
   steigt ab, stieg ab, ist abgestiegen
abstürzen 17,35
der Abteilungsleiter, — 16,37
abtrocknen 21,18
Achtung! 8,16
Ade! 16,40
Adieu! 15,44
die Adresse, -n 3,6
   die Heimatadresse, -n 27,20
der Affe, -n 7,27 / 7,30
ähnlich * / 17,25
die Ahnung, -en 10,27
   keine Ahnung 10,27
die Akademie, -n 3,11
der Akademiker, — 23,21
die Akademikerin, -nen 23,21
akademisch 14,40 / 16,41
die Akrobatin, -nen 3,1
der Alkohol 6,4
alle 5,1
   alle zwei Stunden 21,2
die Allee, -n 8,8
allein 3,17

allerbest- 17,32 / 17,41
alles 2,1
alles (=nur) 6,43
alles, was 30,18
allgemein 28,4
als (Komparation) 12,2
als (temporal) 29,1 / *29,3*
also 4,10
alt 1,21
   die Alte Welt 8,11
   uralt 22,1
der Alte, -n 30,33
das Altenheim, -e 14,40
das Alter 17,31
   das Mittelalter 18,2
altern 25,24
die Alternative, -n 14,40
altmodisch 8,45
die Altstadt 11,3
das Amt, ⁀er 9,15
   das Finanzamt, ⁀er 9,10
an 1,25 / *20,14*
die Analyse, -n 14,42
die Ananas 2,22
der Anatom, -en 12,31
anatomisch 23,10
anbeten 10,18
anbieten 7,32 / *7,43*
   bietet an, bot an, hat angeboten
ander- 7,27 / 8,11
andererseits 25,20
ändern 17,23
anders 3,21

der Anfang, ⁀e 9,33
anfangen 7,15 / *8,42*
   fängt an, fing an, hat angefangen
der Anfangsbuchstabe, -n 25,22 / 27,30
das Angebot, -e 26,6
   das Sonderangebot, -e 15,8
angenehm 6,43
angerührt 25,20
der Angestellte, -n 27,26
die Angst, ⁀e 4,34 / 19,26
   Angst haben 4,34 / 19,26
   Angst haben vor 26,27
   Angst kriegen 4,34
ängstlich 6,13 / 6,18
der Angsttraum, ⁀e 11,20
anhaben 11,29 / *11,32*
   hat an, hatte an, hat angehabt
anhauchen 18,31
ankommen 9,12 / *11,5*
   kommt an, kam an, ist angekommen
anmalen 16,11 / *16,39*
annehmen 28,1
   nimmt an, nahm an, hat angenommen
anonym 12,1
anprobieren 15,18
anregen 27,25
der Anruf, -e 18,28

der Bauchschmerz, -en 13,22
bauen * / 11,18 / *13,51*
der Bauer, -n 12,9 / 18,5
  der Schiffsbauer, — 22,7
die Bäuerin, -nen 23,1
das Bauernhaus, ¨er 18,1
der Bauernhof, ¨e 22,1
das Baujahr 23,23
der Baum, ¨e 6,47
  der Apfelbaum, ¨e 9,27
  das Bäumchen, — 13,53
beachten * / 18,32
der Beamte, -n 8,31
  der Zollbeamte, -n 25,20
beantworten 11,32
der Becher, — 2,14
bedeuten 13,47 / 17,44
bedeutend 27,26 / 30,23
die Bedeutung, -en * / 28,2
bedienen 29,1
die Bedienung, -en 5,12
beerdigen 29,14
der Beginn 9,33
beginnen 7,16 / *7,43*
  beginnt, begann, hat begonnen
begleiten 7,34 / *7,43*
das Begräbnis, -se 29,14
begreifen 26,29 / *28,28*
  begreift, begriff, hat begriffen
der Begriff, -e 28,30
begrüßen 17,43
bei 2,25 / *18,4*
beide 12,22
beides 5,8
das Bein, -e 6,17
das Beispiel, -e * / 7,28
  zum Beispiel (z.B.) 23,1
beißen 21,5
  beißt, biß, hat gebissen
bekannt 10,1
der Bekannte 21,21 / 27,28
bekanntlich 29,9
bekommen *5,28* / *11,5*
  bekommt, bekam, hat bekommen
beleuchtet 12,5
bemerken 27,26
benutzen *
das Benzin 14,32
beobachten 28,20 / *29,15*
die Beobachtung, -en 30,37
bequem 21,8
bereit 17,23
die Bereitschaft 30,25
der Berg, -e 4,1
  der Schneeberg, -e 30,1
  der Weinberg, -e 12,1
die Bergkapelle 10,26

die Bergtour, -en 4,29
das Bergwasser 18,27
der Bergwind, -e 10,2
der Bericht, -e 28,30
berichten 23,1 / *23,40*
der Beruf, -e 3,1
  ʹvon Beruf 3,1
die Berufswahl 7,27
das Berufsziel, -e 27,20
beruhigen 30,1
berühmt 11,25 / 18,2
  weltberühmt 29,9
die Besatzung 25,20
beschäftigt 12,2
bescheiden 12,9 / 12,20
beschreiben 20,16 / *21,19*
  beschreibt, beschrieb, hat beschrieben
besetzt 7,1
besichtigen 11,1 / *17,42*
der Besitz 24,23
  der Kaufhausbesitzer, — 11,20
besonder- 25,5
(etwas) Besonderes 29,12
besonders 2,31 / 4,6
besser 12,7 / *24,5*
die Besserung 17,18
  gute Besserung 17,18
best- 7,3
  am besten 18,12 / *24,5*
das Beste 13,42
bestätigen *28,28*
die Bestätigung, -en 28,3
bestehen aus 26,29
  besteht, bestand, hat bestanden
  die Prüfung bestehen 28,13
bestellen 13,8 / *13,51*
bestimmt 7,27
bestimmt (= sicher)
  13,47 / 23,32
(etwas) Bestimmtes 15,43
der Besuch, -e 7,38
  Besuch empfangen 7,38
besuchen *6,50* / *13,35*
der Besucher, — 30,5
betonen 25,21
die Betonung *
betreten 17,23 / *17,42*
  betritt, betrat, hat betreten
betrunken 16,2
der Betrunkene, -n 10,4 / 18,3
das Bett, -en 3,17
  ins Bett gehen 3,17
  zu Bett gehen 9,7
  das Federbett, -en 18,31
  das Kinderbett, -en 18,18

das Bettchen, — 13,53
bettelarm 23,42
der Bettler, — 23,42
beurteilen 27,25
die Bevölkerung 16,36
(sich) bewegen 18,32
die Bewegung, -en 18,32
der Beweis, -e 28,1
beweisen 28,2 / *28,28*
  beweist, bewies, hat bewiesen
bewirken 20,35
bewundern 27,25
bewußt 20,34
bezahlen 7,10 / *7,43*
bezeichnen als 27,26
die Bibliothek, -en 6,14 / 7,43
die Biene, -n 23,20
bienenfleißig 23,20 / 23,42
das Bier 1,1
der Biergarten, ¨ 10,12
bieten 14,40
  bietet, bot, hat geboten
der Bikini, -s 4,38
die Bilanz, -en 16,37
das Bild, -er* / 6,50
der Bildreporter, — 12,10
die Bildung 12,5
billig 2,11
die Biographie, -n 23,32
der Biologe, -n 3,31
die Biologie 3,27 / 3,31
die Biologin, -nen 3,31
biologisch 28,4
die Birne, -n 2,1
bis (Präposition) 4,24 / *18,3*
bis (Konjunktion) 12,5
bisher 24,23
(ein) bißchen 4,24 / 4,26
bitte * / 1,6
bitten 4,29 / *7,43*
  bittet, bat, hat gebeten
  bitten um 7,32 / *7,43*
bitter 9,21
blank 18,31
das Blatt, ¨er 23,40
blau 6,39
  blau sein (idiomatisch) 12,22
bleiben 4,38 / *4,39*
  bleibt, blieb, ist geblieben
bleich 17,18
blendend 13,31
der Blick, -e 10,18 / 12,27
blicken 10,18
blind 17,32 / 22,12
der Blitz, -e 23,20
blitzgescheit 23,20

blitzschnell 23,42
blockieren 26,29
blöd 6,34
blond 19,9
die blue jeans (Pl.) 11,30
blühen 9,27
das Blümchen, — 12,25
die Blume, -n 2,16
  die Sonnenblume, -n 9,27
der Blumenladen, ¨ 2,25
der Blumenstrauß, ¨e 13,1
die Blumenvase, -n 16,9
die Blumenwiese, -n 22,5
die Bluse, -n 15,1
der Boden, ¨ (= Fußboden) 13,28
der Boden (= Erde) 17,23 / 17,27
das Boot, -e 6,28
  das Fischerboot, -e 16,2
  das Segelboot, -e 26,40
böse 21,8
das Böse 27,26
die Bosheit, -en 20,35
die Botanik 26,22
der Botaniker, — 26,22
botanisch 11,27
der Bote, -n 29,1
die Boutique, -n 14,44
boxen 4,1
der Boxer, — 5,31
der Branntwein 25,2
der Braten, — 5,6
  der Gänsebraten, — 5,22
  der Rinderbraten, — 2,14
die Bratwurst, ¨e 2,14 / 15,1
brauchen 2,30 / *6,50*
braun 6,39 / 15,21
die Braut, ¨e 29,1
Bravo! 17,15
brechen *17,42*
  bricht, brach, hat gebrochen
  zusammenbrechen 17,18
breit 12,14
brennen 6,36
  brennt, brannte, hat gebrannt
das Brett, -er 20,1
der Brief, -e 2,28
  Brief schreiben 4,34
der Briefkasten, ¨ 21,20
die Briefmarke, -n 2,28
die Brieftasche, -n 20,6
der Briefträger, — 23,37
der Brillant, -en 13,21 / 30,11
die Brille, -n 6,16
  Brille tragen 19,22
  die Sonnenbrille, -n 18,24
bringen 5,8 / *5,28*
  bringt, brachte, hat gebracht

die Gegenwart * / 12,6
das Gehalt, ⸚er 9,16
geheizt 10,27
gehen 3,14 / *4,39*
  gehen (= funktionieren)
  6,37
  gehen (= weggehen)
  4,39
  geht, ging, ist gegangen
  zu Fuß gehen 4,38
  wie geht es Ihnen? 1,25
  wo geht es zu / nach 8,2
  es geht nach dir 22,10
das Gehirn, -e 28,20
gehören 6,28 / *6,50*
der Geist 12,10 / 28,8
geistig 28,9
geistreich 10,22
gelb 11,27 / 15,21
das Geld 2,4
  das Fahrgeld 17,40
der Geldbeutel 6,39
der Geliebte, -n 23,2
die Geliebte, -n 13,15
gelöst 11,32
gelten 13,16 / *28,28*
  gilt, galt, hat gegolten
die Geltung 28,29
gemein 29,14
die Gemeinschaft 30,25
gemischt 15,32
das Gemüse 14,47
gemütlich 6,19
die Gemütlichkeit 11,35
genau 6,18
der General, -e 6,48
der Generaldirektor, -en 26,34
das Genie, -s 27,25
genug 7,41
genügen *8,42*
genügend 20,30
geöffnet 7,7
die Geographie 9,8
gerade 3,14
geradeaus 10,16
geräuchert 2,14
geraum 29,14
die Gerechtigkeit 24,23
gering 17,24
gern 1,5 / *12,13*
  ungern 11,7
  gernhaben 6,36 / *6,50*
  hat gern, hatte gern, hat
  gerngehabt
  ich hätte gern
  5,17 / 5,19
der Geruch, ⸚e 25,18
das Geschäft, -e 2,24
  das Autogeschäft, -e 26,10
  das Fotogeschäft, -e 2,24

das Modegeschäft, -e
  11,25 / 11,26
geschehen 28,28
  geschieht, geschah, ist geschehen
gescheit 12,18
  blitzgescheit 23,20
das Geschenk, -e 18,27
´ die Geschichte (= Historie)
  9,8
die Geschichte, -n 12,10 /
  13,8
das Geschlecht, -er * / 19,34
geschlossen 7,7 / 9,2
der Geschmack 5,30
die Gesellschaft, -en 28,1
die Gesellschaftsreise, -n
  17,15
das Gesetz, -e 19,40
das Gesicht, -er 11,20 /
  12,2
gespannt 20,24
das Gespenst, -er 28,14
das Gespräch, -e * / 11,20 /
  12,8
  ein Gespräch führen * /
  11,20 / 14,45
gestern 6,9
gesund 3,2
die Gesundheit 11,35 /
  13,23
das Getränk, -e 5,24
die Gewalt 22,14
das Gewicht 26,29
  das Gegengewicht 26,29
gewinnen 8,40 / *17,42*
  gewinnt, gewann, hat gewonnen
gewiß 17,23 / 26,29
das Gewitter, — 25,18
sich gewöhnen an
  16,39
gewohnt 22,12
gewürzt 2,14
gießen 12,25 / *12,26*
  gießt, goß, hat gegossen
der Gipfel, — 10,25
die Gitarre, -n 4,20
die Gitarrenmusik 18,15
der Glanz 27,26
glänzen 18,31
das Glas, ⸚er 1,31
  das Cognacglas, ⸚er 16,30
  das Likörglas, ⸚er 23,26
  das Teeglas, ⸚er 15,13
  das Weinglas, ⸚er 18,17
das Gläschen, — 10,27
der Glasteller, — 18,16
die Glastür, -en 18,16
glauben 13,9 / *13,35*

gleich — 8,11
  gleich (= genauso) 6,45
  gleich (= sofort) 4,27 / *10,10*
gleichbleiben 14,19
  bleibt gleich, blieb gleich, ist
  gleichgeblieben
gleichbleibend 27,26
gleichgültig 9,21
die Gleichgültigkeit 9,23
die Gleichheit 11,35
das Gleis, -e 8,29
der Globus 8,11
das Glück 6,13 / 8,42
  zum Glück 6,13
glücklich 6,15
das Gold 12,5
goldbraun 16,1
golden 23,26
der Goldfisch, -e 13,42
das Golf 12,21
gotisch 12,2
  frühgotisch 10,18
Grüß Gott! 7,34 / 9,10
o Gott! 5,8
der Grad 9,27
das Gramm (g) 2,10 / 2,11
die Graphik, -en 6,45
das Gras, ⸚er 23,20
gratulieren 6,21 / *6,50*
grau 10,1
die Grenze, -n 8,11
der Grill, -s 20,11
groß 1,9 / *24,5*
großartig 8,40
die Größe, -n 12,28
die Großeltern (Pl.) 18,8
die Großmutter, ⸚ 6,19
der Großpapa, -s 12,5
die Großstadt, ⸚e 12,1
der Großvater, ⸚ 6,19
großzügig 19,9
grün 5,16 / 15,21
  grasgrün 23,20
der Grund (= Boden) 17,26
der Grund, ⸚e 20,35
  der Hintergrund 10,18
die Grundlage, -n 17,35
die Gruppe, -n 8,11
der Gruß, ⸚e 3,20
grüßen 5,32 / 13,38
  Grüß Gott! 7,34 / 9,10
gucken 14,46 / *25,23*
die Gurke, -n 2,2
gut 1,25 / *12,13*
  gut (= o.k.) 4,11
guttun 21,2
  tut gut, tat gut, hat gutgetan
das Gymnasium, Gymnasien
  6,14 / 14,39
die Gymnastik 3,14

H

das Haar, -e 6,39
haben 1,36 / 2,24
  hat, hatte, hat gehabt
  hinter sich haben 14,40
  wir haben 12 Uhr 9,5
der Hafen, ⸚ 6,14 / 11,1
das Hafencafé, -s 16,18
das Hafenrestaurant, -s 19,27
der Hahn, ⸚e 13,53
das Hähnchen, — 5,19
der Haken, — 25,9
halb 4,25
die Halbinsel, -n 8,11
halbleer 16,30
halbvoll 25,20
die Hälfte, -n 16,37
das Hallenbad, ⸚er 7,41 /
  14,48
Hallo! 4,39
halt! 6,24
halten 7,43 / *8,17* / *8,42*
  halten (= wahrmachen)
  14,44
  hält, hielt, hat gehalten
  halten für 9,21 / *9,32*
  halten von 25,7
die Haltestelle, -n 18,12
  die Straßenbahnhaltestelle, -
  n 8,35
haltmachen 11,1
die Haltung, -en 23,10
der Hammer, — 14,41
die Hand, ⸚e 7,17
  an der Hand nehmen 29,1
  aus der Hand lesen 7,17
  in der Hand haben 26,29
  in Händen haben 28,1
die Handarbeit, -en 15,7
handeln nach 24,23
sich handeln um 28,9
das Handelsschiff, -e 27,18
die Handelsstadt, ⸚e 12,3
der Händler, — 2,25
  der Autohändler, — 2,25 /
  27,11
  der Teppichhändler, —
  15,44
der Handschuh, -e 13,26 /
  16,30
die Handtasche, -n 7,45 /
  20,24
das Handtuch, ⸚er 18,26
die Handvoll, — 25,1
das (Schreiner)handwerk 14,39
der Handwerker, — 12,3
hängen 10,1
  hängt, hing, hat gehangen
hängen 20,14

das Institut, -e 3,27 / 4,27
das Instrument, -e 6,43
der Intellektuelle, -n 11,23
intelligent 4,42 / *24,5*
die Intelligenz 13,48
der Intendant, -en 16,36
   der Theaterintendant, -en
   26,16
interessant 2,22 / 4,30
das Interesse, -n 9,33
   im Interesse 24,23
sich interessieren (für)
   8,42 / 16,39
international 24,23
das Interview, -s 9,13
irgendein 27,26
irgendwo 8,35
der Irrtum, ᵉer 29,14
isolieren 13,46

J

ja 1,14
die Jacke, -n 15,25
   die Pelzjacke, -n 11,28
   die Sommerjacke, -n 25,8
das Jahr, -e 3,12
   im Jahr 3,14
   das Baujahr, -e 22,23
jahrelang 30,16
die Jahreszeit, -en 9,25
das Jahrhundert, -e 15,37 /
   18,4
–jährig 7,27
jährlich 17,44
der Januar 9,25
jawohl 14,32
der Jazz 3,28
die Jazzplatte, -n 30,9
die Jeans (Pl.) 6,39
jeder 2,30
jemand 11,27
jenseits 27,26
jetzt 3,12 / *10,10*
der Job, -s 19,38
der Joghurt, -s 2,14
der Jubel 29,1
die Jugendfreundin, -nen
   6,50
der Jugendliche, -n 14,40
der Juli 9,25
jung 4,37 / 4,42 / *24,5*
der Junge, -n 2,24
   der Schuljunge, -n 8,17
die Jungfrau, -en 10,23
der Juni 9,25
der Jupiter 17,30
die Jura (Pl.) 4,34 / 17,30
der Jurist, -en 27,26
das Juwel, -en 6,2
der Juwelier, -e 18,15

K

die Kabine, -n 4,38
der Kaffee 1,1
das Kaffeehaus, ᵉer 29,9
der Kaffeelöffel, — 20,27
die Kaffeemaschine, -n 6,6
die Kaffeesorte, -n 29,12
der Kai, -s 16,2
der Kaiser, — 26,32
der Kakao 1,2
der Kalender, — 13,20 /
   15,42
kalt 2,14, 5,5
   eiskalt 4,39
die Kamera, -s 4,38
der Kamin, -e 20,12
(sich) kämmen 16,17 /
   16,39
die Kammer, -n 25,15
   die Schlafkammer, -n 25,9
der Kampf, ᵉe 19,43
kämpfen 19,40
der Kanarienvogel, ᵉ 13,42
das Kännchen, — 1,34
die Kanne, -n 1,34
die Kantine, -n 20,20
der Kanzler, — 26,28
die Kapelle, -n 10,1
   die Bergkapelle, -n 10,26
   die (Musik)kapelle, -n 22,17
das Kapital, -e 27,25
   das Millionenkapital 27,25
der Kapitän, e 6,43
die Kapitulation, -en 19,43
kapitulieren 19,40
kaputt 6,28
kaputtgehen 21,12
   geht kaputt, ging kaputt, ist
   kaputtgegangen
karg 12,9
der Karneval 7,40
die Karnevalsnase, -n 13,9
die Karte, -n 4,1
   die Landkarte, -n 2,24
   die Postkarte, -n 13,8
   die Speisekarte, -n 5,12
   die Spielkarte, -n 25,25
   die Theaterkarte, -n 4,25
   die Zirkuskarte, -n 13,15
die Kartoffel, -n 2,2
die Kartoffelernte, -n 30,33
das Karussell, -s 8,15
der Karussellmann 22,19
der Käse 2,12
der Käsekuchen, — 10,26
die Käseplatte, -n 5,11
die Käsetorte, -n 7,27
die Kasse, -n 2,19 / 5,33
   die Sparkasse, -n 12,3

der Kassettenrecorder, — 13,15
die Kastanie, -n 12,5
der (Brief)kasten, ᵉ 14,44
katastrophal 16,37
die Katastrophe, -n 7,25
katholisch 6,11 / 23,21
die Katze, -n 6,27
der Katzensprung 18,9
der Kauf 5,30
kaufen 2,25
das Kaufen 22,12
das Kaufhaus, ᵉer 9,34
der Kaufhausbesitzer, — 11,20
der Kaufmann, Kaufleute 12,2
   der Bankkaufmann 3,12
kaum 12,9 / 15,42
der Kavalier, -e 3,17
kein 4,25
   kein ... mehr 4,25
   überhaupt kein 12,5
keiner (=niemand) 11,13
der Keller, — 6,4
   der Ratskeller, — 11,5
   der Weinkeller, — 13,43
die Kellnerin, -nen 10,22
kennen 8,4
   kennt, kannte, hat gekannt
kennenlernen 11,1 / 11,32
der Kenner, — 28,9
die Keramik 15,1
der Kerl, -e 23,3
kerngesund 12,10
das Kilo, — 2,1
das Kilometer (km), — 3,14
der Kilometerstand 26,11
das Kind, -er 1,1
   das Schulkind, -er 16,2
der Kinderarzt, ᵉe 3,1
das Kinderbett, -en 18,18
das Kinderfoto, -s 27,26
die Kinderstimme, -n 27,26
der Kindertisch, -e 18,17
das Kinderzimmer, — 12,29
kindlich 30,25
das Kino, -s 2,25 / 4,5
   das Revolverkino, -s 20,19
der Kiosk, -e 2,25 / 9,34
die Kirche, -n 8,15
   die Barockkirche, -n
   18,19
die Kirsche, -n 20,6
das Kirschwasser 15,9
der Kitsch 15,1
klagen 13,54
klar 15,11
   klar! 4,27
   sonnenklar 23,42
die Klarinette, -n 27,25
die Klasse, -n 18,32
   Klasse! 6,21

1. / 2. Klasse im Zug 8,29
die Schulklasse, -n 22,5
der Klassiker, — 10,22
klassisch 5,28
die Klavierlehrerin, -nen 3,14
der Klavierunterricht 3,14
das Kleid, -er 8,41
   das Sommerkleid, -er 15,29
   das Sommerkleidchen, —
   23,17
   das Winterkleid, -er 23,17
klein 1,9
kleiner- 8,11
die Kleinstadt, ᵉe 12,3
das Klima 19,36
   das Arbeitsklima 19,36
die Klingel, -n 6,34
die Klinik, -en 14,45
   die Poliklinik, -en 18,12
das Klischee, -s 10,22
das (Herz)klopfen 19,29
klopfen 17,42 / *21,19*
   es klopft *21,19*
das Kloster, ᵉ 18,1
klug 24,10 / 25,25
das Knie, -e 6,39
der Knochen, — 28,1
der Knopf, ᵉe 21,19
kochen 5,29 / *12,26*
das Kochrezept, -e 2,18
das Koffein 29,12
der Koffer, — 6,24
der Kollege, -n 3,17
die Kollegin, -nen 3,30
das Kölnisch Wasser 3,32
kolossal 12,23
komisch 16,17
kommen 4,22 / *4,39*
   kommt, kam, ist gekommen
   mitkommen 4,7
   kommen von 26,32
   über einen kommen 22,12
   so kommt es 28,24
der Kommunist, -en 16,39
die Komödie, -n 4,33
das Kompliment, -e 6,17
kompliziert 23,21
komponieren 27,26 / 30,13
der Komponist, -en 24,19 /
   27,26
das Kompott, -e 5,11
der Kompromiß, -sse 29,15
der Konditor, -en 7,27
der Konditorladen, ᵉ 7,27
die Konferenz, -en 17,11
das Konferenzzimmer, —
   17,11
der Kongreß, -sse 27,3
der König, -e 10,18 / 12,3
die Königin, -nen 30,33

können 3,32 / *7,11*
  kann, konnte, hat gekonnt
  ich kann nicht mehr 5,3
das Können 9,33
der Konservative, -n 26,29
das Konservatorium, Konserva-
  torien 6,14 / 6,15
konstruktiv 9,23
der Konsul, -n 8,30
der Kontinent, -e 23,19
die Kontrolle, -n 26,32
  unter Kontrolle 28,20
das Konzert, -e 4,22
die Konzertkarte, -n 17,37
der Konzertsaal, -säle 27,8
der Kopf, ⸗e 7,27 / 18,31
  im Kopf haben 26,9
  sich den Kopf zerbrechen
  27,14
  Kopf hoch! 30,30
  der Totenkopf, ⸗e 11,25 /
  16,11
die Kopfschmerzen (Pl.)
  13,22
die Kopie, -n 10,18 / 28,1
der Korb, ⸗e 20,27 / 22,24
der Körper, — 28,8
korrespondieren 30,16
kostbar 10,1
kosten 2,2
das Kostüm, -e 19,13
das Kostümfest, -e 9,13
das Kotelett, -s 2,14
die Kraft, ⸗ 26,29
kräftig 25,20
krank 3,2
  leberkrank 21,12
  schwerkrank 27,26
der/die Kranke, -n 12,10 /
  28,1
  der/die Nervenkranke, -n
  27,26
das Krankenhaus, ⸗er
  11,19
die (Orts)krankenkasse, -n
  9,10
die Krankenschwester, -n
  19,22
die Krankheit, -en 11,35 /
  27,26
(sich) kratzen 16,22
das (Sauer)kraut 10,26
die Krawatte, -n 15,24
der Kreis, -e (soziologisch)
  15,42
  ein Kreis (=einige Leute)
  23,23
das (Rote) Kreuz 29,14
kriechen 25,1 / *25,23*
  kriecht, kroch, ist gekrochen

der Krieg, -e 12,11
  der Weltkrieg, -e 26,6
kriegen 2,24
der Krimi, -s 5,28
der Krimiautor, -en 24,19
der Kriminalfall, ⸗e 12,31
der Kriminalroman, -e 6,7
der Kristall, -e 28,24
die Kritik, -en 14,45
  Kritik üben 14,45
der Kritiker, — 24,27
kritisch 23,21
kritisieren 11,23
das Krokodil, -e 27,31
die Krokodiltasche, -n 11,28
die Küche, -n 11,30
der Kuchen, — 5,3
die Küchenarbeit 20,27
der Küchenschrank, ⸗e 20,6
die Kugel, -n 17,23
der Kugelschreiber, —
  30,33
kühl 4,38
  ein kühler Mensch 12,1
die Kühle 27,26
kühlen 25,24
der Kühlschrank, ⸗e 22,27
die Kultur, -en 8,11
die Kulturpolitik 26,32
der Kunde, -n 2,8
kündigen 19,36 / 19,43
die Kündigung, -en 19,43
die Kundin, -nen 2,1
die Kunst, ⸗e 17,35
  die Volkskunst 22,27
der Künstler, — 24,15
künstlerisch 30,26
das Kupfer 15,1
der Kupferkessel, — 21,18
der Kurs, -e 7,26
  der Deutschkurs, -e 10,26
  der Französischkurs, -e
  7,26
  der Stenokurs, -e 27,3
der Kurswagen, — 8,29
kurz 6,39
die Kürze 8,38 / 12,28
  in Kürze 8,38
kürzen 25,24
der Kuß, ⸗sse 5,30
küssen 5,30 / *28,28*
die Kutsche, -n 29,1
der Kutscher, — 27,26

L

lachen 14,22
das Lachen 30,25
der Laden, ⸗ 5,33
  der Blumenladen, ⸗ 2,25
  der Milchladen, ⸗ 2,25

der Plattenladen, ⸗ 18,15
der Tabakladen, ⸗ 28,15
die Ladung, -en 25,20
die Lage, -n 18,32
  die Grundlage, -n 17,35
  die Lebenslage, -n 23,21
der Lagerraum, ⸗e 25,20
die Lampe, -n 10,4 / 11,1
das Land, ⸗er 8,12
das Land (Gegensatz zu
  Stadt) 18,1
  das Festland 22,1
landen 8,14
die Landkarte, -n 2,24
die Landschaft, -en 10,1
die Landung, -en 9,33
lang 4,24 / 4,35
die Länge, -n 12,28
langsam 3,21 / 21,2
längst 14,12
langweilig 4,28
lassen 19,39 / 25,15
  läßt, ließ, hat gelassen
der Lastwagenfahrer, — 8,4
die Laterne, -n 16,2 / 16,3
der Lauf, ⸗e 28,28
  im Lauf der Zeit 28,28
laufen 6,34
  läuft, lief, ist gelaufen
der Läufer, — 24,28
laut * / 5,19
der Laut, -e * / 28,9 / 29,17
leben 3,12 / *3,28*
das Leben, — 7,27 / 9,33
lebendig 9,21 / 10,22
die Lebenslage, -n 23,21
der Lebenslauf, ⸗e 27,21
der Lebenspartner, — 13,46 /
  23,21
der Lebensstil, -e 24,23
leberkrank 21,12
die Leberwurst, ⸗e 2,23
das Lebewesen, — 28,1
lecker 5,19
der Ledermantel, ⸗ 15,22
ledig 3,7 / 4,42
leer 6,39
  halbleer 16,30
die Leere 12,28
leeren 25,24
(sich) legen 6,54 / *20,8*
die Lehre, -n 28,30
lehren 5,32 / 14,44
der Lehrer, — 2,29
  der Oberlehrer, — 10,26
die Lehrerin, -nen 3,23
  die Klavierlehrerin, -nen
  3,14
  die Sportlehrerin, -nen 3,13
die Leiche, -n 12,31

leicht (im Gewicht) 23,17
leicht (=einfach) 7,40 /
  23,1
leid
  es tut mir leid 2,31
  tat leid, hat leid getan
leider 3,17
leihen 7,26 / *7,43*
  leiht, lieh, hat geliehen
leise 6,39 / 6,54
leisten 27,28
die Leistung, -en 24,1
lernen * / 3,1 / *3,28*
  das Lernen 16,38 / 20,34
lesen * / 4,15 / *4,39*
  liest, las, hat gelesen
  das Lesen 16,38
  das Zeitunglesen 16,38
der Leser, — 6,47
der Lesetext, -e * / 10,26
letzt- 23,36 / *24,5*
leuchten 18,31
der Leuchtturm, ⸗e 16,2
die Leutchen (Pl.) 30,30
die Leute (Pl.) 1,1
der Liberale, -n 23,27
das Licht, -er 6,34
der Lichtstrahl, -en 28,24
lieb 3,17 / *24,5*
die Liebe 4,1
(sich) lieben 5,30 / 13,34
lieber 1,7
der Liebesbrief, -e 5,29
das Liebespaar, -e 20,19
der Liebesroman, -e 4,39
liebevoll 12,10 / 23,21
liebhaben 23,41
  hat lieb, hatte lieb, hat lieb-
  gehabt
der Liebhaber, — 16,11
der Liebling, — 8,42
der Liebste, -n 18,3
das Lied, -er 25,9
  das Volkslied, -er 10,22
liegen 7,9 / *7,43* / *20,9*
  liegt, lag, hat gelegen
der Liegestuhl, ⸗e 20,12
der Liegewagen, — 8,29
der Lift, -s 7,4
der Likör, -e 14,21
das Likörglas, ⸗er 23,26
lila 11,32
die Limo(nade), -s(-n) 5,8
die Linie, -n 8,37
links 3,32
der Lippenstift, -e 23,37
die Liste, -n 2,12
der Liter, — 2,18
literarisch 29,9
die Literatur, -en 6,16

der LKW-Fahrer 26,16
das **Loch**, ⁻er 25,12
die **Locke**, -n 23,14
der **Löffel**, — 22,29
    der Holzlöffel, — 18,18
    der Kaffeelöffel, — 20,27
    der Suppenlöffel, — 18,18
das **Löffelchen**, — 20,27
die **Logik** 15,5
logisch * / 4,37
das **Lokal**, -e 12,7
die **Lokomotive**, -n 25,23
losgehen 22,19
    geht los, ging los, ist losge-
    gangen
die **Lösung**, -en 24,26
das **Lotto** 17,42
die **Luft**, ⁻e 11,31 / 13,33
lügen 23,40
die **Lungentuberkulose** 27,26
die **Lust** 4,25
Lust haben 4,25
lustig 12,10 / 13,45
der Lustige, -n 16,13
der **Luxus** 11,28

M

machen 3,14 / *4,39*
    ausmachen 6,54
    saubermachen 13,31
    das macht (—kostet) 2,8
    das macht nichts 7,46
    es sich leicht machen
    27,26
die **Macht**, ⁻e 22,12
das **Mädchen**, — 1,1
    das Schulmädchen, — 12,5
das **Magazin**, -e 30,9
die **Mahlzeit**, -en 5,1
der **Mai** 6,45
das **make-up** 18,24
mal 5,19
malen 11,36
das Malen 9,8
der **Maler**, — 24,21 / 27,11
die **Malerei** 10,1
die **Malerin**, -nen 9,32
die **Mama**, -s 3,21 / 15,44
man 9,15
manch- 9,21 / 24,1
manchmal 6,34
die **Mandarine**, -n 2,2
der **Mann**, ⁻er 4,30
    der Mann, ⁻er (= Ehe-
    mann) 6,24
    der Kaufmann, Kaufleute
    12,2
    der Seemann, ⁻er (Seeleu-
    te) 16,2
    der Steuermann, ⁻er 25,20

das **Mannequin**, -s 9,14 /
    24,2
männlich 18,26
der **Mantel**, ⁻ 4,25
    der Arbeitsmantel, ⁻ 15,20
    der Ledermantel, ⁻ 15,22
    der Regenmantel, ⁻ 8,19
    der Sommermantel, ⁻ 16,8
    der Wintermantel, ⁻ 16,39
das **Manuskript**, -e 13,45
das **Märchen**, — 12,10 / 13,51
die **Marionette**, -n 15,42
die **Mark**, — 2,1
    der Zehnmarkschein, -e
    7,26
der **Markt**, ⁻e 2,1
    der Fischmarkt, ⁻e 11,5
    der Supermarkt, ⁻e 2,25 /
    9,34
die **Marktfrau**, -en 2,1
der **Marktpreis**, -e 26,24
die **Marmelade**, -n 5,7
der **Marsmensch**, -en 15,22
der **März** 9,25
die **Maschine**, -n 6,21
    die Nähmaschine, -n 27,25
    die Schreibmaschine, -n
    6,5
die **Maske**, -n 15,19
die **Masse**, -n 19,39
die **Mathematik** 2,10 / 3,2
mathematisch 27,25
der **Matrose**, -n 29,14
die **Mauer**, -n 10,19
    die Stadtmauer, -n 18,3
das **Mäuschen**, — 21,19
das **Maximum** 28,24
der **Maxirock**, ⁻e 15,22
das **Medikament**, -e 29,16
die **Medizin** (Fach) 3,11
    die Tiermedizin 14,40
die **Medizin** (Arznei) 29,9
der **Medizinstudent**, -en
    16,36
das **Meer**, -e 8,11
mehr *24,5*
    kein ... mehr 4,25
    nicht(s) mehr 5,3 / 12,9
meinen 5,19
die **Meinung**, -en 11,22
meist- 12,21 / *24,5*
meistens 12,1
der **Melancholiker**, — 6,13
melancholisch 19,7
(sich) melden 29,14
die **Melodie**, -n 10,22
die **Melone**, -n 23,2
die **Menge**, -n 29,9
die **Mensa**, Mensen
    16,34

der **Mensch**, -en 7,27 / 7,44
    Mensch! 9,5
    kein Mensch (= niemand)
    13,29
    der Marsmensch, -en 15,22
    der Urmensch, -en 28,8
der **Menschenfresser**, — 10,23
die **Menschenseele**, -n 25,20
menschenwürdig 24,23
menschlich 11,35
die **Menschlichkeit** 11,35
das **Menü**, -s 5,23
sich merken 16,36 / *16,39*
merkwürdig 29,14
die **Messe**, -n 8,22
    die Industriemesse, -n 27,3
messen 30,25
das **Messer**, — 13,37 / 16,31
messerscharf 23,42
das **Metall**, -e 12,10
der **Metallarbeiter** 9,14
der **Meter**, — 17,35
der **Metereologe**, -n 25,18
die **Methode**, -n 17,23 /
    28,1
    die Denkmethode, -n 17,23
der **Metzger**, — 7,30
die **Miete**, -n 7,36
mieten 17,43
der **Mieter**, — 14,40
    der Untermieter 7,35
das **Mikrofon**, -e 6,6
die **Milch** 1,1
die Milchflasche, -n 18,18
der Milchladen, — 2,25
das **Militär** 22,14
die **Million**, -en 6,1
    die Jahrmillion, -en 28,28
der **Millionär**, -e 6,13 / 13,9
die Millionärstochter, ⁻ 15,42
das **Millionenkapital** 27,25
mindestens 7,26
das **Mineralwasser**, — 1,29
der **Minister**, — 13,51
    der Außenminister, — 7,43
    der Finanzminister, —
    26,16
die **Minorität**, -en 8,13
die **Minute**, -n 4,38
mischen 9,21 / *9,32*
miserabel 13,29
der **Mißbrauch**, ⁻e 29,12
der **Mißerfolg**, -e 22,16
mißtrauen 26,41
mit 1,8 / *18,4*
mitarbeiten 11,10
der **Mitarbeiter**, — 6,47
mitbringen 17,14
    bringt mit, brachte mit, hat
    mitgebracht

mitfahren 8,2
    fährt mit, fuhr mit, ist mitge-
    fahren
mitfliegen 14,5
    fliegt mit, flog mit, ist mitge-
    flogen
mitgeben 28,20
    gibt mit, gab mit, hat mitge-
    geben
mitgehen 4,10
    geht mit, ging mit, ist mitge-
    gangen
mithelfen 11,10
    hilft mit, half mit, hat mitge-
    holfen
mitkommen 4,7
    kommt mit, kam mit, ist mit-
    gekommen
mitnehmen 17,29
    nimmt mit, nahm mit, hat
    mitgenommen
der **Mitreisende**, -n 11,16
mitspielen 7,40
der **Mittag**, -e 1,33
das **Mittagessen** 9,2
mittags 18,30
der **Mittagsschlaf** 16,39
die **Mittagssonne** 16,3
das **Mittelalter** 18,2
Mitteleuropa 29,9
die **Mitternacht**, ⁻e 11,5
der **Mittwoch** 9,25
mitwollen 7,26
    will mit, wollte mit, hat mit-
    gewollt
die **Möbel** (Pl.) 14,47
    die Stahlmöbel (Pl.) 18,16
mobilisieren 19,40
möchten 1,29 / *5,28 / 7,11*
die **Mode**, -n 14,41 / 26,5
das **Modegeschäft**, -e 11,25 /
    11,26
die **Modenschau**, -en 27,2
modern 8,45
der **Modesalon**, -s 14,40
modisch 16,41
    altmodisch 8,45
mögen 2,13 / *5,28*
    mag, mochte, hat gemocht
möglich 8,46
die **Möglichkeit**, -en
    11,35 / 20,23
der **Mokka**, -s 13,45
der **Moment**, -e 4,5
    Moment! 4,5
momentan 19,39 / 19,45
die **Monarchie**, -n 26,32
der **Monat**, -e 3,12 / *9,25*
    im (= pro) Monat 3,12
monatlich 14,39

der Mond, -e 9,31
die Mondsichel 27,26
der Montag, -e 8,29
die Moral 27,26
der Moralist, -en 27,26
der Mörder, – 17,10
morgen 3,17
der Morgen, – 1,25
der Morgenbesuch, -e 25,2
das Morgenland 8,12
die Morgenröte 15,37
morgendlich 17,44
morgens 6,50
die Morgenzeitung, -en 8,17
der Motor, -en 6,21
das Motorrad, ⸗er 4,6
das Motto, -s 12,21
müde 3,19
    todmüde 9,5 / 29,8
die Mühe, -n 22,12
die Mühsal 29,14
mühsam 9,21
der Mund, ⸗er 14,46
mündlich * / 27,20
das Münster, – 18,19
der Münsterplatz, ⸗e 18,19
die Münze, -n 26,22
die Muschel, -n 22,2
das Museum, Museen 8,20
die Musik 3,31
    die Volksmusik 10,22
musikalisch 23,21
    hochmusikalisch 27,50
der Musiker, – 3,31
die Musikerin, -nen 3,31
die Musikhochschule, -n 6,43
die Musikkapelle, -n 22,17
der Musikprofessor, -en 6,43
das Musikstück, -e 27,26
der Musikstudent, -en 6,15
das Musikzimmer, – 12,29
musizieren 7,38 / 7,43
müssen 7,1 / 7,11 / 7,43
    muß, mußte, hat gemußt
    muß das sein? 12,5
der Mut 17,23
mutig 19,34
die Mutter, ⸗ 3,30
die Muttersprache, -n 8,13
die Mutti, -s 19,23
die Mütze, -n 13,26 / 15,21
    die Dienstmütze, -n 25,20
    die Pelzmütze, -n 19,13

N

nach (lokal) 4,12 / 18,4
nach (temporal) 4,25 / 18,4
nach (konsekutiv) 26,30
nachahmen 28,9
der Nachbar, -n 8,11

der Nachbargarten, ⸗ 20,6
nachdenken 6,17
    denkt nach, dachte nach,
    hat nachgedacht
der Nachmittag, -e 1,33 /
    3,28
die Nachricht, -en 17,9
nachschauen 14,48 / 29,15
nachsehen 23,40
    sieht nach, sah nach,
    hat nachgesehen
die Nachspeise, -n 5,24
nächst- 3,32
    nächstemal 20,34
die Nacht, ⸗e 1,33
    Gute Nacht! 7,34 / 8,42
    die Mitternacht, ⸗e 11,5
die Nachtarbeit 29,12
der Nachteil, -e 11,23
das Nachthemd, -en 15,23
der Nachthimmel, – 9,1
der Nachtisch, -e 8,23
nächtlich 16,2
nachts 9,4
der Nachtwind, -e 25,2
der Nachtzug, ⸗e 8,16
der Nagel, ⸗ 16,4
nah 10,1 / 24,5
die Nähe 6,17
die Nähmaschine, -n 27,25
der Name, -n 3,4
nämlich 6,45
der Narr, -en 16,13
die Nase, -n 14,46
    die Karnevalsnase, -n 13,9
naß 19,17
die Nation, -en 8,11
national 24,23
der Nationalist, -en 26,29
die Natur 26,3
natürlich 4,10
naturwissenschaftlich 28,1
neben 7,27 / 20,14
das Nebenzimmer, – 20,1
nehmen 1,7 / 8,17
    nimmt, nahm, hat genom-
    men
nein 1,14
nennen 12,6
    nennt, nannte, hat genannt
das Neon 25,25
der Nerv, -en 7,38
der Nervenkranke, -n 27,26
nervös 4,46
nett 3,17
netto 9,18
das Nettogehalt, ⸗er 9,16
neu 2,6
    die Neue Welt 8,12

die Neugier 20,35
das Neujahr 20,14
das Neuland 17,23
neulich 30,16
die Neuzeit 28,1
nicht 1,19
    nicht mehr 5,3
    nicht wahr? 6,28
der Nichtraucher, – 22,28
nichts 4,27
das Nichtstun 11,21
nie 4,9 / 7,47
nieder- 23,10
niederschreiben 17,34
    schreibt nieder, schrieb nie-
    der, hat niedergeschrieben
niedrig 12,3
niemand 13,22
noch 4,25
    noch ein 1,31
    nochmal 22,19
der Norden 8,11
die Nordseeinsel, -n 22,1
normal 16,21
normalerweise 25,22
die Note, -n 27,26
    die Abiturnote, -n 14,39
nötig 24,25
die Notiz, -en *
der November 9,25
notwendig 30,25
null 8,28
die Null, -en 9,27
die Nummer, -n *
    die Telefonnummer, -n
    3,6
nun 10,10
    nun! 5,10
nur 1,31
nützen 20,35
der Nutzen 30,37
nützlich 21,18

O

ob 27,8
oben 10,1
der Ober, – 1,10
die Oberfläche, -n 19,39
der Oberlehrer, – 10,26
das Objekt, -e 11,20 / 22,12
die Oboe, -n 4,32
das Obst 11,5
der Obstgarten, ⸗ 6,31
der Obstsalat, -e 8,17
oder 1,9
offen * / 8,41 / 24,5
offenhaben 9,10
    hat offen, hatte offen, hat
    offengehabt
die Offenheit 30,25

offiziell * / 26,29
der Offizier, -e 29,14
öffnen 18,32 / 21,4
die Öffnung, -en 18,32
oft 4,9 / 8,46
ohne 4,25 / 18,3
das Ohr, -en 6,43
die Ohrfeige, -n 25,11
o.k. 3,17
ökonomisch 26,6
der Oktober 9,25
das Oktoberfest, -e 10,22
das Öl, -e 12,10
    das Eukalyptusöl 12,26
    das Sonnenblumenöl 15,8
die Olive, -n 15,8
die Olympischen Spiele (Pl.)
    12,21
die Oma, -s 12,5
das Omelett, -s 5,1
der Onkel, – 6,19
der Opa, -s 12,5
die Oper, -n 4,5
die Operation, -en 9,13
die Opernsängerin, -nen
    30,24
der Optiker, – 27,3
die Orange, -n 2,2
der Orangensaft, ⸗e 1,3
das Orchester, – 12,5
ordnen * / 18,32
die Ordnung, -en 8,44
der Organismus, Organismen
    11,21
sich orientieren 19,40
die Orientierung, -en 28,24
das Original, -e 30,22
originell 11,25
der Orkan, -e 19,39
der Ort, -e 8,22
    der Geburtsort, -e 27,20
die Ortskrankenkasse, -n 9,10
der Osten 8,11
das Ostern, – 17,12
oval 15,1
der Ozean, -e 8,11

P

das Paar, -e 5,11
    das Liebespaar, -e 20,19
(ein) paar 14,15
packen 4,29 / 14,44
das Paket, -e 7,16
der Palast, -e 27,30
der Papa, -s 3,21
    der Großpapa, -s 12,5
der Papagei, -en 13,42
das Papier 7,45
die Papiere (Pl.) 17,11
der Paprika, – 2,5

das Paradies 30,30 / 30,36
Pardon! 5,29
das Parfüm, -s 3,32
der Park, -s 4,17
die Parkbank, ⁻e 12,5
parken *7,43*
das Parkhotel, -s 7,43
das Parkkonzert, -e 12,7
der Parkplatz, ⁻e 20,33
das Parlament, -e 14,41
parlamentarisch 26,32
die Partei, -en 16,36
der Parteichef, -s 14,44
das Parterre, -s 25,9
der Partner, — 23,21
   der Ehepartner, — 16,38
   der Lebenspartner, —
   13,46 / 23,21 ·
die Partnerin, -nen 23,31
die Partnerwahl 7,27
die Party, -s 4,22
der Paß, ⁻sse 7,45
passen * / 6,36 / *6,50*
passieren 10,24 / *14,44*
die Pastete, -n 15,30
der Patient, -en 14,39
die Pause, -n 9,1
pausenlos 12,2
der Pavillon, -s 12,5
das Pech 22,12
der Pelz, -e 18,23
die Pelzjacke, -n 11,28
die Pelzmütze, -n 19,13
die Person, -en * / 5,19
der Personenzug, ⁻e 8,30
persönlich 11,7
die Persönlichkeit, -en 17,34
die Perücke, -n 14,11
der Pfarrer, — 26,16
der Pfeffer 15,8
das Pfeffersteak, -s 5,19
die Pfeife, -n 1,20
pfeifen 25,6 / 25,23
   pfeift, pfiff, hat gepfiffen
der Pfennig, -e 2,2
das Pferd, -e 4,1
   das Holzpferd, -e 30,11
das Reitpferd, -e 13,15
das Zirkuspferd, -e 30,1
der Pfirsich, -e 2,13
die Pflanze, -n 12,10 /
   26,22
die Pflanzenwelt 28,28
das Pflegepersonal 29,14
die Pflegerin, -nen 29,14
das Pfund, — 2,1
   das Pfund (=pro Pfund)
   2,9
die Phantasie, -n 9,21 / 12,15
phantastisch 6,31 / 6,45

die Philharmonie 17,14
der Philharmoniker, — 4,23
die Philologin, -nen 23,21
der Philosoph, -en 12,10
die Philosophie, -n 3,2
der Philosophieprofessor, -en
   16,27
philosophisch 27,25
die Physik 3,31
   die Atomphysik 3,27
der Physiker, — 3,31
die Physikerin, -nen 3,31
der Pianist, -en 30,22
das Piano, -s 30,24
pico bello 14,34
der Pilot, -en 16,27
die Piraterie 25,20
die Pistole, -n 6,1
die Pizza, -s 1,22
die Pizzeria, -s 27,14
das Plakat, -e 30,9
   das Theaterplakat, -e 25,1
der Plan, ⁻e 5,32
   der Fahrplan, ⁻e 6,53
   der Stadtplan, ⁻e 27,12
planen 4,29
der Planet, -en 17,32 / 24,13
das Planetarium, Planetarien
   6,14
das Planetensystem, -e 17,31
platt 18,14
plattdeutsch 11,5
die Platte, -n (=Schallplat-
   te) 6,8
   die Jazzplatte 30,9
die Platte, -n (=Teller) 5,11
   die Käseplatte, -n 5,11
der Plattenladen, ⁻ 18,15
der Plattenspieler, — 19,23
der Platz, ⁻e 6,2
   Platz nehmen 6,2
   der Arbeitsplatz, ⁻e 21,19
   der Campingplatz, ⁻e 26,7
   der Fensterplatz, ⁻e 16,8
   der Parkplatz, ⁻e 20,33
   der Spielplatz, ⁻e 11,21
   der Studienplatz, ⁻e 7,26
platzen 17,21
plötzlich 25,6
poetisch 30,30
die Poliklinik, -en 18,12
die Politik 14,41 / 16,21
   die Finanzpolitik 26,24
   die Kulturpolitik 26,32
der Politiker, — 12,16
politisch 14,42 / 16,22
   außenpolitisch 26,29
die Polizei 2,25 / 7,12
der Polizist, -en 5,28
die Polka, -s 7,12

populär 30,22
der Portier, -s 7,1
das Porträt, -s 12,11
der Portwein 20,28
das Porzellan 11,25 / 15,1
die Position, -en 26,29
die Post (Briefe) 9,4
   die Privatpost 17,8
die Post, Postämter 2,25 /
   7,30
der Postbeamte, -n 7,30
der Postbus, -se 8,39
die Postkarte, -n 13,8
prächtig 22,1
praktisch 14,39
der Präsident, -en 3,14
   der Bundespräsident, -en
   26,29
die Praxis 14,40
predigen 27,26
der Preis, -e 2,12
   der Fahrpreis, -e 25,23
   der Marktpreis, -e 26,24
preiswert 17,23
die Presse 26,29
prima 3,20
primär 17,25
der Prinz, -en 10,23
die Prinzessin, -nen 10,23
privat 26,6
   die Privatpost 17,8
das Privileg, -ien 23,10
die Probe, -n 29,14
probieren 5,19 / *5,28*
das Problem, -e 3,28
   das Schulproblem 14,43
   das Studienproblem 14,43
der Professor, -en 1,3
das Projekt, -e 30,23
die Prosa 27,16
Prost! 1,1
das Prozent (%), -e 8,11 /
   19,34
prüfen 24,26
die Prüfung, -en 9,26
   die Prüfung bestehen
   28,13
PS (die Pferdestärke) 6,21
die Psyche 19,39
der Psychologe, -n 3,31 /
   30,25
die Psychologie 3,10
die Psychologin, -nen 3,31
psychologisch 14,42 / 30,25
das Publikum 24,27
der Pudding, -s 4,20
das Puder, — 23,28
der Pulli, -s 15,21
der Pullover, — 11,32
das Pulver, — 10,20

der Punkt, -e *
   der Treffpunkt, -e 29,9
pünktlich 9,2
die Puppe, -n 11,5
putzen 10,11 / *13,51*
die Putzfrau, -en 3,23
der Pyjama, -s 6,52

Q
der Quadratmeter (m²), —
   7,36
der Quatsch 26,36
quatschen 26,39
die Quelle, -n 8,11

R
das Rad, ⁻er 4,1
   Rad fahren 4,1
   das Motorrad ⁻er 4,6
   das Riesenrad, ⁻er 26,4
das Radio, -s 6,2
das Radiohören 16,38
die Radtour, -en 4,28
rasch 25,6
der Rasierapparat, -e 18,26
(sich) rasieren 14,36 /
   16,17
die Rasse, -n 28,1
die Rast, -en 10,18 / 17,21
das Rathaus, ⁻er 8,20
rationalistisch 29,9
das Rätsel, — * / 11,32
der Ratskeller, — 11,5
der Rauch 5,30
rauchen 1,19
der Raucher, — 5,31
   der Nichtraucher, — 27,28
der Rauchsalon, -s 25,9
der Rauchtee 15,13
rauf 21,1
rauh 21,18
der Raum, ⁻e (=Platz) 11,20
der Raum, ⁻e (=Zimmer)
   23,34
   der Lagerraum, ⁻e 25,20
   der Seminarraum, ⁻e 27,5
der Rausch, -e 29,18
rauschen 16,16
das Rechenexempel, — 28,24
die Rechnung, -en 2,23
recht (=in Ordnung) 4,11
   recht (=richtig) 19,37
   recht (=ziemlich) 22,10
   rechter Winkel 28,24
   recht haben 7,27 / 12,17
das Recht, -e 21,21
rechts 2,24
der Rechtsanwalt, ⁻e 21,1
die Rede, -n * / 5,30
reden 3,28 / *8,18*

das Reden 13,47
das Regal, -e 20,27
   das Bücherregal, -e 20,2
die Regel, -n * / 15,12
der Regen, — 11,32
der Regenmantel, :̈ 8,19
der Regenschirm, -e 19,14
das Regenwetter 28,15
die Regierung, -en 14,41 /
  26,28
regnen 3,21 / 18,31
reich 6,19
   geistreich 10,22
der Reichtum 12,28
reif 2,6
reifen 25,24
der Reifen, — 17,21
rein 15,8
reinfahren 10,16
   fährt rein, fuhr rein, ist rein-
   gefahren
reinkommen 7,34 / 10,27
   kommt rein, kam rein, ist
   reingekommen
reinlegen 6,54
der Reis 2,18
die Reise, -n 4,12
   die Gesellschaftsreise, -n
   17,15
   die Hochzeitsreise 17,18
   die Rundreise, -n 22,10
   die Schiffsreise -n 17,22
   die Weltreise, -n 19,23
das Reisebüro, -s 2,25 /
  17,4
reisen 5,32 / 17,13
reiten 4,3
   reitet, ritt, ist/hat geritten
das Reitpferd, -e 13,15
die Reitstunde, -n 27,3
reizend 28,19
der Rekord, -e 24,1
die Renaissance 11,25
   die Frührenaissance 15,43
das Rendezvous 4,9
rennen 14,22
   rennt, rannte, ist gerannt
das Rennen, — 30,37
der Rennfahrer, — 30,1
der Rennwagen, — 30,1
der Rentner, — 3,12
die Reparatur, -en 9,13
reparieren 7,16 / *7,43* /
  12,26
der Reporter, — 3,13 / 3,14
   der Bildreporter, — 12,10
die Repräsentation 26,29
repräsentieren 26,28
die Republik, -en 21,19
   die Bundesrepublik 7,26

der Rest, -e 10,16
das Restaurant, -s 7,7
   das Hafenrestaurant, -s
   19,27
   das Seerestaurant, -s 16,20
das Restaurieren 12,10
restlos 26,28
das Resultat, -e 8,40
das Revolverkino, -s 20,19
das Rheuma 26,33
(sich) richten nach 28,24
der Richter, — 21,1
richtig 4,42
   richtig (=wirklich) 6,36
die Richtung, -en 8,29
riechen 14,15
   riecht, roch, hat gerochen
der Riese, -n 16,41
das Riesenrad, :̈er 22,18
riesig 8,41 / 8,44
das Rind, -er 29,14
der Rinderbraten, — 2,14
der Ring, -e 13,19
der Rock, :̈e 13,36
   der Maxirock, :̈e 15,22
   der Rockertyp, -en 15,42
die Rolle, -n 23,1
der Roman, -e 4,39
   der Kriminalroman 6,7
die Romantik 27,26
der Romantiker 10,22
romantisch 4,26
rosa 25,10
das Röschen, — 13,53
die Rose, -n 2,16
der Rosenbusch, :̈e 25,23
rosenrot 23,42
der Rosenstrauß, :̈e 13,15
die Rosine, -n 2,18
rot 6,7
   rosenrot 23,42
   rot werden 19,29
rotbärtig 16,21
der Rotwein 2,10 / 5,19
die Rückkehr 17,30
der Rucksack, :̈e 4,29
rufen *8,42*
   ruft, rief, hat gerufen
die Ruhe 7,4
ruhen 19,39
ruhig 7,4
der Rum 2,32
rumdrehen 22,3
rund 15,1
die Runde, -n 10,18
die Rundreise, -n 22,10
runter 4,26
runterfallen 6,36
   fällt runter, fiel runter, ist
   runtergefallen

S

der Saal, Säle 16,30
   der Hörsaal, Hörsäle 27,5
   der Konzertsaal, Konzertsä-
   le 27,8
   der Tanzsaal, Tanzsäle 7,35
die Sache, -n * / 11,25 /
  13,16
sachlich 12,1
der Sack, :̈e 29,14
der Saft, :̈e 1,2
   der Apfelsaft 1,3
   der Himbeersaft 25,15
   der Orangensaft 1,3
sagen 6,14 / *6,50*
die Sahne 4,44
   die Schlagsahne 12,26
der Salat, -e 2,1
   der Obstsalat, -e 8,17
das Salz 5,28
sammeln 18,31
die Sammlung, -en 29,14
der Samstag, -e 9,25
der Sand 16,1
die Sandale, -n 18,27
die Sängerin, -nen 27,26
   die Opernsängerin, -nen
   30,24
der Satan 13,44
der Satellit, -en 28,20
satt 23,33
der Satz, :̈e * / 7,27 / 24,2
sauber 7,9 / 11,35
die Sauberkeit 11,35
saubermachen 13,31 / *13,51*
sauer 5,5
das Sauerkraut 10,26
saufen 19,7
   säuft, soff, hat gesoffen
die S-Bahn, -en 8,35
der S-Bahnhof, :̈e 8,35
das Schach 4,3
die Schachtel, -n 2,24
schade! 4,12
der Schädel, — 28,1
schaden 30,21
der Schaden, :̈ 30,37
der Schäferhund, -e 6,31
schaffen 25,12
der Schaffner, — 23,37
der Schal, -s 13,9
scharf 12,28
   messerscharf 23,42
die Schärfe 12,28
der Schatten, — 12,19
der Schatz (Anrede) 9,31
schauen 9,31 / *9,32*
das Schaufenster, — 7,27 /
  9,1

der Schauspieler, — 3,30 /
  16,27
die Schauspielerin, -nen 3,12
der Scheck, -s 7,10
das Scheckbuch, :̈er 25,10
scheinen 19,15
   scheint, schien, hat geschie-
   nen
das Schema, -s * / 15,33
schenken 12,10 / *13,51*
die Schere, -n 14,41
scheußlich 8,46
schick 23,17
schicken 7,16 / *7,43*
das Schicksal 22,14
schießen 10,20
   schießt, schoß, hat geschos-
   sen
das Schiff, -e 8,1
   das Handelsschiff, -e 27,18
der Schiffsbauer, — 22,7
die Schiffsreise, -n 17,22
der Schilling 2,24
schimmernd 18,31
der Schimpanse, -n 24,2
die Schimpansin, -nen 28,9
der Schinken, — 2,23
das Schinkenbrot, -e 5,8
der Schirm, -e 11,32
   der Regenschirm, -e 19,14
   der Sonnenschirm, -e
   11,22 / 11,32
der Schlaf 16,38
schlafen 3,17 / *3,28*
   schläft, schlief, hat geschlafen
der Schläfer, — 5,31
die Schlafkammer, -n 25,9
der Schlafwagen, — 8,29
die Schlafzeit 16,38
das Schlafzimmer, — 12,29
schlagen 20,34
   schlägt, schlug, hat geschla-
   gen
das Schlagen 20,35
die Schlagsahne 12,26
die Schlange, -n 25,23
schlank 8,43
schlecht 4,42 / 5,5
der Schleier, — 18,31
schließen 9,10 / *9,32*
   schließt, schloß, hat geschlossen
schlimm 12,8
das Schloß, :̈er (Tür) 22,3
das Schloß, :̈er (Palast)
  10,1
der Schloßgarten, :̈ 12,5
der Schloßpark, -s 11,30
der Schluß, :̈e 22,7

der **Schlüssel**, − 7,4
  der Zimmerschlüssel, −
  26,25
schmal 12,3
schmecken 5,1 / *5,28*
der **Schmerz**, -en 27,13
  der Bauchschmerz, -en
  13,22
  der Fußschmerz, -en 13,22
  der Herzschmerz, -en 21,1
  der Kopfschmerz, -en
  13,22
  der Zahnschmerz, -en
  13,54
die **Schmerztablette**, -n 29,7
(sich) **schminken** 16,11
der **Schmuck** 7,27 / 15,7
schmutzig 6,39
der **Schnaps**, ⁻e 2,32
die **Schnapsflasche**, -n 21,12
der **Schnapstrinker**, − 14,1
der **Schnee** 7,25
  der Schneeberg, -e 30,1
  der Schneehügel, − 18,31
  schneeweiß 23,20
schneiden 29,14
  schneidet, schnitt, hat ge-
  schnitten
die **Schneidermeisterin**, -nen
  14,40
schneien 18,31
schnell 4,38
  blitzschnell 23,42
der **Schnellzug**, ⁻e 8,30
das **Schnitzel**, − 5,16
die **Schokolade**, -n 2,24
  der Schokoladenpudding, -s
  10,8
  die Schokoladetorte, -n 5,8
schon 3,17
schon (=ja, doch) 4,26
schön 1,32
  das Schöne 4,34
  die Schöne, -n 16,11
  die Schönheit 11,35
  (sich) schönmachen 16,21
der **Schrank**, ⁻e 6,40
  der Bücherschrank, ⁻e
  18,18
  der Küchenschrank, ⁻e 20,6
schreiben * / 2,30
  schreibt, schrieb, hat geschrieben
die **Schreibmaschine**, -n
  6,5
der **Schreibtisch**, -e 16,8 /
  20,3
schreien 25,6
  schreit, schrie, hat geschrie-
  en

der **Schreiner**, − 14,39
das **Schreinerhandwerk** 14,39
die **Schrift**, -en * / 21,5
die **Schriftart**, -en 8,12
der **Schriftsteller**, − 24,19 /
  27,30
der **Schritt**, -e 15,5
die **Schublade**, -n 20,27
der **Schuh**, -e 7,26
  der Handschuh, -e
  13,26 / 16,30
  der Straßenschuh, -e 7,26
  der Tanzschuh, -e 15,29
  das Schuhgeschäft, -e 3,14
schuldig 14,4
die **Schule**, -n * / 3,14
  die Hochschule, -n
  27,30 / 29,16
  die Volksschule, -n 27,25
der **Schüler**, − * / 3,30
die **Schülerin**, -nen 3,30
der **Schuljunge**, -n 8,17
das **Schulkind**, -er 16,2
das **Schulmädchen**, − 12,5
das **Schulproblem**, -e
  14,43
die **Schulzeit** 26,18
schwach * / 19,34
die **Schwäche**, -n 19,39
schwarz 4,25
das **Schweinchen**, − 23,42
schweinchenrosa 23,42
der **Schweinebauch** 2,14
der **Schweinskopf**, ⁻e 2,14
der **Schweiß** 25,20
schwer (Gewicht) 7,22 /
  21,2
  schwer (=schwierig) * /
  23,1
die **Schwerkraft** 28,20
schwerkrank 27,26
die **Schwester**, -n 3,30 /
  7,6
  die Krankenschwester,
  -n 19,22
das **Schwesterchen**, − 13,53
schwierig 7,1
die **Schwierigkeit**, -en
  11,35
das **Schwimmbad**, ⁻er 4,44
schwimmen 3,14
  schwimmt, schwamm, ist/
  hat geschwommen
das **Schwimmen** 18,32
der **Schwimmer**, − 18,32
die **Schwimmerin**, -nen 3,14
der **Schwips**, -e 12,22
der **See**, -n 10,2
der **Seefahrer**, − 17,32
das **Seehotel**, -s 2,26

die **Seele**, -n 11,20
  keine Menschenseele 25,20
der **Seemann**, ⁻er/Seeleute
  16,2
die **Seemannsmütze**, -n 11,7
das **Seerestaurant**, -s 16,20
der **Seewind**, -e 11,7
das **Segelboot**, -e 26,40
sehen 4,29
  sieht, sah, hat gesehen
sehr 1,11 / *24,5*
die **Seife** 18,26
die **Seiltänzerin**, -nen 27,26
sein 1,35 / *3,3* / *3,28*
  ist, war, ist gewesen
seit 4,24 / *18,4*
die **Seite**, -n (im Buch) *
die **Seite**, -n 16,16
die **Sekretärin**, -nen 3,24
der **Sekt** 11,32
sekundär 17,25
die **Sekunde**, -n 12,26
selber 12,12
selbst 8,1
selbständig 14,40
selbstverständlich 6,14 /
  7,4
selten 6,36
das **Semester**, − 4,35
  das Sommersemester, −
  9,27
  das Wintersemester, − 9,26
die **Semesterferien** (Pl.) 9,26
das **Seminar**, -e 9,26
der **Seminarraum**, ⁻e 27,5
senden 28,2
  sendet, sandte, hat gesandt
die **Sensation**, -en 15,7
sensationell 28,1
sensibel 28,20
der **September** 9,25
der **Septembertag**, -e 10,18
die **Serie**, -n 15,36 / 17,35
servieren 13,5 / *13,51*
Servus! 4,11
der **Sessel**, − 12,26
(sich) **setzen** *20,8*
der **Sexfilm**, -e 7,43
der **Sherry** 7,34 / 20,28
sicher (=bestimmt) 4,25
sicher 10,20
sichern 24,23
das **Signal**, -e 15,17
das **Silber** 15,1
das **Silberhemd**
  16,30
silbern 16,11
die **Sinfonie**, -n 30,22
singen 7,38
  singt, sang, hat gesungen

sinken 29,14
  sinkt, sank, ist gesunken
die **Situation**, -en 10,20 /
  10,23
der **Sitz**, -e 26,28
sitzen *3,28* / *20,9*
  sitzt, saß, hat gesessen
der **Ski**, -er 4,4
  das Skilaufen 19,47
  der Skistiefel, − 15,29
die **Skulptur**, -en 15,39 /
  15,42
so 4,26
so (+Adjektiv) 3,2
so ein 6,35
so ... wie 6,37
das **Sofa**, -s 16,8 / 30,1
sofort 1,13
sofortig 25,3
der **Sohn**, ⁻e 6,43
solange 23,10
solch- 21,1
der **Soldat**, -en 6,48
solidarisch 24,23
sollen 23,17
  soll, sollte, hat gesollt
der **Sommer**, − 6,36
das **Sommerfest**, -e 12,23
die **Sommerjacke**, -n 25,8
das **Sommerkleid**, -er 15,29
das **Sommerkleidchen**, −
  23,17
sommerlich 22,28
der **Sommermantel**, ⁻ 16,8
das **Sommernachtsfest**, -e
  6,50
das **Sommersemester**, − 9,27
das **Sommerwetter** 25,20
das **Sonderangebot**, -e
  15,8
sondern 13,40 / 19,34
der **Sonnabend**, -e 9,25
die **Sonne**, -n 7,18
  die Mittagssonne 16,3
(sich) **sonnen** 16,21
  die Sonnenblume, -n 9,27
  das Sonnenblumenöl 15,8
  die Sonnenbrille, -n 18,24
  die Sonnencreme, -s 19,14
  der Sonnenhut, ⁻e 19,14
  sonnenklar 23,42
  der Sonnenschirm, -e 11,22
sonnig 10,18 / 11,26
der **Sonntag**, -e 3,17
das **Sonntagsfrühstück** 10,23
die **Sorge**, -n 30,25
die **Sorte**, -n 29,12
  die Kaffeesorte, -n 29,12
soviel 27,24
sozial 14,40

der Sozialdemokrat, -en 26,29
der Soziologe, -n 3,31
die Soziologie 3,31
die Soziologin, -nen 3,31
die Spaghetti (Pl.) 1,22
die Sparkasse, -n 3,32
sparsam 19,9
die Sparsamkeit 29,14
der Spaß, ⸚e
Viel Spaß! 4,9
es macht mir Spaß 4,1
spät 2,24 / *24,5*
später 7,27 / *10,10*
spazierengehen 4,5 / *4,39*
geht spazieren, ging spazieren, ist spazierengegangen
der Spaziergang, ⸚e 5,30
der Spaziergänger, — 5,31
SPD (Sozialdemokratische Partei Deutschlands) 26,29
die Speise, -n
die Nachspeise, -n 5,24
die Vorspeise, -n 5,24
die Speisekarte, -n 5,12
der Speisewagen, — 8,10 / 8,29
spenden 11,20
der Spezialist, -en 26,22
speziell 23,32
die Sphäre, -n 30,23
der Spiegel, — 13,37 / 15,1
der Taschenspiegel, — 25,23
spiegeln 26,29
das Spiel, -e 5,30
das Fußballspiel, -e 19,2
spielen 4,1 / *4,39*
der Spieler, — 5,31
der Plattenspieler, — 19,23
die Spielkarte, -n 25,25
der Spielplatz, ⸚e 11,21
die Spirale, -n 28,24
der Sport, Sportarten 4,45
Sport treiben 4,45
der Sportclub, -s 3,14
das Sporthemd, -en 19,11
die Sportlehrerin, -nen 3,13
sportlich 23,21
der Sportwagen, — 6,23
die Sprache, -n 6,16
die Muttersprache, -n 8,13
der Sprachkurs, -e 27,12
sprechen * / 3,14 / *8,17*
spricht, sprach, hat gesprochen
der Sprecher, — 5,31
die Sprecherin, -nen 5,31
der Springbrunnen, — 12,5
springen * / 10,4 / *11,32*
springt, sprang, ist gesprungen

der Sprung, ⸚e 19,39 / 24,1
der Katzensprung 18,9
die Spur, -en 25,20
spüren 14,46
St. (= Sankt) 18,1
der Staat, -en 8,11
staatlich 30,5
das Staatsexamen, — 9,26
stabil 26,32
das Stadion, Stadien 4,38
die Stadt, ⸚e 6,47
die Altstadt 11,3
die Großstadt, ⸚e 12,1
die Handelsstadt, ⸚e 12,3
die Hansestadt, ⸚e 11,7
die Hauptstadt, ⸚e 16,37
die Heimatstadt, ⸚e 13,15
die Industriestadt, ⸚e 12,3
die Innenstadt, ⸚e 11,1
die Kleinstadt, ⸚e 12,3
das Städtchen, — 12,1
der Städter, — 16,1
die Stadtmauer, -n 18,3
der Stadtplan, ⸚e 27,12
das Stadttheater, — 18,13
das Stadtzentrum, Stadtzentren 11,20
der Stahl 23,42
die Stahlbrücke, -n 18,16
stahlhart 23,42
die Stahlmöbel (Pl.) 18,16
die Stalltür, -en 29,14
stammen 11,25 / 28,1
stark * / 6,23
stärken 25,24
der Start, -s 24,28
starten 8,22
startet, startete, ist gestartet
die Station, -en 8,38
die Endstation, -en 12,21
die Statistik, -en 16,38 / 19,34
staubig 15,34
staunen 28,9 / 29,2
das Steak, -s 5,2
stecken 21,19
stehen * / 7,27 / *13,51* / *20,9*
stehen (= passen zu) 13,26 / 15,22
steht, stand, hat gestanden
stehlen 29,18
stiehlt, stahl, hat gestohlen
steigen 10,25 / *16,39*
steigt, stieg, ist gestiegen
der Stein, -e 10,25
steinig 10,2
die Steintreppe, -n 18,16
die Stelle, -n 12,5
die Arbeitsstelle, -n 27,14

die Haltestelle, -n 18,12
die Straßenbahnhaltestelle, -n 8,35
(sich) stellen 5,24 / *20,8*
das Steno(graphie) 9,16
der Stenokurs, -e 27,3
sterben 17,31
stirbt, starb, ist gestorben
der Stern, -e 28,25 / 30,33
stets 30,25
das Steuer, — 26,29
der Steuermann, ⸚er 25,20
steuern 19,39 / 28,20
die Steuerung 28,20
die Stewardess, -en 7,26
der Stiefel, — 15,27 / 15,45
der Skistiefel, — 15,29
still 19,40
windstill 10,2
die Stille 19,39
stillen (Hunger) 9,21
die Stimme, -n 6,39
die Kinderstimme, -n 27,26
die Stimme, -n (bei Wahlen) 23,36
stimmen 5,19 / 9,32
die Stimmung, -en 19,39
die Stirne, -n 25,20
der Stock, ⸚e 13,27
der Stock, Stockwerke 20,1
der Stoff, -e 15,42
stolz 19,29
stop! 7,43
stoppen 29,4
stören 7,32 / *16,39*
stoßen 30,30
stößt, stieß, hat gestoßen
der Strand, ⸚e 7,25
das Strandcafé, -s 11,27
das Sträßchen, — 15,42
die Straße, -n 3,10 / 3,29
die Straßenbahn, -en 6,30
die Straßenbahnhaltestelle, -n 8,35
der Straßenrand 7,43
der Straßenschuh, -e 7,26
der Strauß, ⸚e 2,16
der Blumenstrauß, ⸚e 13,1
der Rosenstrauß, ⸚e 13,15
das Sträußchen, — 13,53
die Strecke, -n 8,40
streichen 11,22 / 22,14
streicht, strich, hat gestrichen
der Streik, -s 11,34
streng 21,12
das Stroh 23,20
strohdumm 23,20
die Struktur, -en 17,23

der Strumpf, ⸚e 15,21
der Kniestrumpf, ⸚e 2,14
das Stück, -e 2,22 / 27,26
das Musikstück, — 27,26
das Theaterstück, -e 10,26
das Tortenstück, -e 12,20
das Stückchen, — 5,19
der Student, -en 1,3
der Medizinstudent 16,36
der Musikstudent 6,15
das Studentenheim, -e 27,9
die Studentin, -nen 1,21
der Studienplatz, ⸚e 7,26
das Studienproblem, -e 14,43
studieren 3,2 / *3,28*
studieren (= betrachten) 7,27 / 13,6
das Studium, Studien 5,30
die Stufe, -n 16,2
der Stuhl, ⸚e 11,22 / 13,28
der Gartenstuhl, ⸚e 20,7
der Liegestuhl, ⸚e 20,12
stumm 25,25
der Stummfilm, -e 18,4
die Stunde, -n 4,24 / 4,25
die Stunde, -n (= Unterricht) 3,14
Stunden geben 3,14
die Reitstunde, -n 27,3
die Tanzstunde, -n 18,25
stundenlang 16,21
stündlich 17,44
der Sturm, ⸚e 16,1
die Sturmflut, -en 22,1
die Suche 18,32
suchen * / 5,12
süddeutsch 18,19
der Süden 8,11
der Südosten 8,11
der Südpol 17,30
die Summe, -n 8,40
super 15,30
der Supermarkt, ⸚e 2,25 / 9,34
die Suppe, -n 4,37 / 5,3
die Gulaschsuppe, -n 20,25
die Hühnersuppe, -n 20,24
das Suppenfleisch 2,14
der Suppenlöffel, — 18,18
die Suppenterrine, -n 25,20
süß 6,42
süßen 25,24
der Swimmingpool, -s 6,28
das Symbol, -e 18,19
die Sympathie, -n 24,27
sympathisch 3,14
die Symphonie, -n 30,13
das Symphoniekonzert, -e 27,8

274

die Vorfrage, -n 30,29
vorlesen 13,45
    liest vor, las vor, hat vorge-
    lesen
die Vorlesung, -en 9,2
der Vormittag, -e 1,33
vorn 10,1
der Vorname, -n 3,8
der Vorschlag, ⁼e 19,43
vorschlagen 29,15
die Vorsicht 11,33
vorsichtig 20,34
die Vorspeise, -n 5,24
(sich) vorstellen 13,44 /
    13,51
    sich etwas vorstellen
    13,51
die Vorstellung, -en 25,23
vorstoßen 17,23
    stößt vor, stieß vor, ist/hat
    vorgestoßen
der Vortrag, ⁼e 16,35
vortragen 28,1
    trägt vor, trug vor, hat vor-
    getragen
das Vorurteil, -e 19,34
der Vorzug, ⁼e 11,23
der Vulkan, -e 22,14

W

wach 11,23
wachen 25,6
wachsen 25,23
    wächst, wuchs, ist gewach-
    sen
das Wachstum 28,20
wagen 23,31
der Wagen, − (=Handwa-
    gen) 8,19
der Wagen, − (=Auto) 14,34
    der Gebrauchtwagen, −
    26,11
    der Lastwagen, − 8,4
    der Rennwagen, − 30,1
    der Sportwagen, − 6,23
die Wahl 9,33
    eine Wahl treffen 7,27
    die Auswahl 15,35
    die Berufswahl 7,27
die Wahl, -en (politisch)
    26,29
wählen 7,27 / 16,39
der Wahnsinn 7,27
wahnsinnig 7,29
wahr 6,28
    nicht wahr? 6,28
wahrscheinlich 11,25 /
    12,22
der Wal, -e 24,14
der Wald, ⁼er 6,47

der Walzer, − 4,8
die Wand, ⁼e 18,33
wandern 18,5 / 19,42
    wandert, wanderte, ist ge-
    wandert
die Wanderung, -en 18,5
die Wandmalerei, -en 10,18
wann? 3,18 / 19,6
wäre (sein) 27,25
das Warenhaus, ⁼er 9,34
warm 4,25
die Wärme 12,28
wärmen 25,24
warten (auf) 4,23 / 4,39
warum? 5,3 / 19,6
was? 1,5 / 13,39
    was (Relativpronomen)
    30,18
    was (=etwas) 14,1
    was für ein 23,26
die Wäsche 7,43
(sich) waschen 7,38 / 7,43
    wäscht, wusch, hat gewa-
    schen
die Wäscherin, -nen 27,26
das Wasser, − 1,3
    das Bergwasser, − 18,27
    das Fischwasser, − 25,19
    das Hochwasser, − 26,40
    das Kirschwasser 15,9
die Wasseroberfläche, -n
    19,39
wechseln 3,32 / 7,43
wecken 25,2
weg 3,17
der Weg, -e 8,40
wegfahren 27,18
    fährt weg, fuhr weg, ist
    weggefahren
weggehen 29,7
    geht weg, ging weg, ist
    weggegangen
die Weglassung, -en 29,14
weglaufen 29,18
    läuft weg, lief weg, ist weg-
    gelaufen
wegwerfen 14,11 / 14,44
    wirft weg, warf weg, hat
    weggeworfen
wegzeigen 28,20
weh tun 18,5 / 19,42
    tut weh, tat weh, hat weh
    getan
weiblich 29,14
weich 15,43 / 22,22
    butterweich 23,42
das Weihnachten 3,17
das Weihnachtsbild, -er
    10,18
weil 14,39 / 19,8

der Wein, -e 1,1
    der Branntwein, -e 25,2
    der Portwein 20,28
der Weinberg, -e 12,1
weinen 14,22
die Weinflasche, -n 6,25
der Weingärtner, − 12,3
das Weinglas, ⁼er 18,17
der Weinkeller, − 13,43
die Weinstube, -n 11,22 /
    11,29
weiß 8,42
    schneeweiß 23,20
das Weiß 18,31
weit 3,17
die Weite, -n 11,20
weiter- 23,31
weiterfahren 7,1
    fährt weiter, fuhr weiter, ist/
    hat weitergefahren
weitergehen 22,10
    geht weiter, ging weiter, ist
    weitergegangen
weiterlaufen 28,24
    läuft weiter, lief weiter, ist
    weitergelaufen
weitersuchen 7,3
weither 12,10
welch- 4,45 / 23,26
    welch ein 10,23
die Welt, -en 7,30
    aus aller Welt 15,7
    die Pflanzenwelt 28,28
    die Tierwelt 28,28
weltberühmt 29,9
der Weltkrieg, -e 26,6
die Weltreise, -n 19,23
wem 6,37 / 13,39
wen 11,20 / 13,39
wenig 2,10 / 6,16
    ein wenig 25,20
wenn (konditional) 4,24 /
    19,8
wenn (temporal) 6,45 / 29,3
    immer wenn 29,3
wer? 4,3 / 13,39
wer (Relativpronomen)
    22,12 / 30,18
werden (Zustandsänderung)
    7,26 / 7,43
    werden (Futur) 28,24
    wird, wurde, ist geworden
werfen 14,44
    wirft, warf, hat geworfen
das Werk, -e 15,37 / 22,12
der Wermut 5,28
wertvoll 15,39 / 30,26
das Wesen, − 11,20
    das Lebewesen, − 28,1
der Westen 8,11

westlich 18,2
die Westroute, -n 17,23
das Wetter 7,43
    das Regenwetter 28,15
    das Sommerwetter 25,1
der Wetterbericht, -e
    28,15
wichtig 11,22 / 20,35
widerlegen 19,34
    widerlegt, widerlegte, hat
    widerlegt
wie(?) 1,25
    wie bitte? 4,43
wieder 3,17
    immer wieder 13,50
(sich) wiederholen * /
    24,26
    wiederholt, wiederholte, hat
    wiederholt
die Wiederholung, -en 29,3
wiederkommen 19,36 / 29,2
    kommt wieder, kam wieder,
    ist wiedergekommen
sich wiedersehen 16,19
    sieht wieder, sah wieder, hat
    wiedergesehen
das Wiedersehen, − 4,5
    auf Wiedersehen 4,5
die Wiese, -n 22,2
    die Blumenwiese, -n 22,5
wieso? 12,5
wieviel 2,7
    der wievielte 24,22
willkommen 18,33
der Wind, -e 29,1
    der Bergwind, -e 10,2
    der Nachtwind, -e 25,2
    der Seewind, -e 11,7
windstill 10,2
der Winkel, − 28,24
    rechter Winkel 28,24
der Winter, − 7,45
    das Winterkleid, -er 23,17
winterlich 22,7
der Wintermantel, ⁼ 16,39
das Wintersemester, − 9,26
winzig 8,41
wirklich 5,17
die Wirklichkeit 27,26 /
    29,12
der Wirt, -e 10,12
die Wirtin, -nen 7,35
die Wirtschaft, -en 9,30
    die Gartenwirtschaft, -en
    16,37
das Wirtshaus, ⁼er 18,33
wischen 25,20
wissen 4,24 / 16,39
    weiß, wußte, hat gewußt
    wissen Sie! 26,34

Grammatik-Register

Sprachkurs Deutsch Teil 1+Teil 2

Dieses Register verweist auf
grammatische Tafeln (,,Elemente'')
analytische Aufgaben zu grammatischen Problemen (,,Diskussion'')
Übungen zu grammatischen Problemen (nach Schwerpunkten).

Die Zahlen bezeichnen die Kapitel.
23 und 24 bedeutet: Kapitel 23 und Kapitel 24.

Bildnachweis

Anthony Verlag, Starnberg: Seite 28. Günther Berger, Prien: 212(2), 213. Friedemann Beyer, München: 37, 38, 131, 250(1). Ursula Bode, Lübeck: 30. Bertolt Brecht-Erben, Berlin: 240. The British Museum, London: 249(2). Deutsche Presseagentur, Frankfurt/M.: 57. Jutta Hafner, Prien: 2, 3, 5, 6, 12, 13, 18, 19, 23, 119, 157, 207, 208(2), 209, 243, 244. Ernst Hausner, Wien: V. Robert Häusser, Mannheim: 208(1). Archiv Häussermann: 61(1–6, 8), 112, 164, 176, 194, 197, 249(1, 5). Ulrich Häussermann, Prien: 7, 8, 9, 20, 21, 22, 46, 52, 54, 55, 68, 72, 74, 103(1–2, 4–6, 8), 106, 107, 110, 118, 124, 126, 132(3–7), 133, 134, 139, 145(7), 153, 167, 180, 189(1, 3, 5, 6), 204(2), 212(1), 214, 216(1), 239(2), 248, 249(3). Titus Häussermann, Stuttgart: 138(2), 169. Doris Jacoby, Frankfurt/M.: 53. Kunsthistorisches Museum Wien: 249(4). Erich Lessing: 61(7). B. List, Kirchberg/Wechsel: 216. Mozart-Museum Salzburg: 249(6). Uwe Muuß, Altenholz: 132(1, 2, 8). Nationalmuseum Prag: 249(7). Hilmar Pabel, Umrathshausen: 151(1, 4, 5). Volker Prechtel, Gröbenzell: 32, 33, 103(3, 7), 135, 145(2, 4, 6, 8), 151(2), 189(2, 4, 8), 204(1), 250(2). roebild, Frankfurt/M.: 50. Toni Schneiders, Bad Schachen: 69(2, 3). Schweizer Verkehrsbüro, Frankfurt/M.: 1. Gerd v. Stokar, Dachau: 145(3, 5), 151(3). Ulrike v. Stokar, Mainz: 27, 78, 145(1). Theatermuseum München: 249(8). Frau Mary Tucholsky, Rottach-Egern: 144.

Quellennachweis

S. 42 Nach Bernhard von Rosenbladt: Tagesläufe und Tätigkeitensysteme (In: „Soziale Welt" Heft 1/20. Jg. S. 49ff.), Verlag Otto Schwartz & Co, Göttingen.

S. 56f. Nach Werner Heisenberg, Der Teil und das Ganze, Piper Verlag, München 1971, S. 101f. Mit freundlicher Genehmigung von Frau Elisabeth Heisenberg.

S. 80 Auszug aus: Bella Chagall, BRENNENDE LICHTER, © Rowohlt Verlag GmbH, Reinbek bei Hamburg, 1966. S. 103f.

S. 97 Rosa Luxemburg, „Briefe an Freunde" (Brief an Mathilde Wurm v. 16.12. 1917), Europäische Verlagsanstalt GmbH, Köln.

S. 115 Horst Speichert, „Eine Umwelt zum Lernen" — Auszug aus: Initiativgruppe Solingen, SCHULE OHNE KLASSENSCHRANKEN, rororo-Sachbuch 6724, © Rowohlt Taschenbuch Verlag GmbH, Reinbek bei Hamburg, 1972. S. 45.

S. 127 Bertolt Brecht, Gesammelte Werke, werkausgabe edition suhrkamp: Band 8, S. 331 — „Rat an die Schauspielerin C. N." (Gedicht).

S. 240f. Band 11, S. 230f. „Durch bestimmte Weglassungen...", S. 231 „Das barmherzige Rote Kreuz", S. 232 „Das große Essen" Band 12, S. 377 „Mühsal der Besten", S. 383 „Das Wiedersehen", Suhrkamp Verlag KG, Frankfurt 1967.

S. 131 Günter Grass, DER BUTT, Hermann Luchterhand Verlag, Neuwied, 1977, S. 632f.

S. 137 Freie Paraphrase nach Erich Fromm: Die Kunst des Liebens, Verlag Ullstein GmbH, Frankfurt 1978, S. 15—17.

S. 144 Kurt Tucholsky, „Blick in ferne Zukunft" aus: Kurt Tucholsky, GESAMMELTE WERKE Band III/Seite 580, © Rowohlt Verlag GmbH, Reinbek bei Hamburg, 1960. Mit freundlicher Genehmigung Kurt Tucholsky Archiv.

S. 150f. Freie Paraphrase nach Jan Prochazka, Solange uns Zeit bleibt, © 1971 Georg Bitter Verlag, Recklinghausen.

S. 173 Zusammenfassung eines Artikels aus der Frankfurter Allgemeinen Zeitung vom 10.8.1976.

S. 185 Heinrich Zimmer: Weisheit Indiens (Darmstadt 1941), S. 20.

S. 185f. H. C. Artmann: „Die Anfangsbuchstaben der Flagge", Residenz-Verlag, München 1970, S. 9—11.

S. 225 Detlev Ploog: Die Sprache der Affen, Kindler, München 1974, S. 64ff.

S. 230f. Frei nach Frits W. Went, aus: DIE PFLANZEN, rororo, Reinbek, 1976, S. 107ff., 112ff. Copyright TIME—The Weekly Newsmagazine.

S. 234 Franz Kafka, Der Steuermann, in: Beschreibung eines Kampfes, Copyright 1936, 1937 by Heinrich Mercy Sohn, Prag; Copyright 1946 by Schocken Books Inc., New York City, USA; Copyright 1964 (1965) by Schocken Books Inc., New York City, USA; Mit Genehmigung des S. Fischer Verlags GmbH, Frankfurt a. M.

S. 251 Nach Alfred Adler: Menschenkenntnis, S. Fischer Verlag, Frankfurt, 1976, S. 221, 222, 229. Mit freundlicher Genehmigung von Greenburger Associates, Inc., New York.